Låt mig ta din hand

TOVE ALSTERDAL

LÅT MIG TA DIN HAND

LIND & CO

Av samma författare:
Kvinnorna på stranden, 2009
I tystnaden begravd, 2012

LIND&CO

INFO@LINDCO.SE
WWW.LINDCO.SE

Utgiven enligt avtal med Grand Agency
Omslag Niklas Lindblad, Mystical Garden Design
Omslagsfoto Shutterstock
Författarporträtt Annika Marklund
Tryckt i Danmark hos Nørhaven, 2015

ISBN 978-91-7461-346-9

Buenos Aires
1978

I mörkret kändes det som att hon kvävdes, om och om igen. En smutsig huva hade dragits ner över ansiktet och luften räckte inte till. Huvan måste ha använts förut. Hon tyckte sig känna lukten av svett, av mänskliga utsöndringar, av någon som inte hade orkat.

Kroppen hade vänt sig emot henne. Den brann av elektriciteten och skrek ur fotsulornas öppna sår, bultade i underlivet där de hade gett henne en omgång till.

De hade spelat musiken. Alltid den musiken.

You can dance, you can jive, having the time of your life…

Genom dånet från ventilationsanläggningen kunde hon urskilja tågen som hördes på avstånd och trafiken som tätnade utanför när natten övergick till dag. Morgonljuden var den största fasan. Dörrar som slog i våningarna under, stegen i trappan upp till vinden där hon låg. Väntan på att stövlarna skulle bli synliga genom glipan i huvans nederkant, och så musiken som startades på nytt, tonerna ur en burkig kassettbandspelare som växte mellan stenväggarna och fick henne att önska sig döden. Hon föreställde sig den som ett slags sval och bottenlös stillhet. Den var ett blankt svart vatten i en skog hon aldrig skulle återse, den var tystnad. Om natten, när ensamheten var kompakt inne i huvan och hon bara kunde gissa sig till andetag omkring, tänkte hon på just den sjön. Märkligt. Hon hade inte varit där på så länge. Den hade tråkat ut henne. De eviga värmländska skogarna hade fått henne att kvävas på den tiden, och nu fick hon för sig att där, bara där, skulle hon kunna andas igen.

Smärtan hade inget slut. Dagarna slutade inte komma.

See that girl, watch that scene, diggin' the dancing queen...

Det hände att hon hörde skolbarn sjunga någonstans långt bort och det var värre än skriken och stövlarna som smällde så hårt mot stengolvet. Det fanns ett liv på andra sidan som hade tagits ifrån henne och ingen visste var hon fanns. Hon hade börjat höra röster, röster hon kände igen. Galenskapen slet i henne. Allt hon såg var golv och fötter och deras stövlar när de kom nära. Om hon vågade lyfta huvudet en aning kunde hon skönja nederdelen av en överkropp.

Nu ropade de hennes nummer. Det gjorde så ont när hon reste sig upp. De ledde henne nerför trappan, snubblande i kedjorna kring benen, med huvan över ögonen så att hon bara kunde se det ena trappsteget efter det andra.

Skramlet av fler kedjor omkring henne, ännu en trappa.

Hon måste försöka säga något om flickorna, att hon var mamma, förstod de inte det? Ett slag med en batong mot nacken och hon försökte inte prata mer.

Källarvåningen. Hon visste en del om det här huset nu, liksom hon hade lärt sig om ondskan och smärtan och föraktet för den skit till människa hon var. Det kom en tanke om Gud, men den hon hade varit skulle aldrig falla på knä för att be.

Hon knuffades omkull. Fuktiga händer som höll fast hennes armar och ben, fingrar som trängde in i såren. De sa att hon skulle vaccineras.

Ett stick i armen. Och sedan dimma. Som morgondimman över sjön Fryken, ville hon tänka, på sjön ville hon tänka och stillheten, men hon började skaka. Hon ville inte dö. Hennes lemmar stretade emot detta orättvisa med döden, hon hade levt så kort, men hon kunde inte röra sig längre. Kroppen domnade mot stengolvet. Smärtan drog undan, hon kände inte det onda mer. En lukt av urin mot hennes näsa.

Sedan hörde hon någon jämra sig alldeles intill och det var det sista hon hörde.

JAKOBSBERG
2014

De två kvinnorna vred på sig framför spegeln, försökte hitta den bästa vinkeln av sig själva. Vänster eller höger profil, det var frågan, len hud och putande munnar som skrek om att bli kyssta. Den ena torkade bort lite läppstift på tanden och sneglade mot henne. Charlie misstänkte att de skulle kommentera hennes ålder så fort hon gick ut.

Ni kan stå och kråma er så mycket ni vill, tänkte hon, men vad vet ni om att älska?

Hon vinglade till på vägen tillbaka mot baren.

Om livet vet ni ingenting, om det svåra och det fula.

Vid bardisken hade någon i svart och glitter tagit hennes plats.

"Ursäkta, men jag satt här", skrek hon för att överrösta musiken.

Tjejen vände sig om till hälften.

"När då?"

Charlie trängde sig in och råkade medvetet knuffa henne av stolen. Hon kände mannens knä mot sitt lår och fick hans läppar mot sitt öra.

"Du och jag är nog äldst på det här stället", sa han. "Sa du att du hade varit här förut?"

Charlie sög i sig av den tredje drinken och vände sig mot dansgolvet, det böljade och studsade, dunkade hårt genom kroppen.

Ja, tänkte hon, jag har varit här förut. Jag har varit här i hela mitt liv. Jag har funnit kärleken och förlorat den igen. Jag är fortfarande här, för jag brinner. Jag lever.

"Ska vi inte gå vidare?" skrek han.

Hans signatur på nätet var Hela Härligheten. Vad var det han hade sagt att han jobbade med? Systemutveckling? Tro inte att det går så lätt, tänkte hon. Tro inte att jag är tacksam bara för att du är några år yngre. Om du nu är det.

Hon såg in i hans ögon, men ingenting hände, det fanns ingen magi mellan dem. Han hade inte kunnat hjälpa henne. Kvällen var bortslösad.

Om inte. Hon lät blicken svepa. Mannen hon tidigare hade lagt märke till stod kvar. Vid ingången, med ansiktet dolt i mörker, ensam, spanande. Hans blick träffade henne just som ansiktet lystes upp och plötsligt kände hon det. Skrattet började i underlivet och rusade genom hela kroppen, där fanns hettan och blodet.

Berusningen sjöd i huvudet. Hon ställde ifrån sig drinken.

Gick sakta mot dansgolvet och anade männens blickar i ryggen men bjöd inte in dem att följa med. Dansade gjorde hon ensam, det hade hon alltid gjort. Hade aldrig varit rädd för att visa upp sig och hon tänkte inte börja nu. Hon lyfte armarna över huvudet och började sakta gunga i musiken, rytmen, bas-gångarna, hon försäkrade sig om att mannen borta vid dörren fortfarande såg på henne, att han drog sig lite närmare och inte kunde slita blicken från henne, och hon blundade och dansade och tänkte inte längre på hur hon skulle orka ta sig därifrån.

Ingen som såg honom vandra längs gångvägarna i Jakobsberg den natten visste vem han verkligen var. Folk hade flyttat därifrån, givit sig av mot sina drömmars mål och somliga hade förstås kolat, nya människor hävde in sitt bohag.

En skylt plockades ner, ett ansikte suddades ut.

Riddarn svängde in i centan och såg att neonskylten ovanför bio Falken hade tappat ljuset i bokstäverna F och N. Han gick förbi fönstren till det nedlagda Domusfiket där kassorna på Coop fanns numera. Om han kisade kunde han fortfarande se gamla polare där inne vid det runda bordet. Skönja livet som det hade tett sig där inifrån.

Han visste exakt vid vilket fönster de hade suttit den första gången de var där tillsammans. Doften av hennes hår som föll slängigt och oregerligt framför ögonen, hur hon lutade huvudet bakåt när han fick henne att skratta.

En isande vind svepte in mellan fyrkantiga centrumbyggnader och visste ingenting om vår, virvlade upp skräp och struliga minnen.

Det sa sig självt att ingen kunde driva ett fik där folk satt och snackade halva dagarna över en kopp java. Inte ens kooperationen. Inte i dagens läge. Samhället måste utvecklas. Antingen gick det framåt eller också gick det åt helvete.

Ett ungdomsgäng skrålade förbi. Nedhasade brallor och huvjackor, på väg upp mot Söderhöjden. Riddarn drog sig undan för att inte stöta sig med dem, in i gången mellan kommunhuset och Angelos kiosk. Några nattliga festare från sista pendeln dök upp ur tunneln och skingrades. Utanför Riddar Jakob stod en vakt och rökte.

Det var då han fick syn på henne. Eller möjligen något senare. Först var det några unga tjejer i tjugoårsåldern som ramlade ut från krogen och skrattade. Discomusiken dånade ut över stentorget tills dörren slog igen på nytt.

Riddar Jakob. Krogen hade legat där i alla tider, ovanför tunneln. Han kunde känna suget, tvärs igenom tiderna. Värmen därinne och röken som hade legat tjock, blotta tanken på öl i skummande glas fick det att rycka i benen. Strängarnas vibration under vänstra handens fingertoppar i ett C-ackord! Det var blues i luften, *och hör upp nu för jag ska ge er en sång om det bittra livet och om kärleken den underbara* … Riddarn spände och krokade fingrarna för sig själv i fickan, pekfingret på B-strängen, första bandet, långfingret på D-strängen, andra bandet. A-strängen under ringfingertoppen, lillen på E och *waeng*, han hörde det klockrent när han slog an.

Sedan öppnades porten från Riddar Jakob på nytt. Var det verkligen hon?

Det mörka håret blåste runt huvudet, vad fin hon var. Han tänkte sig inte för när han tog några steg ut ur skuggorna och höjde handen.

"Men hej där", sa han. "Tjenare tjejen."

Hon hade skinnjackan öppen och jympaskor i tyg, det såg lite kallt ut.

"Hur är läget?" sa han och strök bak håret med handen som darrade. Förr hade han ofta haft det i hästsvans. "Ser du inte vem det är?"

Snubben som var med Charlie tog två steg emot honom. Stirrade rätt in i ögonen.

"Vad vill du?"

Riddarn förstod när det var dags att backa. Mannen var inte lika lång som han, men betydligt bredare. Rakad skalle.

"Kom, vi går", sa Charlie.

"Känner du honom?" sa snubben.

Håret fladdrade lite när Charlie skakade på huvudet.

"Jag fryser", sa hon och drog snubben i armen, "kom igen nu så går vi."

Mannen gav Riddarn en sista blick, innan de gick iväg över torget.

"Du ska nog röra på dig du också", sa vakten bakom honom. "Du fryser ihjäl om du står här."

Riddarn skakade på benen för att få liv i dem. Följde efter paret på lite avstånd. Snubben hade inte varit trevlig. Vad var det för fel på att vara hövlig och bete sig som folk? De gick förbi gallerian som höjde sig ovanför gamla Domus och förvrängde proportionerna, fick femtiotalshusen mittemot att se äldre och mindre ut än han mindes dem. Charlie tryckte sig lite närmare snubben där framme, sedan suddades hon ut i mörkret där centrum tog slut, och var borta.

Han stannade vid en av papperskorgarna. Grävde runt lite med näven och hittade ett halvfullt paket pommes, en Metro. Inget drickbart. Hålet ekade i bröstkorgen, klådan hade börjat, han måste få något i sig snart. Det molade och stack i de fingrar som var känsligast för kylan, i tårna som hade domnat. Han såg upp när han kände någon närma sig bakifrån.

En snygg svart rock, en sådan där trekvarts som snubbarna brukade ha inne i stan. Deras blickar möttes.

"Ah, vad fan, recycling", sa Riddarn och viftade lite med pommespaketet, såg ner på tidningen. Det var gårdagens. De härjade fortfarande i Syrien, stackars jävlar. Anders Borg sa att det gick bra för Sverige, tacka fan för det när det snart var val.

Mannen i rocken sa ingenting, gick bara snabbt i samma riktning som de andra. Snart var han också borta.

Stenläggning. Skräp som blåste kring. Vinden som letade sig ner i tunnlar och prång.

Riddarn blev tvungen att gå ända upp till Kvarnbacken den natten. Genom pendeltågstunneln där alla papperskorgarna sammantaget inte bjöd på mer än en halv Loka citron och resterna av en Subwaymacka med tonfisk. Ett kort uppehåll i den nya vänthallen vid bussarna för värmens skull, tills han fick spader av det skarpa ljuset. Han fortsatte genom Fågelsången, gångstråk som fötterna kunde finna utan att han behövde tänka på det.

I Jakan fanns allt han var. Minnena och Kåken, trävillan uppe vid Aspnäsvägen där de hade hängt som unga och vilda, och innan dess var det Ängen, precis bredvid centrum, där man samlades och grillade om kvällarna och fyllde den gamla brunnen med ölflaskor tills den svämmade över. Folk var rädda att gå förbi, och lokaltidningen skrev sina artiklar om det farliga gänget trots att de inte gjorde annat än drack mellanöl, de små knubbisarna som man köpte i sexpack på den tiden, och lirade gitarr och sjöng, och rökte på en del förstås och petade i sig ett och annat, men vad fan, de var ju unga. Det var länge sedan de kördes bort och det byggdes hus på den överblivna mark som varit Ängen, men i hans huvud fanns gänget ännu kvar, spelades ännu låtarna som ingen annan kunde höra.

När han stretade upp till krönet på backen, där kvarnen hade stått i tvåhundra år innan den brann och byggdes upp och brann ner igen, började han tvivla på att det verkligen var Charlie han hade sett. Det hände att han såg sådant som ingen annan verkade se. Han hade en teori om att alla tider existerade samtidigt, i parallella spår och inte enligt en rak linje. Det fanns många kvinnor som liknade varandra, men hon hade alltid varit något speciellt.

Guldflickan.

Under några buskar, halvt dolda i gamla löv, hittade han till slut två ölburkar som inte var tomma. En Mariestad 4,5 och en folkis, alltid något. Problemet var att biran hade frusit till isklumpar i botten. Riddarn drog sig bort mot brasan som medborgarna hade släpat ihop till. I morgon var det Valborg, och sedan maj och då måste väl våren komma tillbaka. Han mindes när flickorna var små och han själv jobbade på kådisfabriken. De hade fått vita sandaler till Valborgsmäss, inte fan var det minusgrader på den tiden.

Det var körsång och smällare och Vintern rasat.

Ölfyndet hade fått upp humöret en aning. Han fick se en soffa som stod på högkant i den väldiga högen med ris och skräp. En röd tvåsits som någon hade fått för sig att släpa dit. Den såg riktigt inbjudande ut. Han knuffade ner den och satte sig, drog några kartonger över sig som täcke. Tändstickor var han aldrig utan. I jackans foder hittade han dessutom ett värmeljus. Han hade läst i tidningen om en snubbe som överlevde en natt i en bil norr om Pajala mitt i vintern, enbart tack vare värmeljusen i handskfacket. Sedan dess hade han alltid stoppat på sig sådana när han fick chansen. Han tände det och höll Mariestaden över. Det tog längre tid än man kunde tro för en pilsner att tina. Han hade börjat skaka ordentligt, av kylan eller ett begynnande anfall. Det skvätte smält stearin som släckte den lilla lågan. Han tände fyr på Metron istället, som var helt torr, och tänkte på kriget i Syrien när lågorna flammade upp. Det tog sig i en kartongbit och sedan ett par stickor och bräder så det blev en liten brasa vid hans fötter. Han kände lågorna sticka mot ansiktet och isen som långsamt gav vika när de första klunkarna öl rann fram ur det bottenfrusna.

Lena Morberg såg klockan på nattduksbordet slå om. Nu var den 04.00. Hon lyssnade till knattret från sonens rum. I natten blev alla ljud så stora. Han hade lurarna på sig numera så hon slapp explosionerna och skotten, ändå tyckte hon sig höra honom kriga därinne, skjut, skjut för att döda, och i natten grubblade hon på vad det gjorde med honom, vem blev han därinne i sin värld, hennes yngste?

Täcket var för varmt och hon vände på det, det kröp i benen, hon måste upp. Borde hon hantera det annorlunda? Sätta upp belöningar, motprestationer eller straff, en timme vid datorn skulle kvittas mot en timmes studier? Något måste hon ju säga. Tänk på att du ska upp i morgon, betygen, ditt liv, din framtid, det är farligt att vända på dygnet. Du vänder dig bort från den verkliga världen, det är inte livet det där.

Eller är det?

Var det inte bra att han intresserade sig för något? Lärde sig allt om datorer, övade upp reaktionsförmågan?

Hon svepte täcket om sig och öppnade vädringsfönstret, kylan därute, hon behövde få luft. Sömntabletterna ville hon inte ta. De gjorde henne tung i huvudet, frånvarande. Fick natten att flyta ihop med dagen. Termometern visade två minusgrader. Natten före Valborg och under noll, det var ju inte klokt. Hon såg ut mot fönsterraderna i den böljande fasaden mittemot. För några dagar sedan var det rena sommarvärmen, träden hade slagit ut. Var det verkligen snö i luften?

Det lyste i flera fönster. Hon var inte ensam om att vandra i sin lägenhet om nätterna, hon hade sett dem förr. De sömnlösa.

Nere på tvåan tände någon en lampa och Lena såg datorsken från flera fönster, nätverk som aldrig sov, människor som gömde sig bakom signaturer, älskade och hatade och segrade i krig. Snett mittemot på sjunde våningen gick en ung kvinna i bara trosor till köket och hällde upp te till sig själv. Förstod hon inte att hon syntes? En äldre man skymtade i skenet av en kvarglömd adventsstake. Hon tyckte sig känna igen honom, men kom inte ihåg namnet. Var det inte han som ville bygga in gården med staket och grindar på senaste årsmötet, tänkte hon när något plötsligt rörde sig, en skugga som föll framför henne. Hon skrek till och kastade sig bakåt. Där var ben som spretade, alldeles utanför, helt nakna, en människas kropp. Öppen mun och uppspärrade ögon, håret som fladdrade, och sedan borta. Tomt. Ögonblicket efteråt hörde hon dunsen där nere på marken, och det ljudet ska hon aldrig glömma. En hård duns och ett krasande och sedan skriken någonstans ifrån och ljuden som förstorades och ekade mellan husen.

Efteråt skulle hon ofta tänka: Så många vi var.

Så många, som inte kunde sova den natten.

Sju personer hade hunnit ner till lekplatsen på gården när den första polisbilen hördes nerifrån Viksjöleden. De hade dragit på sig kappor utanpå pyjamasen, eller klätt sig hastigt i mjukisbyxor och oknäppta jackor. En latinsk man i sjuttioårsåldern hade klivit över det låga räcket som omgav lekplatsen för att lägga en hand mot den dödas hals – halsen som var täckt av blod, där håret hängde över så man inte kunde se kvinnans ansikte, vridet från kroppen på ett sätt som bara kunde beskrivas som groteskt. Hennes tunna morgonrock hade fallit så att tyget skylde större delen av hennes kropp.

Någon stirrade, någon tittade bort.

"Jag känner ingen puls", sa mannen. Han hette Rodríguez och hade kommit till Jakobsberg som flykting från Chile för fyrtio år sedan. Det sades att han hade varit livvakt åt president Allende.

"Klart som fan att han inte gör", mumlade en yngre kille som inte ens hade fått på sig jackan. I en något urvuxen collegetröja pekade han mot toppen av det väldiga bananformade huset. Det svängde sig mot en svart och stjärnklar himmel, elva våningar högt.

"Det var därifrån hon föll. Jag såg det. Inte fan kan man väl överleva sånt?"

Lena bara stod där och såg. Hörde de andra säga saker till varandra som, "så fruktansvärt" och "så hemskt, man kan ju inte förstå, jag ringde 112 direkt", och "visst är det du som bor i tjugotvåan?"

Sedan hade de hunnit tystna i några minuter, för det fanns inga ord. Hon tittade uppåt och undrade hur långt ögonblicket var från det att man kastade sig ut. Hann man se sitt liv som det var, föreställa sig smärtan som skulle komma? Hon huttrade, drog kappan tätare om nattlinnet och ångrade att hon inte hade tagit på sig byxor innan hon sprang ut.

"Men kommer de aldrig", sa Gustavsson, den äldre mannen från föreningens årsmöte som också hade kommit ner. Lena såg på klockan. Det hade bara gått en dryg halvtimme sedan klockradion slog om till fyra däruppe. Hon hörde någon prata lågt om att det var de minsta barnens lekplats. Att det gjorde saken ännu värre. Hon hade tänkt det själv, fast hon kanske inte borde tänka så. Lekplatserna som de var så stolta över i bostadsrättsföreningen, tillsammans med rabatterna och grillplatsen och minigolfbanan mellan husen. Skulle man hinna städa bort kroppen, och blodet och allt det andra, oformliga, geggiga som hade stänkt runt omkring när kvinnan landade, tog polisen hand om sådant? Det skulle väl vara borta innan barnen kom ut?

Folk hade hunnit harkla sig på nytt och undra var polisen höll hus och några av dem hade stampat med fötterna och känt sig tvungna att börja förklara varför de råkade vara uppe och vakna 04.13 en söndagsnatt vilket var den exakta tidpunkten när det hände.

Lena, som inte ville prata om sina kroniska sömnsvårigheter och oron, såg upp mot fönstret på åttonde våningen där det flimrade från sonens skärmar. Han märkte inte ens att jag sprang ut, tänkte hon, han vet inte att någon har dött nedanför hans fönster. Hon greps av en lust att åka tillbaka dit upp och slita honom från datorn, ut i den förbannade aprilnatten som var alldeles för kall, och visa honom. Det finns en verklighet, och den är helt för jävlig ibland, men det är den vi lever i FATTA DET! Och sedan skulle hon krama honom, krama honom som när han var liten.

Uffe Rainer drog sig tillbaka mot porten när han såg helljusen från polisbilen svepa över gården. Han hade stått på lite avstånd och sett vad alla såg: en kvinna som hade fallit på ett litet staket av trä och dött mitt ibland dem, på den välskötta gården mellan två enorma bananformade hus på Aspnäsvägen i Jakobsberg.

Som en jävla film var det. Han stirrade på hennes hår som flöt ut i den mörka fläcken, en naken fot som pekade uppåt. Snart skulle hon vara bortfraktad på en bår och polisen skulle väl rita kritstreck där hennes kropp hade legat och han skulle aldrig se henne mer.

Radiobilen närmade sig, trängde sig fram mellan spretiga buskar och cyklar som stått ute hela vintern. Den plöjde rakt över gräsmattans frusna sörja och stannade. Två poliser steg ur.

Uffe Rainer vände sig tvärt om och slank in i porten igen. Det gick på instinkt. Han höll i dörren, så att inte klicket skulle höras när den stängdes.

När han kom upp till elfte våningen var han tvungen att gå fram till hennes dörr. Han ville så gärna känna på handtaget, låsa upp dörren, se henne sova därinne.

N Holm, stod det på brevlådan. Inte Eriksson, som var Charlies efternamn. Han visste att hon hyrde svart i andra hand av släktingarna till Nanna Holm, som hade tagits in på hem för något år sedan. Uffe hade fått lova Charlie att inte avslöja det för någon, för då skulle hon åka ut. Hennes lögner var små skatter han gömde för världen.

Inne i sin egen lägenhet drog han snabbt igen dörren och

viftade bort nymfparakiten som kom flygande mot hans axel. Förnärmad flaxade Ebba Grön upp och satte sig på hatthyllan: "Åttahundra grader", skrek han, "lita på mig."

"Håll käften", väste Uffe Rainer.

"Håll käften, Major Tom", ekade Ziggy Stardust från vardags-rummet. Den rödstjärtade jakon satt på sin favoritplats i tak-kronan, men Uffe kunde inte urskilja den i dunklet. Han trevade i bokhyllan. Tog ner kikaren och ställde sig invid gardinerna, de gamla blommiga som hade hängt sedan morsan dog för fyra år sedan och han fick ta över.

Ambulansen hade kört in på gården nu. Ännu en bil anlände. Ytterligare två poliser. Genom kikaren såg han flera ansikten vändas uppåt, gapande. Någon pekade, rakt mot fönstret där han stod. Eller kanske bredvid, mot Charlies balkong? Rök steg över himlen, det brann tydligen någonstans längre bort. Ambulans-personalen täckte över hennes kropp med ett skynke. Han såg henne inte mer.

Nu lösgjorde sig en av grannarna ur klungan där nere. Uffe kände igen surgubben Reinikainens blanka flint. Han bodde i samma trappuppgång, på fjärde våningen eller något, och nu gick han före poliserna mot porten.

Uffe sänkte kikaren. Snart skulle han höra det välbekanta gnisslet från hissens maskinverk.

Därnere backade ambulansen ut från gården. De hade inte tagit henne med sig. Han visste betydelsen av det. *Sine spe.* Utan hopp.

"Fryser ihjäl", gapade Ebba Grön när han återvände till hallen. Uffe lockade ner fågeln från hyllan och stängde in den i sov-rummet. Det hade kostat honom nästan två år och kilovis med frön att lära nymfparakiten det mest elementära i Ebba Gröns texter, en riktig liten punkfågel med den grågula tofsen spretande på huvudet. "Lita på mig, lita på mig." Protesterna hördes nu bara svagt genom dörren.

Han tog upp en bunt reklamblad ur pappkassen under hatthyllan. Rullade ihop dem och stack försiktigt upp dem i brevlådan så det blev en glipa där ljuden från trapphuset kunde leta sig in. Sedan sjönk han ner på golvet invid ytterdörren och hörde hissen stanna, de tunga stegen mot det blanka stengolvet utanför.

"Är den här död då?" Ariel ryckte i en kvist som satt fast, hon slet och drog som om trädet förnekade henne något hon hade rätt till.

"Nej du älskling, den lever i allra högsta grad", sa Helene och pekade på knopparna som var lite sena med att slå ut.

Hon tog flickans händer och gnuggade dem varma mellan sina.

"Vi kanske ska gå tillbaka till de andra nu?"

På ängen nere vid badstranden växte skräphögen, våren till ära. Sly och gamla träd som dött under vintern, högar av torra fjolårslöv och diverse bråte från utrensningar i sommarstugorna. Fjärden låg gnistrande blå och sju grader varm, enligt Malte som alltid sprang ut på bryggan det första han gjorde för att kolla termometern som var fastknuten vid en boj. Helene såg honom släpa en flera meter lång bräda till rishögen och hörde sin egen mobil ringa.

"Akta så det inte är några spikar i den", ropade hon och tänkte att hon borde ha stängt av telefonen, inte låtit den störa den där känslan av närhet till naturen.

"Är det Helene Bergman?"

En främmande röst, helt formell.

"Ja, det är jag."

Helene hann inte uppfatta namnet, bara det som kom sedan.

"... vid polisen i Norrort."

"Förlåt, vad gäller det?"

Hon vände ryggen mot den svaga vinden. Norrort, hann hon tänka, ingick Norrtälje där? Roslagen och Väddö, Nyby där hon just nu befann sig, hade det hänt något med stugan, med Jocke? Han hade stannat kvar i huset för att laga kranen efter vinterns köldskador. Hon hann tänka på eldsvåda, men då skulle väl röken synas över träden?

"Vi vill helst inte ge sådana här besked per telefon. Vi sökte er på hemadressen, men det var ingen där. Är ni ensam?"

"Varför undrar ni det?"

Helene drog sig närmare bryggan för att ingen skulle höra, bort från festplatsen där ett tjugotal bybor och sommargäster hade mött upp, barnen oräknade. Hon kände ingen av dem särskilt väl, inte så att de umgicks, men de hälsade förstås och deltog i byns aktiviteter, Valborg och midsommarfirande och byaföreningens årsmöten när de hade möjlighet. Det fanns något i polisens ton som sa henne att det här skulle bli obehagligt, enbart existensen av en polismyndighet i hennes telefon på en söndag fick ordningen att rubbas och hon vände sig ut mot havet som fångade alla ljud och där ingen kunde se hennes ansikte.

"Det gäller Camilla."

"Förlåt, vem då?"

"Er syster."

"Jaha."

Helene hörde namnet upprepas, Camilla Eriksson, och sedan det som följde. Hon sjönk ner på bryggan, kände inte kylan i träet. Död. Det var ett sådant märkligt ord, att det var så kort. Så få bokstäver, som om det måste avklaras fort, på ett ögonblick, och sedan var allt förändrat. Rösten hördes fortfarande. Något om en balkong. Att det ännu var oklart med några omständigheter.

"Fru Bergman, är ni kvar?"

Hon såg ner i vattnet, en boj som guppade. Kedjan gnisslade i rörelsen. Hennes egen röst tycktes komma från en plats utanför henne själv.

"Förlåt … jag tänker alltid på henne som Charlie. Det var därför jag inte förstod."

"Vi skulle behöva ställa några frågor. Det bästa är om du har möjlighet att komma in till stationen i Sollentuna, men eventuellt kan vi få någon från den lokala polisen att åka ut. Som jag förstår befinner du dig på Väddö, i Norrtälje kommun?"

"Men jag kan inte åka härifrån nu." Hon tittade mot maj-brasan, de spretande grenarna som stack upp som i ett jättelikt fågelbo. De fick inte kliva in här och slita sönder barnens idyll, tryggheten hon hade byggt omkring dem. Traditionerna som upprepades från år till år. Hon såg Ariel och en annan liten tjej kasta torra löv omkring sig och skratta. Jocke skulle kunna stanna med ungarna. Hon kunde ta bussen till stan. Om hon klev av vid Mörby eller Danderyds sjukhus, fanns det tvärförbindelser mot Sollentuna då?

"Jag menar bara … det är ju Valborg ikväll."

Sekunder av tystnad. Hon önskade att det hade funnits en öppen horisont, men öarna stängde in fjärden i skog. Hur kunde hon tänka på sådant, som att fira Valborg? Vad skulle polisen, vars namn hon inte hade uppfattat och inte ville veta, tro om henne? Och ändå, det fanns något som vägde tyngre just i det här ögonblicket, när allt rasade inuti henne: vikten av att hålla fast vid det som var bestämt. Hon fick inte utebli. Elden måste brinna, sångerna sjungas. Byaföreningen skulle ha lotteri ock-så. Hennes familj hade bidragit med godispåsar som priser och barnen ville så gärna vinna dem tillbaka.

Hon harklade sig.

"Går det bra om jag kommer i morgon?"

I skymningen tändes majbrasan, strax före nio på kvällen när vår-ljuset gick i blånad. Några av karlarna från byalaget gick runt och skvätte tändvätska, lågorna flammade upp och tog sig. De måste backa ett par steg för hettan. Fjärden mörknade, det knäppte och knastrade i virket, sången ljöd stark och klar. *Drivans blommor smälta ner och dö … himlen ler i vårens ljusa kvällar, solen kysser liv i skog och sjö …* Ett par av kvinnorna i byn sjöng i kyrkokör, höga toner dansade i lågorna mot den svarta himlen, ansikten som glödde. Minnet av en Valborgseld för länge sedan: hon hade fått glödstänk på täckjackan och hennes storasyster hade vevat med armarna och slagit henne, Helene skrek och skrek, och Camilla slog på täckjackan tills glöden var slocknad. Där hade funnits ett svart hål efteråt. Hon mindes att det var på Kvarn-backen i Jakobsberg, den väldiga kvarnen som en skugga mot kvällshimlen, och kylan när hon var tvungen att gå bort från elden, handen som drog henne därifrån. *Snart är sommarn här i purpurvågor, guldbelagda, azurskiftande …*

Ariel stod tätt tryckt mot hennes ben, påbyltad som om det ännu vore vinter, Helene höll om flickans axlar tills det värkte i armarna och hon insåg att hon kramade henne för hårt. Malte rusade runt och försökte trampa på gnistorna som flög. Om döden visste de inget.

Ja jag kommer, hälsen glada vindar, ut till landet, ut till fåg-larne …

Hon hade inte förmått sig att berätta, varken för dem eller för Jocke. De hade ätit hamburgare som Jocke hade grillat ute. Sedan hade de hjälpts åt att vädra sängkläder och städa bort musbajs efter vintern. Hon hade sagt att hon måste in till stan och jobba i morgon. Hur skulle hon kunna förklara en sådan sak för barnen, vad skulle hon säga?

Jag är ledsen älsklingar, men er moster är död.

Vadå? Vi har väl ingen moster.

"Jag beklagar", sa polisen som slog sig ner mittemot henne. Han hette Aurek Krawczyk och var över en och nittio lång, fick vika in benen för att få plats. Bordet var av ek i den trista nyans som bara existerade i offentliga byggnader. Ingen av de fyra stolarna hörde ihop med någon av de andra.

"Kroppen är förd till Rättsmedicinska i Solna", sa han och såg ner i sina papper.

"Måste jag …?"

Det var det där hon hade tänkt på, i bussen som dånade fram på motorvägen mot stan – om de kunde kräva det av henne. Att stiga in i ett kalt rum, hon kunde föreställa sig ekot därinne, och kylan, och kanske hade de tänt ljus runt omkring båren, och ett skynke som lyftes undan och där var Charlies sönderslagna ansikte och ögonen som skulle stirra tomt på Helene och anklaga henne för sista gången.

Så nu kommer du. Det var ju så jävla dags.

Mannen log och sköt fram en pappersmugg kaffe med mjölk. Värmen i hans ögon såg ut att vara äkta.

"Du behöver inte identifiera henne", sa han, "det hör till gångna tider. Vi vet att det är hon."

Han öppnade en mapp framför sig och tog fram ett fotografi. Charlie vände sig bort, halvt i profil. Det måste vara taget för flera år sedan. Hon poserade inför fotografen, såg ut att vilja efterlikna någon ur en klassisk film och hon lyckades. Det fanns något oregelbundet kring ögonen som gav henne en säregen skönhet. En blick i fjärran som kunde tolkas som både djupsinnig och frånvarande.

"Obduktionen tar några dagar. Rapporten från den tekniska undersökningen får jag nog i min hand under dagen."

"Okej."

Okej? Var det ens ett svar? Helene sökte någonstans att fästa blicken. Persiennen var lite trasig, fönstret ännu inte putsat efter vintern. När solen stack fram därute såg hon dammet och avgaserna som hade klibbat fast mot rutan. Hur förväntade han sig att hon skulle reagera? Det värkte i käkarna av att bita ihop. Sin ilska fick hon inte visa, inte på några villkors vis släppa fram: att du skulle få mig hit till slut, tvinga mig in på en jävla polisstation! På första maj! Och så kom en oväsentlig glimt av något hon inte hade kommit ihåg på länge, just en första maj, eller snarare känslan av första maj, när de hade varit inne i stan och gått i demonstrationståg med Barbro, deras fostermamma, de var väl inte mer än åtta och tio år, och det hade varit festglädje med vår i luften och lunch på kinarestaurangen på Drottninggatan efteråt. Friterade bananer och vaniljglass, alltid bara just den dagen. Det slog henne att hon hade sett några unga alternativa med ihoprullade banderoller på väg in mot stan när hon klev av bussen i Sollentuna centrum för en stund sedan. Att folk fortfarande demonstrerade. Mot vad? Eller för?

"När hade du senast kontakt med din syster?"

"Jag vet inte ... någon månad sedan, eller kanske mer. Hon ringde."

"Verkade hon deprimerad?"

"Nej, ... eller jag tror inte det, snarare manisk i så fall. Kanske. Som hon kunde bli ibland."

Han nickade och bläddrade bland sina papper. Helene drack av kaffet med mjölk, hade bett att få det svart, men kom sig inte för med att protestera. Det var ju knappast ett kafé hon befann sig på.

"Hon har gjort det förut", sa hon.

"Vad?"

"Försökt ta livet av sig."

En plötslig insikt: det jag säger nu är allt de kommer att veta om min syster. Det kommer att skrivas in i de där dokumenten, i myndigheternas datasystem och sedan är det ristat i sten för all tid som följer.

"Lägenheten var olåst", sa han. "Brukade hon låsa om sig?"

"Jag vet inte. Charlie … Camilla är inte direkt försiktig. Det är nog möjligt. Att hon inte låste, alltså. Hurså?"

"Patrullen hittade ingen mobiltelefon i lägenheten, hade hon mobil?"

"Det är väl klart hon hade. Alla har väl mobil?"

"Har du numret?"

"Ja." Helene böjde sig ner och rotade i väskan. Kände hur han iakttog henne när hon fick upp telefonen, såg han rakt igenom henne, lärde de sig sådant? Hon bläddrade bland sina kontakter tills hon kom till bokstaven C, trots att numret inte fanns där. Det var raderat. Hon mindes den lilla befrielsen när hon gjorde det, tanken att det borde ha skett för länge sedan.

"Det måste ha försvunnit när jag bytte telefon", sa hon.

"Så ni hade inte mycket kontakt?"

"Nej, vi hade väl inte det."

"Det går fortare att hitta hennes operatör om vi har numret, kanske din man eller någon annan anhörig …"

Hon hörde inte hur meningen fortsatte. Bara Charlies röst, den där sista gången hon ringde.

Plötsligt hörde hon den så starkt, men inte inom sig som man skulle kunna tro utan någonstans utanför, som om hon hade varit i rummet och fyllde det med hela sin storslagna närvaro. Helene måste vända sig bort. Solen utanför hade försvunnit och himlen var smutsgrå, hon tryckte en hand mot munnen så att gråten pressades ner någonstans i magen.

Var det en månad sedan? Nej mer, kanske sex veckor, de där kalla dagarna i mitten av mars då vintern verkade vara på väg tillbaka. Staden inbäddad i snö, den där luddiga tystnaden, och vetskapen om att plogbilen skulle komma tidigt och väsnas utanför nästa morgon och kanske väcka henne redan före sex, och irritationen som därför hade blivit än värre, för fick hon inte sina sju timmars sömn så var nästa dags balans rubbad. Med åren hade hon lärt sig att ett fungerande liv till avgörande del handlade om balans, och upprätthållandet av den. Att man visste när maten skulle stå på bordet, hur många minuter det krävdes för att få barnen till skolan i tid, att själv hinna duscha innan man väckte dem, kläderna som hon lade fram kvällen innan.

Och så telefonen som skar genom allt. Helene hade varit tvungen att kasta sig upp ur sängen för att signalen inte skulle väcka ungarna också. Hjärtklappningen som hon alltid fick av sådant. Charlies röst, som hade en mörkare ton än hennes egen.

Men herregud, klockan är inte ens elva, när går du och lägger dig egentligen, ska du sova bort ditt liv?

Och sedan hennes förvirrade pladder, hon var tillbaka i det gamla igen, om deras mamma och Argentina och något namn hon hade fått tag i, att hon nu visste att … ja, vad fan det nu var. Det tog aldrig slut trots att Helene hade sagt för flera år sedan att hon inte var intresserad, att det var lönlöst. Det kom en dag när man måste bli vuxen och lämna sin barndom bakom sig och den dagen hade inträffat för länge sedan.

Det är bara det att jag skulle behöva låna lite pengar, jag lovar att jag ska berätta …

Helene hade slängt på luren mitt i den meningen. Där gick den absoluta gränsen. Hon hade sagt åt Charlie att aldrig ringa mer om hon inte slutade med sina sjuka fantasier. En människa måste förr eller senare bygga stängsel runt sig själv för att inte bli utnyttjad. Helene hade slutat låna ut pengar hon aldrig såg röken av igen.

Hade hon verkligen slängt på luren?

Helene famlade upp en näsduk ur väskan och snöt sig.

"Förlåt", sa hon tyst.

Han lät henne snyta sig färdigt.

"Vi hittade en del läkemedel i lägenheten", sa han sedan. "Känner du till de här?"

Aurek Krawczyk sköt över en medicinförpackning. Helene läste: Flunitrazepam.

"De tillhör läkemedelsgruppen bensodiazepiner, det vill säga lugnande medel som skrivs ut mot oro och sömnsvårigheter. Brukar även användas för att lindra abstinens eller förstärka effekten av alkohol. Just det här preparatet gick tidigare under namnet Rohypnol som jag gissar att du har hört talas om."

Hon stirrade på den långa beteckningen på paketet, siffrorna, 0,5 mg.

"Är det den som kallas våldtäktsdrogen?"

"Stämmer, men också det motsatta." Han vände på förpackningen i handen. "Preparatet trubbar av känslorna och botar rädslan, kan man säga. Populärt bland grova brottslingar, att knapra just innan en våldshandling begås. Det finns trots allt en gräns inom de flesta människor mot att gå in med dragna vapen i en bank eller misshandla sin nästa till döds. Var din syster missbrukare, inblandad i något?"

"Menar du att hon skulle vara en brottsling?"

"Jag vet inte, vad säger du?"

"Nej ... vad spelar det för roll nu?"

Helene sneglade på namnbrickan, hon kunde inte få grepp om i vilken ordning konsonanterna i hans efternamn skulle komma. Han såg ut att vara omkring tio år yngre än henne, knappt trettio. Hon tyckte att han såg trött ut, men det gjorde väl alla vid den här tiden på året. Av någon anledning kom hon att tänka på gullvivorna, som hade varit på väg att slå ut vid stugan innan den sista köldknäppen kom.

En känsla av att Charlie iakttog henne över axeln, *ska du prata skit om mig nu?*

"Charlie … Camilla menar jag, hon kunde bli som besatt av vissa saker … Det spårade ur helt ibland, har hållit på så länge jag kan minnas. Det hör nog till saken att vår biologiska mamma försvann tidigt."

Du kan sluta kalla mig Camilla, det är ett namn som någon gav mig som inte visste vem jag skulle bli.

"Ing-Marie Sahlin", läste polisinspektören i pappren, "hon är visst registrerad som obefintlig."

"För att de inte kunde dödförklara henne. Hon åkte sannolikt till Sydamerika och försvann när min syster var fem år. Jag var tre. De var redan skilda då, våra föräldrar."

"Oj då." Han såg nästan lite skakad ut, och sedan nyfikenheten som väcktes i hans blick. Hon kände igen reaktionen, den där lusten att få dissekera det förflutna, vräka upp det i ljuset och pilla ner det i sina beståndsdelar, lägga huvudet lite medlidsamt på sned. Det var en anledning till att hon hade slutat prata om det för många år sedan. Folk behövde inte veta allt om en. Deras mamma hade försvunnit, men de hade fått en fostermamma som hade gjort allt hon hade kunnat, hade fört in rutiner i deras liv, omsorg. Barbro hade älskat dem som sina egna. Om Charlie hade varit där hade hon sagt emot, men nu var hon ju inte det.

"Min syster lever … jag menar, levde i en fantasi om sig själv och världen, hon hade ingen riktigt klar uppfattning om gränser." Helene petade på förpackningen med läkemedel. "Det kanske var därför hon åt sådana här."

"Problemet med de här", sa Krawczyk, "är att de inte är utskrivna av någon läkare, de har ingen förskrivningsetikett. Hon måste ha kommit över dem illegalt."

"Det vet jag absolut ingenting om."

Helene sneglade på fotografiet som fortfarande låg kvar på bordet. Hennes systers blick som försvann någonstans bortom tid och rum.

"Vi fick tag på bostadsrättsinnehavaren ..." Han bläddrade i pappren. "... eller rättare sagt hennes son som är god man, Ingvar Holm. Han hävdar att han inte visste att din syster bodde där. Hon hyrde i tredje hand vilket är emot bostadsrättsföreningens stadgar. Han kräver att få tillgång till lägenheten omedelbart, men vi har sagt att han får vänta tills vi vet mer."

Polisinspektören sköt över en nyckel och en blankett.

"Troligen släpper vi avspärrningen i morgon, teknikerna är klara därute."

"Och vad betyder det?"

"Bara att vi har säkrat eventuella spår, om det handlar om ett brott. Vi kan naturligtvis kontakta någon annan anhörig om det behövs."

"Tack. Jag tar hand om det."

Helene drog till sig blanketten och skrev under, vägde nyckeln i sin hand. Hon hade inte heller vetat att Charlie bodde där förrän hon hörde polisen uttala adressen i telefon. En minnesbild av några höga hus som tornade upp sig på en höjd.

"Vi hör av oss så snart ordinarie låskolv är på plats, så att ni kan gå in och hämta hennes saker."

Det fanns saker som inte kunde försummas, som att följa en åttaåring till skolan. Gå en extra sväng tillbaka hem för att elva-åringen glömde sina jympaskor. Säljmaterialet som måste fram på kvarteret Oxeln, innan veckans slut.

Vårsolen flödade in genom de höga fönstren och mångdubb-lade sitt ljus i väggar och blanka skrivbord. Helene nickade åt kollegan bredvid och tryckte igång datorn. Ruben arbetade redan fokuserat med musik i lurarna, turnerade runt i en 3D-ritning. Hon undrade om han möjligen hade suttit där hela natten. Det syntes inte utanpå om han hade sovit eller inte, han var för ung för det, tänkte hon när hon öppnade programmet och klickade sig in i bilderna av stadsradhus i Beckombergaparken.

Huslängorna framträdde långsamt på skärmen. Metalltoner-na i färgsättningen, fasadernas strama linjer. En vag tanke om att andra människor kanske skulle ta ledigt en sådan här dag, men det var ju bråttom. Bygglovet hade kommit veckan innan. Hon måste åstadkomma en presentation som kunde sälja minst sextio procent av radhusen i förväg, annars skulle inte bygg-företaget gå vidare med projektet. Tankarna på Charlie försvann när hon klickade sig in i rummen, vred sig fram till den rätta vinkeln för att fånga grönskan utanför. Beckombergaområdet var magiskt lummigt efter ett sekels isolering som mentalsjuk-hus, med stängsel mot omvärlden. En gammal allé av oxlar hade gett namn åt projektet, Kvarteret Oxeln, som var en av de sista etapperna i den totala förvandlingen till bostadsområde.

Helene gick in i den tredimensionella bilden och ändrade

solens riktning. Hon ville få ljusinsläppet maximalt, ge en känsla av evig sommar. Intensifierade himlens blåa färg och hämtade en kopp kaffe. Förmiddagen rann förbi medan hon letade lämpliga digitala människor i arkiven och lät dem flytta in, krympte dem en aning för att förstärka takhöjden och öppnade ett fönster på vid gavel, lät en gardin fladdra i vinden och möblerade med danska designklassiker, lät en ung mamma gå på barnvagnspromenad längs oxelallén. Samvaro, tradition och förnyelse. Hon förstorade det övergripande mottot: "Vi bevarar idyllen på Beckomberga", och tänkte på dårarnas skrik, på galler och lås som hade hindrat dem från att rymma eller kasta sig ut genom fönstren.

Vilket mått av sorg krävdes det för att göra något sådant? Galenskap eller förtvivlan?

Under en period hade hon läst allt om självmord, i historien och litteraturen och psykologin. Svårmod, sades det i de historiska längderna, var den främsta orsaken, vid sidan om ren galenskap som ändå var en ursäkt för brottet. Det var värre om personen verkligen visste vad hon gjorde. Den medvetna självspillaren kunde förnekas begravning eller släpas naken genom staden och dömas till en evig osalighet.

Hade Charlie varit galen?

Helene satt i över en timme med omformuleringar av de korta texterna, sökte nyckelorden till människors längtan. Med känslan av naturen in på knuten, men ändå nära till service och stadsliv. Ett attraktivt boende för den moderna, medvetna familjen. Vem ville inte vara medveten och modern?

Polisen ringde när hon stod i det trånga skrivarrummet. Surret omkring henne, hettan från all elektronik. Avspärrningen var hävd, meddelade inspektör Krawczyk, och lägenheten på Aspnäsvägen tillgänglig igen. Han hade läst rapporten från tekniska.

"Det finns ingenting som ensidigt tyder på att någon ytterligare person befann sig i lägenheten."

Maskinen matade sakta fram utskrifterna.

Helene tog skisserna och gick bort till Peo Ahlsén som var delägare och ansvarig arkitekt i projektet. Han hade sin plats längst ner i den före detta industrilokalen och därmed ryggarna på samtliga anställda i sitt blickfång.

Peo kastade en blick och gjorde några kråkor i texten medan hon stod där, sa något om de dolda it-lösningarna. Inga fula kontakter eller sladdar som trasslade längs golvet, det var värt att lyfta fram även om det var närmast standard numera.

"De ringde från dotterns skola", sa Helene. "Jag skulle behöva sticka efter lunch, men jag fixar det här hemifrån, ikväll när ungarna har lagt sig."

Varför sa hon inte som det var? För att Charlies skugga av svårmod eller galenskap skulle falla över henne också, dra henne nedåt till en plats där hon inte ville vara?

"Visst, inga problem", sa Peo och hade redan återgått till sin egen skärm. Helene skymtade en idé om en svävande konsthall.

Hon rullade ihop sina skisser och lämnade kontoret.

Promenerade till Karlbergs station, ett stenkast därifrån, och tog pendeltåget till Jakobsberg.

Husen var lika monumentala som hon mindes dem, ett utslag av 1970-talets stordrift. En tid när avståndet mellan bostäderna bestämdes av byggkranarnas räckvidd, men de rundade formerna gav dem ändå en mänsklig dimension, en nästan skulptural kvalitet.

Hon gick uppför backen. Där var dofter av lerig jord och hundbajs som frusit och tinat upp igen, en mild klarhet i luften blandad med avgaserna från Viksjöleden. Allt gick rakt in i henne. Det var så här våren luktade på riktigt, annorlunda än inne i stan eller på landet utanför Norrtälje, fränare och starkare på något sätt.

Vid en lekplats, lutad mot ett lågt staket, låg en bukett påskliljor. En vissnad ros.

Helene sjönk ner på huk, ville se om där fanns en lapp. Hon skämdes för att hon inte hade tänkt på blommor. Lade handen mot asfalten, fanns där en mörkare fläck? Givaren var anonym, inget sista farväl. Hon vände sig om och såg upp mot raden av balkonger ovanför. Räknade våningarna, till elva.

"Det var en som dog där." En liten pojke, kanske fyra år, hade stannat sin trampbil några meter bort. "En tant trillade ner."

Helene ville säga något, men kom inte på vad.

"Man får inte vara på balkongen", sa pojken och trampade vidare.

När hon stod och väntade på hissen insåg hon att hon hade varit där förut. Nere i källarvåningen, i ett gigantiskt garage som sträckte sig under hela huslängan. Hon mindes den nervösa känslan av att smyga in. Lågt i tak och kraftiga pelare av betong som bar upp hela tyngden av det enorma huset, ändlösa rader av bilar. Helene förstod inte riktigt varför Charlie skulle ha henne med, hon som för det mesta var en skitunge man inte berättade något för. Det var lätt att planka in i garaget, Charlie hade hoppat upp bak på en täckt pickup, hukat så hon inte syntes i backspeglarna och åkt med in. Sedan släppte hon in de andra genom en sidodörr. Tak över huvudet, en plats att hänga. Gänget hade några kuddar och filtar gömda i en dammig bil i ett hörn, låset var uppbrutet. Helene hade undrat om det var där Charlie sov ibland när hon rymde. Hon hade fått svära vid sitt liv att aldrig avslöja platsen. Sedan hade hon gjort det i alla fall, berättat för Barbro var hon kunde leta. Varför visste hon inte själv och hade aldrig erkänt det, trots att Charlie hotade och tryckte upp henne mot väggen. Om det var för att göra Barbro glad, eller för att rädda Charlie. Killarna i det där gänget luktade rök och en av dem hånglade med Charlie i den där bilen och på Charlie

36

såg det ut som om hon gjorde det bara för att reta Helene, för det var henne hon tittade på och skrattade åt när hon drog ner killen över sig i sätet.

Hade hon skvallrat för att hennes storasyster skulle komma hem en stund, någon gång? Charlies rum stod tomt kväll efter kväll, trots att hon hade fått det största och Helene det lilla som egentligen var en klädkammare. Hon brukade smita in dit och lägga sig i röran av kuddar och tidningar, titta på affischerna av Michael Jackson i hans olika skepnader, och låtsas att hon var Charlie, att hon planerade att rymma och dra iväg med den där bilen, kanske tillsammans med någon av killarna i det där gänget, och sedan ropade Barbro och Helene blev sig själv igen och lydde.

Hissen stannade på elfte våningen. På dörren till vänster stod det N Holm, hon stack nyckeln i låset och vred runt hur lätt som helst.

Där blev hon stående, vid tröskeln. Såg in i en främmande hall. Ljusa tapeter med bårder, en ful dörrmatta som hade åkt på sned. Poliserna hade lämnat fotspår som ledde åt alla håll, lera och grus som hade dragits med in från gården. En skinnjacka hade trillat ner från galgen. Som om Charlie bara var tillfälligt ute, hade fått lite brått någonstans.

Just innan hon stängde om sig hörde hon ett skrik som inte var mänskligt, någonstans i trapphuset. En fågel? Sedan gick dörren igen och det blev tyst.

Det fanns inte ett ljud hon kunde höra, inte ens om hon ansträngde sig. Jo, surret från kylskåpet. En rörelse av vatten i något rör någonstans. Vad hade hon väntat sig? Att röster av Charlie skulle eka omkring henne, spökena skulle vandra omkring i ett betongkomplex från 1970? Hon måste resonera med sig själv. Rädslan var irrationell. Det var naturligt att känna skuld. Det innebar inte att hon var skyldig. Var och en var ansvarig för sitt eget liv.

Ändå darrade hon lite när hon böjde sig ner och tog upp skinnjackan. En klassisk modell, en sådan som gick för dyra pengar i vintagebutikerna, men som Charlie hade upptäckt medan den ännu var ett fynd. En parfym dröjde sig kvar vid kragen. Helene kramade jackan hårt i händerna, höll den inte i famnen utan ett stycke ifrån sig, men kände ändå doften och kunde inte hålla borta tankarna från sin systers blåslagna kropp. Charlie hade alltid haft lätt för att få blåmärken, det räckte med att man tog henne hårt i armen för att hon skulle se ut som om hon blivit misshandlad. Hade det hunnit bildas blåmärken?

Helene hängde upp jackan på en galge. Det såg plötsligt så oerhört fel ut, som om den väntade på att dess ägare skulle återvända.

Hon tog av sig stövlarna och gick in.

I änden av hallen tog köket vid. Bordet var fullt av tidningar och post som inte hade öppnats. Smulor kring en brödrost. Hon lyfte på några vita kuvert. Skattemyndigheten, elbolaget, kronofogden. Lukten var inte så illa som hon hade föreställt sig. Polisteknikerna måste ha gått ut med soporna, för inte skulle väl Charlie ha gjort det, strax innan hon dog? På köksbänken stod en dunk vitt vin. Helene skakade på den, lite kvar i botten. Några tallrikar och glas i diskhon, soppåsen mycket riktigt borta. Hon öppnade kylskåpet, läste datumstämplarna på några förpackningar: skinka, yoghurt, ett öppnat paket tortellini. Det mesta skulle hålla sig veckan ut.

Helene sjönk ner på en stol och såg in i väggen. Fläckar i en gulaktig tapet. En trötthet så tung att hon nästan inte förmådde resa sig igen.

Nästa gång hon såg på klockan hade det gått över två timmar. Timmar som försvunnit medan hon gick från rum till rum utan att veta var hon skulle börja.

Det ena sovrummet verkade inte ha använts. Där stod möbler staplade, fina, såg ut som arvegods, och kartonger med köksutrustning, ljusstakar, tavlor. Sådant hyresvärden hade velat hålla undan, eller Charlie inte hade velat ha omkring sig?

I badrummet hade karet tagits bort till förmån för en handikappanpassad dusch, märkena fanns kvar i plastmattan, handtag fastskruvade i väggen. N Holm hade nog bott här länge, sett barnen flytta ut. Folk gjorde det. Det var bara Charlie som flöt runt utan fäste. Färdades spårlöst genom tillvaron med en väska och några flyttkartonger. Helene såg dem när hon kom in i vardagsrummet, ouppackade i ett hörn.

Några soffkuddar hade åkt ner på golvet. Ett matbord i bortre änden var belamrat av papper i en enda röra. Det stod kaffekoppar utspridda här och var, intorkat kaffe i botten.

Helene lyfte upp en av dem och ställde ner den igen, kände den där ilskan på nytt.

Städa efter Charlie, ännu en gång.

Att hon inte ens kunde diska ur en kopp innan hon tog fram en ny.

Från det andra sovrummet såg hon ut över Järvafältets skogar och ett fult värmeverk, i sydost ända bort till Globen. Lakanen låg kringtrasslade, täcket hade rasat ner och låg till hälften inknölat under sängen. Kanske hade hon haft sex, tänkte Helene. Eller mardrömmar. Kanske polisteknikerna hade rört till när de snokade runt.

Sökte spår, analyserade intorkade kroppsvätskor och allt vad de gjorde på en plats som den här.

Hon slog upp garderoberna och en driva kläder rasade ut. I högen urskilde hon dräkter och mönster hon vagt kände igen, glimtar av sådant Charlie hade gått i. Slitna kavajer från Chanel och Dior, en svart sextiotalsklänning och utsvängda originaljeans från sjuttiotalet, sådant hon hittade i andrahandsbutiker och kombinerade på ett sätt som ingen hade tänkt på förut. En hastig antydan av den där parfymen igen, som hakade i ett minne och försvann lika fort, upplöstes och ersattes av en annan doft. Helene insåg att hon skulle bli tvungen att packa ihop allt, men tryckte ändå tillbaka det, in i garderoben.

En oroväckande värk vid tinningarna, ett band som drogs åt. Hon gick en sväng om köket och svalde en Ipren.

Undvek att titta mot balkongdörrarna.

Sakta återvände hon till vardagsrummet. Gick bort till bordet som Charlie tycktes ha använt som arbetsplats. Om man kunde tala om arbete, när det gällde Charlie.

Där låg papper i högar, utskrifter, artiklar. Helene lyfte undan ännu en kopp.

Kanske fanns det ändå där, det där sista brevet som skulle förklara allt, i något av de uppslagna kollegieblocken, på lapparna som låg strödda, i texterna som klottrats ner på baksidan av något annat.

Hon kände igen Charlies handstil, lite bakåtlutande och nätt och jämnt läsbar. Vem skrev för hand nuförtiden? Försiktigt tog hon upp ett papper här, ett block där. Enstaka rader, brottstycken av texter som aldrig skulle fullbordas.

… *var som brännhet lava över hennes kropp och sedan kylan när han vände sig bort, och däremellan existerade inte längre något liv. Bara dagar.*

… *fick dig att glömma allt, att kasta dig ut över branterna, som fick dig att dö och vilja dö igen?*

… *och aldrig nå fram med mina rop, för mellan oss är hav och avgrunder och allt som inte kan förlåtas.*

Helene knölade ihop den sista lappen i handen, poesi eller vad det nu var, kanske ännu en början på den där romanen som aldrig blev av? Charlie hade pratat om den åtskilliga gånger, men aldrig publicerat en rad. Hon hade också pratat om att skriva manus för Killinggänget och göra en egen pratshow i tv som skulle förnya mediet.

Hon lyfte på några papper till, bläddrade lite i ett block. Bara femton procent av dem som tog livet av sig skrev ett avskedsbrev, hade hon läst. Det hörde hemma i böcker och filmer, i historier som avsåg att ge ett slags tröst och förståelse.

Till slut gick hon ändå fram till balkongdörren och öppnade den på vid gavel. En molntjock himmel utan minsta hopp, ett massivt grått täcke över Jakobsberg.

Ut på betonggolvet gick hon inte, aldrig i livet fram till räcket av metall. Svindeln kände hon ändå, och illamåendet.

Och samtidigt: något slags lättnad.

Det var över.

Inga sådana samtal mer.

Hon mindes klart och tydligt ett sjukrum med gula väggar. Sju år sedan. En akutavdelning dit hon kom på besök med en kasse månadstidningar, frukt och skumbilar, hur idiotiskt dum den påsen kändes i handen. Att tro att ett glättigt magasin och lite godis kunde ta upp kampen mot döden, men hon ville ju inte komma tomhänt. Och Charlie låg i sängen med stripigt hår, en blåaktig nyans av blekhet som fick huden att se ut som porslin, så ömtålig. Hon hade tagit tabletter och sedan själv ringt akuten. När hon vaknade efter att ha blivit magpumpad var det Helene hon ville att de skulle kontakta, Helene som hade åkt ut till lägenheten där hennes syster bodde just då, en andrahandsetta i Blackeberg, för att hämta ombyte och tandborste och smink. Helene som för en kort stund hade suttit på kanten av hennes säng och varit den som efterfrågades. I den värsta stunden hade Charlie vänt sig till henne trots att de nästan aldrig träffades.

Den som ringde själv och slog larm ville väl egentligen inte dö? Gav bara luft för ett desperat rop på hjälp? Den som ringde själv skulle väl inte försöka göra om det, på riktigt nästa gång?

Helene hade försökt fråga varför.

Charlie ryckte på axlarna, tittade bort.

Du kom väl inte hit för att leka psykolog, va?

Den där lägenheten i Blackeberg. Det hade funnits brännmärken i spetsgardinerna vid sängen, början till en eldsvåda som lyckligtvis inte hade tagit sig. Hyresvärden hade sagt upp Charlie efter det. Gardinerna hade varit hans mormors.

Helene såg på klockan.

Två timmar som förflutit utan att hon ens hade börjat.

Hon gick runt och samlade ihop de smutsiga kopparna. Spolade hett vatten i diskhon och lade allt i blöt. Hon slet av en svart sopsäck från rullen hon hade tagit med sig och hivade ner maten från kylskåpet, tog en sväng till sopnedkastet.

Ryckte av en sopsäck till och satte igång med papperstravarna i vardagsrummet.

Det mesta såg ut att vara artiklar som Charlie hade skrivit ut från nätet. Hon måste ha gått till biblioteket eller fått någon att göra det åt henne, det fanns ju varken dator eller skrivare i lägenheten. Mycket var på engelska, från tidningen Guardian, BBC och något som hette Buenos Aires Herald. Allt handlade om Argentina.

Helene visste att man aldrig skulle börja läsa när man röjde undan för då blev man aldrig klar. Ändå kunde hon inte undgå att se enstaka ord, meningar som på något sätt tvingade henne att läsa även nästa mening.

Hon kände förstås till historien, men hade aldrig som Charlie gått in i det som hände. De hade varit små då, på 1970-talet när många tusentals, kanske uppemot trettiotusen människor hade försvunnit i Argentina, torterats och mördats. Det kallades *la guerra sucia*, det smutsiga kriget. Tydligen pågick det fortfarande rättegångar. Mödrar krävde svar på vad som hade hänt deras barn och gamla militärer stod åtalade för brott mot den egna befolkningen.

Där fanns detaljer hon inte ville läsa, men inte undgick att se, om fångar som hade torterats med elektricitet mot könsdelarna, fått huden avsliten från fotsulorna och stängts in i rum med hundar dresserade till attack, människor som slängdes levande ut från flygplan.

Här och var i texterna hade Charlie klottrat. Ritat förströdda konstverk i marginalerna och ringat in ord. Det handlade mest om namn på de där militärerna, *El Tigre*, Tigern, kallades en, de hade tydligen sådana smeknamn. Där fanns Ormen och Lejonet, Pingvinen och till och med Delfinen. *El Ángel Rubio*, den Blonde Ängeln, hade dömts till livstids fängelse för kidnappningar och mord. *Squatina* hade hon antecknat flera gånger, det var tydligen ett djur det också, ett slags haj, för på ett ställe hade hon skrivit *Squatina = Angel Shark*.

Hon slängde hela högen och undrade vad som hade rört sig i Charlies huvud, hur stor var hennes lust att plåga sig själv? Var det därför hon inte orkade leva? Hon rev i sår som borde ha lämnats ifred för att läka, det var som ett slags periodiskt missbruk som det gällde att inte dras in i.

Vad är det för fel med dig, vill du inte veta sanningen, vill du leva hela livet i en lögn?

Sanningen.

Som om den stod att finna bland en trave artiklar, i ett ändlöst rotande i det förgångna där de redan visste att inga svar fanns.

Helene vräkte ner bunt efter bunt i sopsäcken.

Det fanns inte ens några bevis för att deras mamma någonsin hade rest till Argentina. Ett rykte, bara. Det var vad Helene hade fått berättat för sig när hon blev lite större.

Ing-Marie Sahlin hade anmälts försvunnen i november 1977 och när tiden gick och hon inte dök upp hade polisen och Utrikesdepartementet ställt frågor till de argentinska myndigheterna. Det fanns inga som helst spår av henne i landet. Flygbolagen i

Sverige och övriga Västeuropa hade öppnat sina register, men ingen vid namn Ing-Marie Sahlin hade rest till Buenos Aires under den aktuella tiden.

Inte heller hade man lyckats lokalisera en argentinsk man vid namn Ramón. Han hade kommit som flykting till Jakobsberg och tydligen hade deras mamma blivit förälskad. Några vänner på Jakobsbergs Folkhögskola trodde sig veta att de skulle till Argentina av orsaker ingen ville tala om. Det rådde undantagstillstånd, det var inte ett land man flydde ifrån och sedan återvände till.

Sanningen, om man nu skulle tala om sanning, var att deras mamma hade lämnat dem innan Helene blivit stor nog för minnen. Inget levande ansikte eller ens en ton av hennes röst, ingenting. Det var blankt, icke-existerande. Sådan var sanningen.

Barbro däremot, hon hade funnits där.

En mamma fanns för sina barn. Hon var kärlek och omsorg, hon satte sig själv i andra rummet. En mamma var mamma helt enkelt, om hon skulle ha rätt att kallas för det.

Helene bläddrade bland några fotografier och kände igen Ing-Marie som skrattade i mitten av en grupp om tre, kastade håret bakåt. Blekta färger, sjuttiotal. Hon var så … levande. För en sekund var det som att se sig själv, fast yngre än nu. Helene hade aldrig förr lagt märke till hur lika de var, kanske för att det hade gått väldigt många år sedan hon senast tittade på ett foto av sin mamma. Om det fanns några så låg de i en kartong på vinden. En sådan man aldrig packade upp utan bara forslade med, från vind till vind, när man flyttade.

Helene vände på fotot, men där stod ingenting om vilka de andra var, en stämpel som var så svag att årtalet inte längre gick att utläsa.

Hon lade ner bilden i en av flyttkartongerna, tillsammans med några av de foton hon hittade av Charlie, hennes gamla skolbetyg och plånbok och pass och några block från skolan utan att egentligen veta varför just det skulle sparas.

Bordsytan var till slut rensad och sopsäcken hade blivit full, hon knöt åt den och lyfte ut den i hallen.

Det hade blivit kyligare. Hon gick för att stänga balkongdörren och blev stående i öppningen. Några gamla krukor staplade i ett hörn, en hopfälld stol.

Hade Charlie gått rakt fram till avgrunden, hade hon vinglat, hade hon tvekat?

Kall cement mot strumporna, två, tre, fyra steg fram till räcket. Helene grep tag om metallstången, tittade ner. Gården var symmetriskt anlagd, långt därnere. Lekplatser och häckar, cirklar och raka linjer. En kulle av mer naturligt böljande växtlighet i mitten. Bara ett tunt räcke emellan.

Försiktigt böjde hon sig lite längre ut för att se nedslagsplatsen och känna avståndet. Då hörde hon ett ljud inifrån lägenheten. För en sekund fick hon för sig att räcket gav vika. Hon backade och vände, stannade upp och lyssnade.

Ljudet kom från hallen. En nyckel som vreds om. Sedan suget från korsdraget när ytterdörren öppnades.

"Hallå", ropade Helene.

Inget svar.

Hon tog några steg in i lägenheten, kände hjärtat slå. I hallen stod en man och stirrade på henne.

"Vad fan … Jag trodde inte det var någon här."

"Vem är du?" Helene blev medveten om kylan från balkongdörren, bilderna av Charlie som for genom huvudet, känslan av att falla. "Vad gör du här?"

Han såg ut att vara några år äldre än hon själv, klädd i slitna militärbyxor och en urtvättad T-shirt, håret halvlångt i grånande blont.

"Är du från polisen?", sa han.

"Jag ska röja upp och ta hand om hennes saker."

Helene fick kämpa för att göra rösten stadig. Mannen trampade lite på stället, granskade henne. Sedan sken han upp en aning.

"Jag känner igen dig. Du är Charlies syrra, va? Du gick på Kvarnskolan."

"Och vem är du?"

Hon mindes sällan folk från förr, kanske för att hon inte tänkte på dem. Hela hennes skoltid var vagt befolkad av barn utan namn, som hon aldrig hade sett bli vuxna.

"Uffe", sa han och klirrade med nyckeln han höll i handen. "Uffe Rainer. Jag såg att de där polisteknikerna åkte i morse. Jag tänkte kika in och se om jag kunde ta mina grejer."

"Vad då för grejer?"

"Jag bor här, rakt över." Han gjorde en gest med tummen bakom sig. "Charlie gav mig nyckeln. För att hålla koll och så alltså, om hon inte var hemma. Jag hjälpte henne."

"Bra", sa Helene, "då kan du ge nyckeln till mig."

"Vad säger polisen? Har de hittat något?"

"Nej, vad skulle de ha hittat?"

Mannen spanade in mot köket. Han var bra mycket längre än hon, rangligt smal.

"När träffade du henne senast?" frågade Helene.

"Samma dag. Man fattar ju inte att … fan."

Hon såg hans ögon bli blanka, käkarna som bets ihop.

"Och vad sa hon då? Märkte du något?"

"Hur då märkte?" Han bet på naglarna, blicken for rastlöst omkring.

"Ja, vad tror du?" fortsatte Helene irriterat. "Det man märker om en människa har bestämt sig för att ta livet av sig. Sa hon farväl, jag är ledsen? Eller teg hon, verkade hon galen? Något måste du ju ha märkt."

"Varför säger du det? Varför säger du att hon tog livet av sig?"

Han rörde sig oroligt, några steg hit och några dit, hela tiden med blicken irrande runt om i lägenheten.

"Det var inget fel på henne", sa han.

"Jaså, inte." Helene gick och tog sin väska som låg på en stol i köket, fick upp mobilen och kände sig genast säkrare. "Varför käkade hon en massa lugnande om det inte var något fel, varför hoppade hon? Vem tror du förresten att du är som bara kan kliva in här?"

"Fan också."

Nu var han på väg mot badrummet. Hade hon rätt att kasta ut honom, anmäla intrånget?

Hon drog sig närmare ytterdörren. Tänkte på Malte, på Ariel. Barnvakten skulle hämta dem, handla till middagen, ingen skulle sakna henne på ett bra tag. Hon hade messat till Jocke att de kunde börja äta utan henne.

"Vad letar du efter?" sa hon och kramade mobilen i handen.

Han tvärvände, hade något vilt i blicken.

"Vad sa polisen?" frågade han. "Vad hittade de när de var här och rotade? Det måste de väl tala om för dig. Hennes syrra."

Helene backade två steg när han höjde händerna.

"Vi var så här", sa han och flätade samman fingrarna, hans röst krackelerade som om han var på väg att börja gråta. "Syskonsjälar, fattar du?"

Sedan trängde han sig förbi henne, ut i trapphuset. Hejdade sig utanför sin egen dörr och vände sig om.

"Det är inte som de säger. Det sista Charlie ville var att dö, om du inte hajar det så kände du henne inte."

Helene såg en glimt av en stor fågel som flaxade till därinne innan han stängde dörren. Ett klick som ekade i trapphuset, och sedan var det tyst igen.

Det hade mörknat när hon bar ut säckarna till grovsoprummet. Hon vräkte ner allt i en stor soptunna och lät dörren slå igen. Sedan ringde hon efter en taxi.

Adressen låg som programmerad i henne, den rann genom ryggraden, hon uttalade den utan att tänka. Veckovägen 33 i Västerby, högst två kilometer bort.

Det enda barndomshem hon visste sig ha haft.

Grupper av HSB-hus runt en jättegård. Hon mindes dem som grå men nu var de putsade i klarare färger. På balkongen blommade påskliljor och penséer i krukor, som de alltid hade gjort, gula och lila nyanser. Så länge det var risk för nattfrost brukade Barbro bära in dem på kvällen och ta ut dem igen på morgonen, trots att de egentligen klarade kyla.

"Men älskade vän", sa hon och strök undan en lock från Helenes ansikte.

Tog henne i sin famn igen, kramade hårt.

"Varför kom du inte redan igår?"

Helene drog sig undan och sjönk ner på stolen i hallen. Ett vindspel av snäckskal klirrade svagt i draget efter att ytterdörren hade gått igen. Stolen var från sjuttonhundratalet, karvad ur en enda trästock, Barbro hade ärvt den av sin morfar. I den här lägenheten hade varenda sak en historia, förfäder och mödrar och Barbros egna barndomsminnen levde vidare i vaser och gamla tyger som sytts om för nya ändamål. Helene hade alltid varit livrädd att slå sönder något, att utplåna ett minne så att det försvann och aldrig kom tillbaka.

"Jag ska inte stanna länge", sa hon. "Jag ville bara inte säga det på telefon."

Och varför inte? Var det inte bättre att ta emot ett sådant besked utan att behöva kämpa med sina reaktioner, som Barbro i det här ögonblicket? Fårorna som djupnade, händerna som skakade framför hennes mun. Helene såg för första gången att det grå hade tagit över helt i hennes hår.

"Och vi som bråkade en sista gång." Barbro gled tungt ner på byrån som var den enda möbel som råkade stå nära. "Camilla har inte hälsat på mig på flera år, det vet du ju, hon vägrade prata med mig, och så dök hon plötsligt bara upp och skrek och levde om. Hon skulle ha sina saker, sa hon, det som tillhörde henne. Jag visste ju inte vad hon pratade om, men hon rev i lådor och skåp och plockade med sig …"

Hon slog ut med armen mot vardagsrummet, mot sekretären. Hennes röst var plågad, liksom blicken i hennes ögon när hon såg upp.

"Jag hade ju tänkt ge det till er när ni blev vuxna."

"Ge oss vad? Vi har varit vuxna i tjugo år."

"Det var bara några fotografier och så skulle hon ha porslin för det saknades i lägenheten, eller värden hade tagit undan det, de var väl rädda om sina saker." Barbro fick hålla sig i dörrposten för att komma på fötter igen. Hon led av en sned höft som hade blivit värre de senaste åren. "Camilla mådde inte bra. Jag såg ju det, men vad kan jag göra? Hon hör inte av sig, och när hon kommer hit så far hon omkring och skriker att jag ska hålla käften för jag har inget med er familj att göra."

"Hon avskydde att kallas Camilla."

"Det var aldrig lätt med henne. Inte som med dig." Barbro höll en hand på ryggen när hon gick mot köket. "Men du måste ju få något i dig."

Helene följde efter. Såg henne plocka fram en färdig bricka med ost ur kylen, plastförpackad från affären. "Eller du kanske vill ha riktig mat?"

"Nej, det är bra tack, jag måste åka hem. Jag … de vet inget. De kände henne inte." Helene sjönk ner på köksstolen, hennes gamla vanliga plats vid väggen. Charlie hade haft sin plats vid fönstret när hon var hemma. *Kalla det vad du vill, det där är inte mitt hem.*

"Kan du tänka dig, vilken Valborg det blev här i Jakobsberg", sa Barbro medan hon mätte upp i tekannan. "Någon brände ner brasan natten innan, så där kom alla familjer och barn till Kvarnbacken på kvällen och möttes av en hög med aska. Vi var några som försökte sjunga sångerna ändå, men det gick ju inte att få någon stämning. Vem vill göra något sådant, kan du förstå?"

Helene hörde henne prata på avstånd. Hon såg ut genom fönstret, balkongen som väntade på sin överväldigande blomstring. Barbro hade gått i pension från tjänsten som kurator, åkte på trädgårdsresor till Holland och Japan på semestern och smugglade hem frön och skott som hon ibland delade med sig av. Helene planterade dem och glömde varifrån de kom.

"Mina barn har aldrig träffat henne", sa hon. "Och nu är det för sent."

"Vi gör väl alla så gott vi kan, utifrån vår förmåga och vad vi tror är bäst i stunden."

Barbro suckade tungt och satte sig på en annan av pinnstolarna som hon hade ärvt efter sin mamma. Helene mindes en mycket gammal kvinna, *ni kan kalla mig mormor om ni vill, fast jag är ju inte er mormor egentligen.* Själv hade hon aldrig uppmanat sina barn att kalla Barbro för mormor, hon var bara Barbro när de träffades. Charlie hade aldrig varit närvarande. Om henne talade de aldrig.

En sammanbiten tystnad. Ett tomrum utan ord. Ostarna stod orörda.

"Vet man något mer om vad som hände?" sa Barbro till slut.

"Hon tog livet av sig", sa Helene och karvade lite med nageln mot bordskanten. "Polisen utreder dödsfallet, de vill förstås veta saker om hur hon var och så, det gör de väl alltid."

"De måste väl, det är rutiner."

Barbro började äntligen dra plasten av ostarna, fiskade upp en bit Brie med fingrarna och bet en tugga.

"Egentligen var det breven hon ville ha", sa hon. "Det var därför hon kom. När var det? En månad sedan, kanske, eller mer."

"Vad då för brev?"

"Som er mamma skrev."

Helene stirrade på henne.

"Du har aldrig sagt något om några brev."

"För att det aldrig fanns några brev."

Barbro reste sig igen och verkade inte veta vilket skåp hon var på väg till. Tittade i det ena och det andra. "Det var er pappa som sa det, när ni var små, just efter att hon hade stuckit. Det var sagor han berättade. Han hittade på att han läste ur de där breven när ni skulle somna. Du var så liten, du kan inte minnas, men Camilla hade fått för sig att hon mindes. Att mamma längtade så efter er, att mamma snart skulle komma hem igen och bla bla bla. Förstår du? Det var sagor han berättade för att han inte stod ut med att säga som det var."

Hon tog fram ett paket digestivekex och ställde det oöppnat på bordet.

"Han var ingen dålig människa. Det var han inte."

Helene vände sig bort. Var det något hon inte diskuterade så var det honom. Det var en regel. Barbro hade haft ett förhållande med deras pappa, en kort tid efter att Ing-Marie hade försvunnit ur bilden. Det tog slut efter något år. "Han var inte lätt att leva med", hade hon sagt, och en del annat som sipprat ut under åren trots att det var sådant de inte diskuterade.

När socialen fick klart för sig att hans hem inte var någon lämplig uppväxtmiljö hade Barbro erbjudit sig att ta hand om barnen. *Du är ju som min egen, jag hade aldrig kunnat älska en unge av mitt eget kött och blod mer.* Helene hade inte riktigt grepp på hur den formella uppgörelsen med myndigheterna hade sett ut, men det sades någon gång att den dag pappan började sköta sig, eller om deras mamma återvände, så var planen att de skulle flytta hem till någon av sina biologiska föräldrar igen. Hon hade alltid varit rädd för att det skulle hända. Allt omkring henne var tillfälligt: sängen och rummet som hon kallade sitt eget, dörren som hon fick stänga om sig, den bestämda platsen vid köksbordet, tryggheten i Barbros famn. När hon fyllde arton hade Barbro frågat om hon ville göra något åt det hela, nu när hon var myndig och själv fick bestämma. Möjligheten fanns att adoptera sig själv till fostermodern och därmed erkänna henne rent juridiskt som mamma. Helene hade tagit emot pappren och lovat att tänka, och kramat om henne och sagt att "det är ju du som är min mamma". Sedan hade hon lagt pappren i en låda. Frågan hade skavt mellan dem sedan dess, inuti varje kram som grus i en sko, i besöken av barnen som inte fick bli några riktiga barnbarn.

"Jag borde ha gjort mer för Charlie", sa Barbro, "jag borde inte ha låtit mig stötas bort."

"Det är inte ditt fel."

"Hon skrek att jag ljög för att jag var svartsjuk på Ing-Marie, för att jag hade snott hennes barn och låtsades vara morsa. Jag ville ju bara ert bästa."

Helene sträckte fram en hand, lade den på hennes arm. Barbro grep tag om den och kramade tills det gjorde ont. Höll den mot sitt ansikte, vått av tårar. Sedan snörvlade hon och släppte handen. Klappade Helene på axeln.

"Förlåt. Det måste ändå vara värst för dig."

"Jag behöver verkligen åka nu."

Helene reste sig. Hon kände att hon var rejält hungrig, hade inte rört vare sig ostar eller te och ångrade sig, men ville inte bli sittande längre än så här.

Barbro stod i hallen och iakttog henne tyst medan hon klädde på sig.

"Har de fått tag i honom?" sa hon till slut. "Är det någon som har pratat med er pappa?"

Helene koncentrerade sig på stövlarna, de var alldeles för trånga i skaften. Hon fick slita och dra för att få på sig den högra.

"Jag ser honom ibland", sa Barbro. "Han borde ändå få veta."

"Jag vet."

"Vill du att jag ska …?"

Helene skakade på huvudet.

"Nej, det behövs inte."

Den placerade sig i magen när hon gick. En värk hon alltid hade haft, men kunde glömma bort ibland. En skam som var för stor och sörjig och ingen annan kunde bära, för det fanns ingen annan. Bara de två. Charlie och hon.

"Och så kommer ni väl hit snart, allihop", ropade Barbro efter henne. "Jag skulle så gärna vilja träffa de små."

Det fanns ett grovsoprum på Vasavägen där låset inte alltid gick igen.

Riddarn såg sig om och tänkte att han var osynlig. Trodde man inte på Gud så fanns ändå tankens kraft resonerade han, innan han vandrade in mellan husen. Hade hämtat ett par skor där häromdagen, endast två nummer för stora. Rent skinn. Det var sådana skor man kunde gå långt med, hade han sagt till polarna i Riddarparken och garvat, men tigit om var han hade hittat dem. I den stund de boende upptäckte att utomstående tog sig in i deras grovsoprum och hämtade grejer de inte längre ville ha skulle det vara slut med den festen. Lås och bom och nycklar och koder och fan och hans moster på vakt.

Det var lättare att passera Sankte Per in i himmelriket än att ta sig in genom en port i Jakobsbergs centrum nuförtiden.

Han kände på handtaget, halleluja! Dörren gick upp. Än hade de inte åtgärdat felet. Han gled in bakom den tunga plåtdörren och lät den slå igen innan han tände lampan.

Där stod två containrar, båda fyllda till brädden. Ikea-kartonger som spretade åt alla håll, en trasig pinnstol, gaveln till en bokhylla. Han lutade sig över kanten och grävde lite, inspekterade en resväska och tömde ut en kasse med kläder som tyvärr bara passade ett mycket litet barn. En ullig kofta fiskade han ändå upp, sprättade man loss ärmarna skulle de funka fint i de nya skorna. Sedan nådde han inte längre, måste häva sig över kanten och ner i plastcontainern. Landade med axeln mot en trave böcker som någon hade rensat ut, en hel bokhylla efter vad det såg ut. Han fick Tolstojs Anna Karenina rakt in i armbågen, en riktig änkestöt. Kunde inte låta bli att bläddra lite i den medan förlamningen släppte i armen, var det i plugget man hade läst den? Han lade ifrån sig boken och hivade undan ett par tomkartonger som tog upp halva utrymmet.

Då fick han se den. Halsen. Längst in i hörnet stack den upp. Han drog efter andan och kände smaken av damm och pisslukt. Tog några steg dithåt och vräkte en madrass åt sidan, greppade tag och drog upp den, där var kroppen, helt intakt, de svängda kurvorna, midjan i träet. Han smekte dess rundning. När hade han senast ägt en gitarr?

Tre strängar saknades. Det var en simpel modell, långt ifrån Stratan han en gång hade ägt. Han vred försiktigt på stämskruven till B-strängen. Nog fan kunde man väl spela Streets of London på bara tre strängar, samtliga toner fanns ju ändå där?

Riddarn lämnade soprummet och fortsatte gå bort mot Riddarparken. Han hade inte för avsikt att flytta på sig mer den här eftermiddagen. Han satte sig på bänken och klingade och vred på stämskruvarna och trodde sig till slut ha funnit de exakta tonerna i kvarvarande strängar. Och han spelade, hej vad det sjöng i resonanslådan. Fingrarna var stela och det tog lite tid att få till dem när han bytte ackord, men en låttext som en gång hade satt sig i skallen gick aldrig ur, bara man hittade melodin och den rätta tonarten från förr, och grabbarna omkring klappade mer eller mindre i takt, någon försökte sjunga med men kunde inte ordningen i verserna. *So how can you tell me, you're lo-o-onely …*

Riddarn tittade upp för att möta publikens blickar och lägga eftertryck till refrängen, men han fick inte ur sig den. Fingrarna hittade inte G7-ackordet, handen föll ner i knäet. Nu har det snurrat till ordentligt i skallen, tänkte han. Han blinkade, kisade, kunde inte tro vad han såg. Det måste vara musiken som lurade honom, framkallade hallisen av en kvinna som stod och iakttog honom.

Mellan blomlådorna stod hon, på gångvägen, i samma blonda hår, det långa håret, herregud. Han kisade men kunde inte riktigt urskilja ansiktet, ändå visste han att det var hon. Ing-Marie. Det där sättet att gripa tag i sitt eget hår som om hon höll sig fast, de smala händerna.

Hon hade blivit äldre, men det stämde inte, tiden gjorde en loop omkring honom och kastade in honom i något han inte begrep. Det gjorde honom rädd. Gestalten var både för gammal och för ung, helt klädd i svart som om det vore begravning. Hade hon kommit för att hämta honom, dags att kasta in handduken, var hon döden förklädd?

Riddarn reste sig från bänken. Nu var han rädd på allvar. Det var en hallis av den värsta sorten, en som inte gav med sig och försvann utan kom emot honom som ett spöke. Du finns inte, mumlade han och vände sig om, stegade bort mot lekplatserna med gitarren hårt i hand, mellan träden, bort mot Birgittavägen, sjukan låg åt det hållet, han skulle minsann gå raka vägen och skriva in sig för det här ville han inte vara med om.

"Vänta! Håkan."

Han stannade och tordes knappt vända sig om. Ingen hade kallat honom så på mycket länge.

Den låten. Helene hade hört den när hon svängde upp mot parken, nåddes av ljudet först. Annars hade hon kanske inte känt igen honom.

En åldrande man på en bänk, böjd över en trasig gitarr. Håret som föll ner i grå testar, de magra benen i för stora byxor.

En stund hade hon stått där som fastgjuten i det skitiga gruset, i hörnet av den glesa parken som bredde ut sig mellan husen. Hon hade hört honom skråla och sett de andra på bänkarna omkring som klappade i otakt, någon viftade med en flaska i handen och hon hade kämpat med sig själv för att inte vända.

Springa.

Ta tåget härifrån och aldrig återvända mer.

Sedan var det han som såg henne, och stirrade som en dåre, hon kunde se vansinnet i hans ögon, armarna som svängde och så reste han sig upp och bara vände och gick, stegade iväg rakt över den leriga gräsmattan med sina jättekliv.

Det knöt sig i henne. Hans sätt att gå. Gråten steg upp i bröstet, hon svalde och svalde. Det där glesa grå håret var ingenting hon kände igen. När hon såg honom sist hade det varit brunt och tjockt och draget bakåt i hästsvans, och rynkorna i hans ansikte hade inte heller funnits då, han hade blivit så mycket äldre och sliten, och på håll såg han ut som en av alla dem som hade suttit i parkerna när hon var liten, men när han reste sig och gick så var det han. Det var hans rygg hon såg, det var hans steg.

Stora kliv, lite framåtlutad, slängigt.

Helene visste inte var hon fick kraft ifrån, viljan att ropa hans namn.

Varför hon inte bara lät honom försvinna.

Sedan måste hon tvinga sig själv att gå närmare. Det var för sent för något annat.

"Hej, Håkan", sa hon till hans rygg. "Känner du inte igen mig? Det är Helene."

"Fan vad läskigt", sa han, när de en stund senare satt på en krog han hade valt. Där stod en pizza som han knappt hade rört och en sejdel öl som nästan hunnit bli tom. "Du är så lik din mamma att man tror att det spökar."

Han kunde uppenbarligen inte sitta helt still, antingen var det foten som trummade mot golvet eller en arm som for över bordet. Helene hoppades att ingen skulle sätta sig så nära att de kände lukten. Lyckligtvis var stället tomt.

"Har du någon adress?" frågade hon. "Så jag kan skicka en inbjudan till begravningen. Jag vet inte ännu var eller när … "

Han skar pizzan i små bitar. En champinjon trillade av när han lyfte gaffeln till munnen. Hon såg att han darrade. Han hade ännu inte med ett ord kommenterat det hon hade berättat. Hon var inte ens säker på om han hade förstått.

"Det har varit lite körigt på den fronten", sa han och pekade med gaffeln genom fönstret, höghusen längre bort, på andra sidan en gigantisk parkeringsplats. "Jag hade en lya på Sångvägen för ett tag sedan, men …" Han reste sig. "Du får ursäkta ett ögonblick."

Han försvann bort mot toaletten. Helene drack av kaffet som var lika svagt som beskt, bryggkaffe som troligen hade stått och bränt på en platta sedan lunch. Nu var klockan snart sex på kvällen. Hon hade återigen dragit till med en lögn för att smita tidigare från jobbet, om att hon skulle åka ut till Beckomberga för att kontrollera några saker. Barnvakten som kom tre gånger i veckan skulle hämta ungarna och ge dem mellanmål. Det var inget ovanligt att hon blev sen.

I nästan en timme hade hon gått omkring i Jakobsbergs centrum och insett det lönlösa. Det fanns ett slags karta hon hade i kroppen, en känsla av vart hon skulle gå. En kulle som hade legat utanför ett fik, hette det Gillesgården? Där hade stått ett klocktorn, bänkar runt omkring. Det var en sådan plats man undvek som barn, där de samlades, knarkare och fullisar och man kunde hitta ölburkar att panta, men när hon kom fram såg hon varken klocktorn eller A-lagare. Gillesgården, som hade legat någonstans vid Hennes och Mauritz, var också borta. Hon hade ett minne av att hon och Charlie spelade flipper därinne med pappa någon gång. Tjock rök och ölglas på bordet.

Hon hade gjort ett försök att googla Håkan Eriksson i Jakobsberg, men de som fanns bodde i villor och kunde strykas från listan. Barbro hade verkat säker på att han levde, men hade han ens telefon, en adress?

Till slut hade hon tagit mod till sig och gått fram till en uniformerad polis.

"Ursäkta, jag söker en man som möjligen brukar hålla till här någonstans …"

Namnet hade polisen inte reagerat på, men sedan hade hon nämnt smeknamnet och han sken upp.

"Jaså Riddarn, varför sa du inte det på en gång? Han har väl legat lite lågt sista tiden, men han brukar komma och snacka och försöka övertyga oss om att gå med hans uppgifter till högsta ort."

"Vad då för uppgifter?"

"Om att Olof Palme lever." Polisen följde några ungdomar i nedhasade byxor med blicken när de drog förbi. Han log och fortsatte. "Jo du. Hela det där skottdramat som förändrade Sverige var bara en skickligt iscensatt föreställning, enligt den käre

Riddarn. Palme behövde smugglas undan, det var något om att han satt inne med känsliga uppgifter om spioneri mot både USA och Sovjet, fråga mig inte om vad. Så de riggade hela mordet med hjälp av SÄPO. Det var därför det syntes så många män med walkie talkies runt mordplatsen. Palme smugglades ut bakvägen från sjukhuset och lever än idag på hemlig ort i Schweiz. Borde väl fylla nittio år snart om man räknar efter."

Polisen skrattade. Helene kom inte på något att säga.

Och nej, han hade inte sett till honom idag, men han rådde henne att titta i Riddarparken. Det var där de brukade sitta, särskilt nu när solen äntligen behagade titta fram.

Hon visste inte hur hon skulle reagera när hon fick syn på sin pappa.

Det jobbiga var hon förberedd på, och ilskan mot honom, men inte att det skulle hända något i henne som påminde om glädje.

Innan de gick från parken hade han vänt sig om och hojtat till polarna.

"Vet ni vem det här är? Min dotter! Som har kommit för att hälsa på sin gamla farsa."

Och så hade han stegat iväg, bredvid henne med sina långa kliv och med gitarren i ett fast grepp i handen. Den ena strängen hängde lös och dinglade. Helene ville fort därifrån, bort från alla som nu visste vem hon var. Hon hade föreslagit kaffe och smörgås, kanske på Sans Rival, som var det enda kafé hon hade sett fanns kvar. Det fick henne att tänka på prinsesstårta.

"Men fan, en pilsner ska vi väl ha ändå. För att fira."

Hon hörde toalettdörren slå igen i andra änden av den lilla lokalen, kände hans långa gestalt närma sig, hans skugga över bordet. Och där var lukten igen, hon kunde urskilja svett och urin, öl och brandrök i hans kläder. Det slamrade till när han slog sig ner framför den halvätna pizzan igen.

"Jag såg henne", sa han.

"Vem då? Charlie?"

Han vickade lite på den nu tömda sejdeln.

"Hon kom ut från krogen, fan det måste ha varit samma natt för sedan gick jag till majbrasan …"

Helene fångade ägarens blick och pekade på det tomma glaset. En till, vad kunde det spela för roll?

"Hon såg fin ut … Fast hon ville väl inte kännas vid sin gamla farsa i den situationen." Riddarn strök lite hår från ansiktet och blicken tappade fokus. Han vände sig om för att se om den där ölen var på väg.

"Men det kan inte ha varit henne du såg", sa Helene. "Inte om det var samma kväll som du gick till majbrasan. Det var natten innan, i lördags natt som hon dog." Hon tystnade och såg ut genom fönstret, var det ens lönt att försöka få honom att begripa skillnaden mellan lördag och söndag? En man som hävdade att Olof Palme levde? Hur många gånger till måste hon säga de där orden: Charlie är död. Tills de inte betydde något längre? Parkeringsplatsen utanför låg halvtom och slutade i en låg, grå byggnad, där hade varit fritidsgård och Folktandvården, en ilning som hon kopplade till vattenborren, en hårdhänt tandläkare som hette Wanda Fleur. Det hade tagit henne tjugo år att komma över sin tandläkarskräck.

"Det är ju det jag säger", sa Riddarn och fångade upp öl-glaset innan ägaren hade ställt ner det på bordet, tog en klunk och slickade skum från läpparna. "Jag skulle bara hitta något att dricka och det var så satans kallt … tänkte värma mig lite och sedan måste jag ha slumrat till eller något." Han drämde handen i bordet. "Fan att hon skulle … Den där snubben, han var ingen trevlig typ. Tro mig, jag ser sådant."

Hans blick flög mellan fönstret och väggarnas röda tapeter, ner i ölen.

"Håkan, du såg fel eller så tar du fel på dagarna. På Valborgs-mässoafton var Charlie redan död. Hon dog 04.13 natten mellan lördag och söndag."

"Och sen när jag vaknade så var det rena rama eldsvådan." Han viftade med armarna. "Man trodde ju att man hade kommit till helvetet som det sprakade och brann överallt omkring mig, fasiken, jag fick rulla ut längs marken."

Helene stirrade på en svart fläck på hans jackärm. Det fanns ett hål i mitten. Ett brännhål.

Majbrasan, tänkte hon. Det där hade Barbro pratat om kvällen innan. Någon hade bränt ner hela rasket i förtid och barnen i Jakobsberg hade kommit till en hög av aska.

"Är det brasan på Kvarnbacken du pratar om? Var det du som brände ner den?"

"Det var ju inte meningen att det skulle ta fyr något så för-bannat."

"Vilken krog?"

"Va?"

"Var såg du henne, vilken krog var det, och är du säker på att det var den natten?"

"Riddar Jakob."

Han höjde sejdeln och svalde några djupa klunkar innan han fortsatte.

"Det var fler som kom ut, så de stängde väl då. När stänger de nuförtiden? Inte sjutton vet jag."

Ölen var slut igen och han sjönk ihop, som om luften och kraften rann ur honom.

"Kommer du ihåg, hon hade sådana där tofsar, pippilotter på huvudet …"

"Vad pratar du om? När hon kom ut från Riddar Jakob?"

Helene mindes stället, en nattklubb ovanpå pendeltågstunneln. Fanns den verkligen kvar?

"Nej för fasiken, hon var ju liten då. Nu hade hon det så där burrigt …" Han drog lite i sitt eget hår och såg Helene rakt i ögonen, stadigt för första gången. Det ljust blå fanns kvar i hans blick, och fick honom på något sätt att se barnslig ut mitt i det gamla och nedgångna.

"Vad hade hon på sig?" frågade Helene.

Riddarn grimaserade, gapade och stängde munnen, som om han försökte få liv i ett stelnat ansikte.

"En skinnjacka, svart tror jag, men det var väl mörkt, eller upplyst just där, och sen gick de iväg, bort mot Falken, och jag tänkte att det kanske var någon annan eftersom …"

En grimas igen och han vände sig bort.

"Eftersom vad då?"

"Hon ville inte snacka. Jag hejade ju och så, men hon …"

Dörren öppnades och tre unga killar vällde in, det dunkade svagt av olika rytmer ur deras lurar. Ägaren lyfte upp några färdigpackade pizzakartonger på disken. Helene tänkte på skinnjackan i Charlies lägenhet, den var svart, men det var ju knappast något ovanligt. Om Charlie verkligen hade kommit ut från krogen med en man hon hade raggat upp, skulle hon stanna och presentera honom för sin pappa då? Knappast. Just den detaljen gjorde att Helene faktiskt trodde på honom för ett ögonblick. Charlie när hon var på jakt, så övertygad om sin attraktionskraft, allt ljus på mig. Men gick man på nattklubb och beslutade sig två timmar senare för att dö? Kunde man ens förstå henne med vanlig logik? Det fanns en tid när Charlie trodde att det i själva verket var Riddarn som hade mördat Ing-Marie, i ett svartsjukedrama. Visserligen hade det varit slut mellan dem när hon försvann, men kanske blev han galen när hon hade träffat en annan?

Helene slogs av en annan tanke, bilden av en man som stod och trampade i hallen i lägenheten på Aspnäsvägen.

"Hur såg han ut, den där mannen som du pratar om?"

Riddarn drog handen genom håret, en sky av mjäll och några torra lövbitar landade på hans axlar.

"Han var skalad, helt ren på skallen, en kort liten fan." Han höll handen mot hakan för att visa hur långt mannen hade nått på honom. "Och så glodde han på mig med en jädrans ful blick, vad skulle hon med en sån snubbe till?"

Charlies granne var lång och hade håret i behåll. Frågorna framstod som meningslösa. De unga killarna drog förbi och ut med sina kartonger, de hade inte bevärdigat det udda paret med en blick.

Helene reste sig och vinkade till ägaren, det var dags att betala.

"Om du är säker, så måste du berätta det här för polisen", sa hon.

Riddarn fick något bedjande i blicken.

"Du har väl möjligen inte några tjugor att avvara?"

Helene höll en plånbok i handen, det gick inte att bortse ifrån. Hon tog fram en hundralapp och tittade sig omkring innan hon lade ner den på bordet. Någon som såg henne skulle kanske tro att den var avsedd som dricks.

"Jag hör av mig", sa hon. "Om ... när det blir begravning."

Uffe kände vinddraget mot nacken när Ebba Grön störtdök från hatthyllan. Nymfparakiten tyckte inte om främlingar och i det här fallet höll han med.

Två poliser stod utanför dörren, en man och en kvinna.

"Ulf Rainer? Kan vi komma in?"

Kvinnan presenterade sig som polisinspektör Sofie Thompson, och mannen hette något polskt som han aldrig skulle kunna upprepa.

"Mmm, visst", sa Uffe och tog ett steg bakåt. De fyllde hela hallen när de klev in. Han fick tränga sig förbi dem för att kunna stänga dörren så att inte fåglarna skulle flyga ut. "Vad var det ni ville fråga om?"

"Äger du en mobiltelefon, med det här numret ...", sa kvinnan och tittade ner i sin egen telefon, rabblade ett 073-nummer han kände igen. Alltför väl kände han igen det.

"Ja ... eller nej."

Vad skulle han svara? Ägde han den rent juridiskt? Hade det någon betydelse för de här personerna, i sin myndighetsutövning? Det fick inte verka som att deras närvaro gjorde honom rädd. Därför vände han ryggen till och gick före in i köket. Såg Ziggy sitta i det döda trädet som han hade snörat fast i ett hörn av vardagsrummet och hoppades att jakon skulle hålla sig lugn. Det hade hänt att den attackerade besökare, aldrig Uffe, bara dem som störde honom. Charlie hade fått sig ett nyp en gång. Det var den enda gången han hade slagit till fågeln, den läraktige idioten. "Ge fan i det där", härmade den i veckor efteråt och varje gång gick

65

det en stöt genom kroppen, minnet av henne i det ögonblicket, med skjortan uppknäppt i hans soffa. Hans skjorta.

"Vill ni ha något, det finns nog inget kaffe … te?"

De hade stannat i öppningen till köket, såg sig om.

"Vi vet att Camilla Eriksson har ringt från det här numret som är registrerat på dig", sa kvinnan, Thompson. Hon hade snaggat hår, brösten tydliga under uniformen. "Vad hade du för relation till henne?"

"Vi bodde grannar." Han hade vetat att det här skulle komma. Med varje lem i sin kropp hade han väntat, legat spänd och inte kunnat sova, vaknat med nackspärr och värk i lederna. Ta dig samman, tänkte han och harklade sig. "Var väl lite vänner kan man säga. Jag borde kanske ha sagt det när de där andra poliserna ringde på, men det var mitt i natten, jag låg och sov. Jag blev chockad."

Den fruktansvärda natten. Han hade hört genom brevlådan hur ett manligt befäl beordrade sina kollegor att knacka på till alla omgivande lägenheter. Dörrarna på samma våningsplan, rakt under, snett under. En av poliserna skickades till huset mittemot för att förhöra dem som bodde rakt över gården och förväntades ha bäst insyn. Uffe hade hunnit dra av sig kläderna och när de kom till hans dörr hade han öppnat med håret tillrufsat, i bara kalsonger. Vad hade han sagt, mer än att han låg och sov? Han mindes inte hur han hade tänkt, det ena hade gett det andra och nu stod han i en härva av lögner och måste komma ihåg dem alla till punkt och pricka.

"Hennes telefon var för gammal och så hade hon sett ett erbjudande om en gratis iPhone, men hon hade betalningsanmärkningar …" Han skämdes för att han stod här och förrådde Charlie, hennes taskiga ekonomi. Det var ingen dödssynd att vara lite strulig. "Jag hjälpte henne bara, jag tecknade det där abonnemanget och hon fick mobilen, hon betalade allt själv …"

"Hjälpte du henne med något annat?" Den långe polisen hade en mild blick som gjorde Uffe Rainer ännu räddare, hårdhet hade han mött förr, men en polis som såg vänligt på honom var mer än han klarade. Han sjönk ner på en stol. Var det ett brott att älska, att vilja göra allt för en människa?

"Vad tänker ni då på?" sa han.

"Flunitrazepam. Hon hade en rätt ansenlig mängd i sin lägenhet, så vi undrar förstås hur hon kom över det." Mannen höjde sin mobil, scrollade fram något som stod där. "Ulf Rainer", läste han. "Dömd för ringa narkotikabrott."

"Det är nitton år sedan", sa Uffe lågt. "Jag är ren. Jag har ett jobb."

"Hade ni en kärleksrelation?"

Han skakade hastigt på huvudet, såg ner i bordet. Det brusade i skallen, ansiktet kändes nästan domnat. Hade Charlies syrra berättat att han hade gått in i lägenheten dagen innan? Hon såg ut som en sådan, som ringde snuten och rapporterade vad hon inte hade med att göra.

"Charlie gav mig förresten nyckeln till lägenheten", sa han, "om det skulle behöva vattnas blommor eller något. Jag har återlämnat den till hennes syster."

Uffe tvingade sig att titta upp. Slappnade de av lite nu när han berättade något de ännu inte hade frågat om? När han visade att han hade kontakt med den avlidnas syster?

"Var det någon här som kan intyga att du sov den natten?"

"Vet du var mobilen finns nu?"

"Hade hon sagt något om att avsluta sitt liv?"

Frågor, frågor. Han mumlade nej som svar på det ena efter det andra.

"Håll käften", skrek Ziggy Stardust från vardagsrummet.

Den långe polisen var där i ett enda kliv, spanade inåt, höger vänster. Han vände sig om till kollegan och log.

"En papegoja."

Uffe försökte också le, men kände att han inte riktigt lyckades. Han hade verkligen ingen aning om var Charlie hade gjort av mobilen. Det irriterade honom lite. Han hade ändå fixat den åt henne och dessutom betalt räkningarna några gånger, annars var det ju han som skulle hamna hos fogden.

"Tror ni …", sa han till slut och drog häftigt efter andan, "tror ni att någon kan ha dödat henne?"

Kvinnan lade ett visitkort på hans köksbord.

"Vi hör av oss om det är något mer."

När de gick mot dörren tänkte han att han borde nämna något om mannen han hade sett den natten, men snutarna var redan på väg ut och det var ändå för sent. Det fanns ingenting han kunde säga utan att avslöja en lögn, eller flera, och därför satt han kvar vid bordet och hörde dörren slå igen.

Begrep de där poliserna ens något om kärlek? Han tvivlade på att de hade älskat, så som han hade älskat.

De hade invaderat hans hem. Nu när de hade gått såg han sin värld genom deras ögon, alla bon som han hade velat skapa åt fåglarna, grenar och ris och allt som påminde om naturen, lukten av fågelspillning. Tystnaden i lägenheten, när inte fåglarna var igång med sitt evinnerliga tjattrande.

Han visslade och sträckte ut handen, Ebba Grön kom svävande och landade på hans tumme.

"Lita på mig", sa fågeln och nafsade lite i tröjärmen.

Uffe strök honom med ett finger över nacken. Det fanns de som hävdade att man inte kunde lära en nymfparakit tala, men han visste att även det handlar om kärlek, om tålamod. *Omnia vincit amor.* Kärleken övervinner allt. Han hade haft tålamod med Charlie, hade väntat in i det sista på att hon skulle älska honom och nu var det för sent. Polisernas intrång hade krympt hans revir, det fanns ingenstans han ville vara. Han reste sig och råkade vifta till med armen så att nymfparakiten trillade av och dunsade i golvet. Fågeln låg där och glodde en sekund innan den spratt till och kom på fötter, hade väl för ett ögonblick glömt att den kunde flyga.

Dumma lilla fågeljävel.

Det var verkligen inget bra tillfälle att svara i mobiltelefonen, men "dolt nummer" kunde ju betyda att de ringde från skolan, att ett barn hade trillat ner från klätterställningen eller värre.

"Aurek Krawczyk, Norrortspolisen, här."

"Vänta ett ögonblick", sa Helene.

Där stod hennes chef, Peo Ahlsén, och pratade i sin egen mobil och lite längre bort såg hon ett par av byggbolagens representanter dröja sig kvar vid de stora skärmarna, *grönska och ljus … vi bevarar idyllen …*

"Jag står lite illa till just nu."

De befann sig i det som hade varit samlingssal på Beckomberga, en arkitektonisk 30-talspärla där hon just hade avslutat sin presentation.

"Jag kan återkomma, eller om du vill ringa upp", sa Aurek Krawczyk.

"Säg bara vad det är", sa Helene och drog sig undan bland stolarna som stod staplade i ett hörn.

Hans röst var neutral.

"Vi fick obduktionsrapporten sent i går eftermiddag. Jag tänkte att jag skulle informera …"

"Okej."

Hon höll andan.

"Camilla Eriksson hade alkohol i blodet när hon dog, samt låga doser Flunitrazepam. Man har också hittat spår av kokain. Skadorna bekräftar enbart det vi redan vet, att hon föll, hur hon landade."

Krawczyk tystnade några sekunder, och hon förstod att det skulle komma mer. Något värre, tänkte hon, vad är värre än kokain, än att dö?

Helene tog tag i en stolskarm, något att hålla sig i.

"Det finns ingenting som tyder på mord", sa han. "Det formella är inte klart ännu, men förundersökningsledaren kommer att avskriva det som självmord."

"Mord?" Hon kände hur det började krypa i kroppen. "Varför tänkte ni att det skulle vara mord? Tror ni att hon blev mördad?"

"Som sagt, vi har inte kunnat finna något som tyder på det. Förundersökningen är nedlagd."

"Men ..."

Helene hörde steg bakom ryggen och Peo blev synlig. Han sträckte sig efter kavajen som låg över en stol. Log och kramade till om hennes överarm, gjorde tummen upp. "Bra gjort", viskade han och fick upp snusdosan ur fickan, försvann igen.

"Hallå, är du kvar?" sa polismannen.

Helene sänkte rösten ännu mer.

"Men jag förstår inte ... Jag trodde att det var klart att hon hade hoppat."

"Det här kanske verkar förvirrande." Rösten var lugn och pedagogisk, som om han talade till någon som hade svårt att förstå. "Det fanns ingenting som pekade mot att det rörde sig om något annat än självmord, oklarheterna möjligen, den försvunna mobilen, en viss röra ... Så för att vara på den säkra sidan, för att kunna ta dit teknikerna, måste yttre befälet den natten besluta att öppna förundersökning på mord. Det är bara så det heter, en praktisk åtgärd som kan verka missvisande ..."

Helene försökte sätta sig ner på den översta stolen, hela stapeln gungade till. Mördad? Varför tänkte hon så, när han förnekade att det var så det var? En känsla av att allt gled henne ur händerna. Polisen tog sin hand ifrån Charlie och ingen skulle någonsin bry sig mer. Varför skulle de? Någon som söp och käkade Fluntra … ja, vad det nu hette.

"Vi fick tag på mobilnumret förresten, av en vän till din syster. Abonnemanget visade sig stå på någon annan."

"Vem då?"

"En granne, vi har pratat med honom."

"Heter han Ulf Rainer?"

Krawczyk svarade inte.

"Jag har träffat honom", sa Helene, "han klev in i hennes lägenhet häromdagen, jag tror att han ljuger."

"Det är möjligt, men det har egentligen inte med fallet att göra. Vi fick ut samtalslistorna, det var det viktiga."

Helene gnuggade sig i ena ögat, det fanns tårar där som riskerade att välla över, hon blev svart på fingret av mascara och böjde sig ner, rotade med ena handen i väskan efter fickspegeln. Den var omöjlig att fälla upp med bara en hand. Hon fick tag i en pappersnäsduk istället, torkade sig under ögat.

"Den sista hon ringde", sa hon och knölade ihop näsduken i handen. "Vem var det? Det var väl det ni ville ta reda på?"

"Enligt samtalslistorna hade hon inte ringt någon efter klockan sjutton på eftermiddagen den tjugonde."

En sekunds tystnad.

"Ett samtal till en företagstelefon. Ägaren som står för abonnemanget har inget minne av det. Samtalet varade mindre än en minut, det kan ha varit en felringning. Hur som helst så är det ingenting som förändrar bilden."

Helene blundade.

"De hade något ihop", sa hon och hörde hur rösten svek, hon viskade nästan, "den där grannen och min syster. Och någon såg henne gå hem från en nattklubb bara några timmar innan …"

Hon borde ha ringt polisen för flera dagar sedan. Berättat vad Riddarn påstod sig ha sett och fått dem att åka ut till Jakobsberg, hitta honom i någon park och genomföra ett regelrätt förhör om vad han visste, visa fotografier ur brottsregistret, göra en fantombild … men hon hade inte gjort det. Det var en så förvirrad utsaga, av en man som vandrade genom natten för att hitta något att dricka, som tände eld på majbrasan natten före Valborg och inte riktigt kunde skilja nu från då.

Så hon hade intalat sig att det inte tjänade något till, och ändå låg det kvar och molade i magen, för hon visste att det inte var hela sanningen. Det var bara en bråkdel, knappt ett kommatecken av orsaken till varför hon inte hade fört hans uppgifter vidare.

Det fanns inget sätt att göra det utan att förklara att den där mannen ni ska prata med, som stinker av urin och brandrök, han är min far.

Krawczyk harklade sig i andra änden.

"Vem hon gängade har strängt taget inte så stor betydelse. Vi har inga tecken på strid, eller på att någon befunnit sig i lägenheten vid det exakta tillfället. Och även om någon av de här männen hon förmodas ha umgåtts med rör sig i kriminella kretsar så bevisar det ingenting, snarare förstärker det väl bilden …"

"Vilken bild? Vad är det för en bild du pratar om?"

Av någon anledning tittade Helene på klockan, memorerade den exakta tidpunkten.

Fredagen den femte maj, klockan 15.02.

Rösten i örat talade om läkemedel och depressioner, psykisk obalans och droger och hon förstod att det var detta som var bilden.

Upprepade självmordsförsök hörde också dit.

Var det hon som hade berättat det? Hon mindes inte.

Obduktionen hade visserligen visat att kvinnan hade haft sexuellt umgänge, möjligen just innan hon dog, men eftersom ingen misstanke om mord fanns så var det för henne, liksom för större delen av befolkningen, helt och hållet en privat fråga vem hon hade sex med, när och på vilket vis.

"Är du kvar?" sa han.

"Ja", sa Helene. "Jag förstår."

Hon hörde ett svagt sorl från kapprummet, var det för sent att gå ut och skaka hand som ett tecken på hur överens de var om projektets utformning?

"Men faktum är att det här har bidragit en del i andra utredningar", sa Aurek Krawczyk i hennes öra, långt bort, "vilket vi får vara lite tacksamma för."

"Förlåt?"

Hon försökte begripa vad han sa.

"Via batchnumret på medicinförpackningarna har vi kunnat spåra Flunitrazepamet till ett rån mot ett apotek i Jakobsberg för en tid sedan. Din syster kan ha varit delaktig, eller köpt dem från någon som var det."

Helene hade ingenting mer att säga.

Han fortsatte.

"Och det visade sig för övrigt att ägaren till bostadsrätten, eller rättare sagt hennes gode man, hade hyrt ut till en person som tycks ha specialiserat sig på att i sin tur hyra ut och göra sig en hacka svart emellan. Det finns ett par anmälningar mot personen redan."

"Jaha."

Vad än Charlie tog i blev det förr eller senare till något skitigt och halvkriminellt, någonstans i ett dunkelt gränsland.

"Och vad gör jag nu?" frågade hon.

"Ta kontakt med en begravningsbyrå, så kommer de att hjälpa er med allt det praktiska, inklusive formaliteterna med rättsmedicinska."

Han sa adjö, och kanske sa han också något vänligt, beklagade eller så. Helene tog kappan över armen och gick långsamt mot dörrarna. Ett ord som hon hakade sig fast vid och liksom höll i handen när hon gick ut: formaliteter. Det lät så självklart och rent, så otvetydigt. Det fanns något befriande i att döden också hade ett byråkratiskt skede.

Hon tänkte: jag borde känna lättnad nu.

Det är utrett, det är klarlagt.

Ansikten vändes emot henne när hon kom ut i kapprummet, en liten grupp av mörka kostymer som fortfarande stod kvar.

"Sådärja", sa en av dem och nickade mot skärmen där en ung mamma strosade med sin barnvagn under oxlarna. "Då håller vi bara tummarna för försäljningen då."

BUENOS AIRES
1977

Det stod ett jakarandaträd vid sidan om porten till pensionatet. Hon hade aldrig sett något så vackert, trädets krona blommade av blålila och stammen tecknade böljande svängar mot himlen.

Där skulle de alltså bo.

Ramón låste upp ytterdörren och lät henne gå före. Det var ett nedgånget hus, stenar hade lossnat i golvet. Ing-Marie hörde sång någonstans ifrån, ett barn som sjöng. Någon eldade på gården, hon kände doften av grillat kött. Trappräcket svajade lite otäckt som om det var på väg att lossna. Hon tog tag i hans hand.

Det var Ramón som hade ordnat det här rummet, en *pensión* där man kunde hyra en månad till nästan inga pengar alls. Han hade hämtat nycklarna hos föreståndaren medan hon satt på ett kafé på andra sidan gatan. Det hade tagit honom över tre timmar och hon hade hunnit tänka saker hon helst ville glömma nu: *Vad gör jag här? De har tagit honom. Någon kände igen honom på flygplatsen och nu har de fört bort honom, vad gör jag då, hur tar jag mig hem?*

Rummet låg fyra trappor upp. En korridor, en brun dörr i en rad av likadana dörrar. Ing-Marie tyckte sig känna lukten av mögel när Ramón låste upp.

Där fanns ett handfat med en sprucken liten spegel ovanför. En garderob i träfanér, ett bord med två stolar och en enkelsäng som var bäddad med vinrött överkast i något sladdrigt material. Hon såg sig om, kunde det vara tolv kvadratmeter stort?

"Är du säker på att vi fick rätt nyckel?"

"Ja ... tanten sa nummer nio." Ramón stängde dörren bakom dem och verkade inte alls se det trånga och torftiga, eller sängen som var alldeles för smal för två personer. "Det var rena turen att det var ledigt, någon flyttade visst igår."

Han drog undan en beige gardin, öppnade fönstren och fönsterluckorna där bakom. Det var närmare tjugofem grader ute och ännu varmare i rummet, luften stod stilla. Ing-Marie fick en känsla av att hon andades in samma luft som hon nyss hade andats ut.

"Vi kanske kan ta hit en annan säng ...", sa hon och provade att sätta sig på den. Det gnisslade i fjädringen.

"Nej, det tror jag inte är en bra idé, det skulle väcka uppmärksamhet. Visst är rummet enkelt, men jag trodde det var så du ville ha det."

"Det är klart jag vill."

Hon blundade och försökte hitta tillbaka i sig själv igen, till allvaret och sammanhangen. Det var inte bara Ramón och Ing-Marie, det här var långt mycket större än så. En värme hon aldrig hade upplevt förr i sitt liv, att tänka tillsammans med andra, gemenskapen i att vilja åt samma håll, att allt var möjligt.

Ing-Marie slog upp ögonen igen och log mot Ramón.

Det var en fruktansvärd risk han hade tagit, att återvända. Ingenting hon gjorde kunde mäta sig med det.

"Det blir jättebra här."

Hon gick fram och lutade sig ut genom fönstret. Det vette mot en mörk bakgård, ett högt femtiotalshus skymde solen. Hon hade hoppats få se ut över jakarandaträdet, kanske från en sådan där balkong med snirkligt järnräcke som hon hade sett från gatan. Hon vände sig om. Ramón såg så annorlunda ut. Hade rakat sig och skjortan var knäppt i halsen. Det var en sak att gå omkring med flera dagars skäggstubb i Jakobsberg men här kunde han inte se ut som en *guerrillero*, han skulle bli arresterad direkt.

"Det räcker för oss", sa hon och sträckte ut handen. "Det blir perfekt."

"Nej, men jag ska inte bo här." Han drog handen genom håret som han brukade göra när han skulle förklara något komplicerat.

Allt det tjusiga hon ändå försökte se i det fula rummet försvann, att det var deras hemliga näste och gömställe.

"Men det förstår du väl?" sa han. "Vi kan inte visa oss tillsammans, inte här, inte ute på kaféer eller restauranger, ingenstans där någon kan känna igen mig."

"Men var ska du bo?"

"Det är säkrast att du inte vet."

Han kramade om henne bakifrån, blåste luft mot hennes öra.

"Du får förlåta mig", sa Ing-Marie, "det är så nytt allting bara." Hon stirrade in i tapeten, bruna ränder. En fuktfläck som växte framför hennes ögon. Hon hade sett för sig en intensiv gemenskap, med möten och diskussioner i hemliga rum där röken låg tät och männen såg ut ungefär som Che, där man lyssnade till hennes åsikter.

"Badrummet finns i korridoren", sa Ramón, "köket är därnere. Undvik all kontakt med grannarna, men om någon frågar så glöm inte vem du är."

"Jag är Claudia", sa hon. "Claudia Viehhauser från Tyskland som söker mina argentinska släktingar, och vill passa på att lära mig språket under tiden."

Hon visste inte om kvinnan hon utgav sig för att vara fanns på riktigt eller hade uppfunnits i samma ögonblick som någon tillverkade hennes falska pass och andra identitetshandlingar. Sådant frågade man inte om. Man tog sitt pass och log och såg blond och oskyldig ut i passkontrollerna. De hade gått med minst tio meter mellan varandra. Ingen hade stoppat dem.

Ramón smekte henne över håret, lekte med det i nacken. Det fanns en otålighet i hans kyss, som om han inte kunde stanna för länge. Hon förstod det så väl.

Han riskerade livet för att hjälpa sina vänner, för det som var viktigt. Hon älskade honom så mycket för det.

"Ångrar du dig?" sa han.

Ing-Marie skakade på huvudet. Vad fanns det att ångra?

Dagarna gled in i varandra när hon blev ensam.

Det fanns morgnar när hon bara ville ligga kvar i den där äckliga sängen och dra de två tunna filtarna över huvudet, domna bort i sin egen ånger. Att ångra var ett svek. Rädslan en medlöpare.

Hon hade inte haft klart för sig hur länge hon skulle vara borta. Hade inte räknat med att saknaden kunde göra fysiskt ont. Hon fick upprepa för sig själv att det fanns andra som tog hand om barnen. Ett barn var ju också allas barn, ingen enskild egendom. Mamma var inte det enda en människa var.

Om det var meningen att hon skulle uträtta något större, som räddade livet på människor, skulle hon då ha kunnat leva med vetskapen om att hon hade avstått från det?

Skulle inte barnen förakta henne en dag för det, så som hon skulle förakta sig själv?

Det fanns för övrigt ingen ensamhet när de enade människorna var en kropp, en gemensam kraft som sträckte sig över alla gränser.

Hon gick till snabbköpet två kvarter längre bort på Avenida San Juan, köpte bröd och ost och kaffe och sådant hon kunde laga till. Varje gång hon kom tillbaka till pensionatet väntade hon sig att få se en grön Ford Falcon utanför. Det var i de bilarna som militärernas hemliga patruller hämtade människor. Hon hade sett dem i andra gathörn och trott att hon skulle dö. En gång såg hon en vägspärr som de hade upprättat på gatan bredvid.

Det var ingen slump att Ramón hade valt de här kvarteren åt henne. Bara några gator bort låg ett av Buenos Aires universitet, *Filosofía y Letras*, där gerillan praktiskt taget hade haft möten i lektionssalarna tills militären rensade ut för några år sedan. Farliga ämnen som sociologi och filosofi spreds ut över staden, men stadsdelen San Cristóbal präglades fortfarande av sina studentkaféer och bokhandlare som hade specialiserat sig på Marx och Freud, och kanske fortfarande sålde sådant under disken i hemlighet.

Det fanns dagar när hon inte pratade med någon.

Hon undvek grannarna, som han hade sagt. Det fanns en telefon i hallen utanför köket, men den skulle hon aldrig använda. På en *pensión* hörde alla allt. Där bodde de som var för fattiga för en egen lägenhet, en familj i varje rum. Själv var hon en främling och hade ett helt rum för sig själv, det var en lyx som stack i ögonen förstås. Ing-Marie tyckte att de gav henne onda blickar och önskade att hon kunde berätta att det var just detta hon slogs för med sitt liv, att utplåna de sociala klyftorna och krossa förtrycket. Men hon kunde inte lita på någon och därför spelade hon blyg när hon mötte en grannkvinna i köket. Låste sin dörr med dubbla varv även om hon bara skulle till badrummet. Log mot barnen och kände deras misstro.

Hon köpte böcker i spanska som han hade sagt åt henne att göra. Sedan kämpade hon för att våga sig ut på något av alla de där kaféerna. Hon satt där och låtsades studera medan verbformerna trasslade sig i hennes huvud.

Det gick dagar mellan gångerna när hon hittade en lapp i sitt postfack. En tid, en plats där de kunde träffas, undertecknad av ingen men hon visste förstås, kunde känna doften av hans fingrar i en skrynklig papperslapp.

Gömde den i handen och tog trapporna i dubbla kliv. Låste inifrån och sjönk ner på sängen.

Hans raka handstil. Bara några få ord och ingenting som avslöjade vad han kände.

Där stod namnet på ett hotell. Gatan hette San Lorenzo och låg i en stadsdel som hette San Telmo.

Ing-Marie rev sönder lappen i små små bitar som hon spolade ner på pensionatets toalett.

På kartan såg det inte ut att vara så långt dit, på andra sidan den breda 9:e-juli-avenyn och sedan sju kvarter till, men hon förstod inte riktigt omfattningen av staden ännu. Fick skavsår och svetten rann under armarna medan hon gick, det var minst tjugo-åtta grader varmt. Trottoarerna blev smalare och fattigdomen kom närmare. Gamla människor som satt längs husväggarna och såg ut att ha krympt medan kläderna växte omkring dem, män i bar överkropp som arbetade ute på gatorna och ropade saker efter henne, mörka valv in i butiker där det stank av fisk och in-älvor, målningar och slagord över husfasaderna. Hon tänkte att det var typiskt Ramón att välja att bo här, bland folket, alla ljud och lukter, ved som eldades och sot och avlopp och förnimmelser av det främmande, hon kände sig blekare och blondare än någon-sin förut och gick så fort hon kunde längs de smala trottoarerna.

Det var ett mycket enkelt hotell. Kvinnan som öppnade slä-pade ett ben efter sig, nickade mot övervåningen och flinade och sa att hennes man väntade på henne.

Rum nummer tre.

Ing-Marie knackade och hörde honom ropa därinne. Dörren var olåst. Hon gick in och där låg han utsträckt på sängen med en tidning som han slängde undan på golvet.

"Hej vackra", sa han.

Hon sparkade av sig skorna på vägen mot sängen, sju steg fram till honom och han sträckte ut armarna och tog emot henne när hon föll, in i hans famn, hans doft, hans andetag i hennes mun, hon borrade in ansiktet i hans hår, ville pressa sig in genom hans hud.

"Jag har längtat efter dig."

"Men nu är du är här."

"Jag har varit så orolig."

"Jag klarar mig, det vet du väl, *ey linda*, får jag se ett leende nu, le mot mig vackra."

Han grävde in händerna i hennes hår och lutade sig bakåt för att se henne, hon älskade när han gjorde det, det gjorde henne så vacker.

Hon drog av sig blusen, den fåniga tantiga blusen som hon hade köpt för att se ut som en prydlig och tysk medelklasskvinna när hon rörde sig ute. Tvingade sig att släppa honom för några sekunder så att hon kunde smeka sig själv som hon visste att han tyckte om att se henne göra, de visste så mycket om varandra nu. De trasslade ihop sina armar i varandras när han knäppte upp hennes jeans samtidigt som hon måste dra av honom tröjan och han skrattade, det där skrattet som hon var beredd att göra vad som helst för att höra, "Ing-Marie, Ing-Marie, Ing-Marie, var har du varit alla de här dagarna …", det fick henne att vilja gråta för att det gjorde så ont i henne, det var så lent och mjukt hans skratt och samtidigt hade det en strävhet och något mörkt som hon för alltid skulle förknippa med manlighet. Hans läppar var också mjuka. Hon var i hans mun och slukade honom, borrade in sina naglar för att han aldrig mer skulle gå ifrån henne och han blev varsam och våldsam när han vräkte henne runt och fick av resten av de jävla kläderna som var i vägen och han var inne i henne i samma ögonblick, hon skrek rakt ut.

Efteråt.

Han hade öppnat fönstret. En het vind gjorde dem sällskap.

De låg nakna direkt på madrassen utan någonting över sig, lakanen var en hopskrynklad flod av värme och svett och den smutsbruna filten hade hamnat i en hög på golvet.

Stadens ljud som inte längre var hotfulla eller störande, en signal vrålade från hamnen därute, rop och hårda slag av metall från något som kanske var en smedja. Ett gnisslande från rummet intill. De hörde det båda samtidigt och såg på varandra. Ramón började skratta. Rytmen, gungandet. Dunkar av en säng som stöttes taktfast mot väggen.

Ing-Marie skrattade också, och kände hur hon rodnade.

Om hon kunde höra dem så hade de hört henne. Han fick henne alltid att skrika, det fanns ingen gräns för det han gjorde med henne, det måste ut om hon inte skulle dö. Det spelade ingen roll om de befann sig i hans etta i Jakobsberg eller i en städskrubb på folkhögskolan där de tumlade in under en fest någon av de första gångerna.

"Nu vet du vad ett *hotel qlojamiento* är", sa Ramón.

"Vad då, en bordell?" Av någon anledning gjorde det henne fnittrig. Hon slickade honom på halsen och ner över bröstet. Han luktade starkt.

"Tror du att jag skulle ha tagit dig hit då?"

Han reste sig på armbågen och såg på henne, smekte en slinga av hennes hår.

"Du får komma ihåg att vi är ett katolskt land. Vart ska folk ta vägen? De här ställena finns över hela stan, man kan hyra ett rum per timme utan papper, utan namn."

Ing-Marie satte sig upp och drog lakanet över sig. Takten i gnisslet ökade stadigt från rummet intill, väggen skakade till mot hennes rygg varje gång som sängen dunkade emot. Ramón sträckte sig efter sina jeans och fick upp ett paket cigaretter ur byxfickan, tände två på samma gång och räckte en till henne.

"Så, berätta vad du har haft för dig."

Mannen började stöna på andra sidan väggen.

"Inte så mycket", sa Ing-Marie, "jag lär mig hitta. Jag försöker lära mig konditionalis och futurum, men det skulle vara lättare om jag hade dig som privatlärare." Hon strök med fingret längs hans skulderblad. "Jag vill göra nytta", sa hon.

Ett långt och utdraget vrål på andra sidan väggen och det var över. För mannen i alla fall. Hon hörde inte kvinnan, om det nu var en kvinna.

"Jag tror vi hade det bättre härinne", sa Ing-Marie och kysste hans axel. Ramón log och rufsade om hennes hår.

"Du måste prata med folk", sa han, "ta kontakt på kaféerna, var inte blyg. Sök upp dem som tycker som du."

Ing-Marie askade cigaretten i hans kupade hand.

"Och du då? Har du fått kontakt än?"

"Det är inte så lätt. Jag har varit borta ett tag. Mina gamla kontakter finns inte mer. De flyttar på sig och tar nya namn, de som vet att de är eftersökta bor inte mer än två nätter på samma ställe. Det inte bara att lyfta telefonluren precis."

Han suckade och drog handen genom håret och hon förstod hur svårt det måste vara för honom, han reste sig och fimpade ciggen mot fönsterbrädan och blev stående där som en silhuett mot kvällshimlen som hade börjat färgas rosa.

Det var inte hemlängtan som hade drivit honom tillbaka till Argentina. Ramón hade blivit allt otåligare, hade sagt att han inte längre stod ut med att sitta i exil på andra sidan jordklotet och läsa svenska för invandrare medan kamraterna dog i strid.

Motståndsrörelsen var nästan utplånad och ledarna för stadsgerillan *Montoneros* hade flytt till Madrid och Havanna och Mexiko City, men det fanns fortfarande de som gömde sig i Buenos Aires. Det gick rykten om en kontraoffensiv, om attentat i samband med VM i fotboll i juni nästa år, när världens ögon skulle vara riktade mot Argentina.

De som fanns kvar inne i landet behövde vapen, pengar, falska papper.

"Du är väl försiktig", sa Ing-Marie och skämdes över att hon sa något så dumt. Revolutioner startades inte av de rädda och bekväma. Alla måste offra något av sig själva. Det krävdes av varje individ ett oavbrutet arbete för att utplåna det förgångna ur sitt medvetande.

Ramón böjde sig ner och tog upp sitt cigarettpaket från golvet, lirkade fram ett hopvikt papper som låg i det. Ing-Marie kände hjärtat banka när han satte sig i sängen igen och gav det till henne. Hon vecklade ut det. Där fanns en rad med namn. Hon visste att hon måste spola ner det här också, det fick inte finnas något som ledde från henne till honom, eller från honom till henne. De måste skiljas åt, varenda gång.

"Vilka är det?"

"Det är folk du kan fråga efter."

Han tog hennes hand, smekte den mellan sina. Förklarade att det var namn på någon släkting till någon som försvunnit, någon annans före detta flickvän, någon som hade studerat med någon på universitetet, det var ett sätt att hitta kontaktvägar in i de rester av gerillan som fanns kvar någonstans i staden.

"Jag kan inte gå runt och fråga efter sådana personer. Det vore farligt för dem, men du är ren, en främling, ingen vet vem du är."

Hans fingertoppar smekte hennes ansikte, trevande och lätt.

"Jag har ingen rätt att be dig om det här."

"Du behöver inte be."

Ing-Marie lät cigaretten glöda tills den slocknade i askfatet på nattduksbordet. Hon låg mot hans bröst och kände hans lukter, ett intensivt och brinnande nu. Han behövde henne, hon behövdes, hon kunde inte tvivla på det.

Ramón drog på sig jeansen. Det fanns ingen dusch på rummet. Han kysste henne en gång till. Hon försökte att inte tänka på att det kunde vara sista gången.

"När kan vi ses igen?"

"Snart hoppas jag." Han kysste henne igen, morrade på lek och bet till henne i nacken innan han sköt henne ifrån sig. "Men det får bli på något annat ställe."

Jakarandaträdet hade börjat blomma ut och lämnade små drivor av blålila kronblad i rännstenen. Det var en dag när inte ens vindarna från Río de la Plata kunde svepa undan hettan. Ing-Marie gick balansgång mellan hålen i trottoaren där gatstenar hade vittrat sönder eller brutits upp, korsade Avenida Independencia och försökte se ut som om hon inte tänkte. Studentkaféet låg i nästa gathörn, trivsamt och enkelt med sju träbord och en äldre kaféägare som hade börjat hälsa henne som en stamgäst redan den andra dagen.

Hon köpte en kopp kaffe och en *medialuna*, det billigaste bakverket som fanns på menyn. Satte sig vid ett fönsterbord och slog upp sina böcker medan hon sneglade på tjejen vid bordet intill. Hennes blick hade skärpts. Hon lade märke till sådant som hon inte hade sett för några dagar sedan. Små tecken: tjejen var ung, högst tjugofem och hade en bok i psykologi och ett anteckningsblock framför sig. Det visade att hon var modig. Det hade hänt att människor blev gripna på gatan enbart för att de bar en bok av Ibsen under armen. Ing-Marie visste inte riktigt rangordningen, men hon anade att psykologi stod högre upp än så på militärens svarta lista. Ett flätat armband i olika färger tydde på sympati för de små resterna av indianska folk i landet. Ett litet kors i en kedja runt halsen. Håret var långt och tillbakadraget i en slarvig uppsättning som om hon ville göra sig mindre söt. Tjejen var helt osminkad. Det fanns viktigare saker i hennes liv än att behaga.

Ing-Marie andades in och sökte i sin spanskabok efter något som verkade lagom komplicerat. Det var en kamp att bryta sig ut ur sin kupa av ensamhet.

"Ursäkta, men får jag fråga dig en sak?"

Hon tyckte att hennes röst lät främmande, hon hade använt den så lite. Spanskan kändes som en klumpfot i hennes mun.

Tjejen tittade upp.

"Visst, fråga."

"Alltså, jag begriper inte när det är meningen att man ska använda, vad heter det … perifrastisk konditionalis?"

"Det är du inte ensam om." Kvinnan ritade något medan hon pratade, det såg ut som telefonklotter, sådant man gör medan man tänker på annat. "Perifrastisk konditionalis är något du skulle göra vid ett tillfälle i dåtiden, men som kanske inte blev av."

"Och det måste man ha en särskild verbform för? Vi har inte ens hälften av …" Hon var på väg att begå ett misstag och jämföra med det svenska språket, men lyckades hejda sig i tid. "Jag menar, tyskan är simpel och logisk när man jämför." Hon hoppades innerligt att den här tjejen inte hade studerat tyska.

"Jaha, är du från Tyskland?"

"Ja … Claudia heter jag förresten."

Ett ögonblicks tvekan.

"Ana." Ett snabbt leende som bara var en ryckning kring mungiporna. Hon sträckte sig efter boken. "Får jag se …?"

Ing-Marie lät henne ta boken medan hon sökte orden till det hon måste säga på sin alldeles för knaggliga *castellano*. Samma natt hade hon för första gången drömt på spanska, en dröm där hon sprang längs de här gatorna och gick vilse på bakgårdarna för att hitta sina barn.

"Egentligen bryr jag mig inte om det", sa hon, "konditionalis alltså. Det finns ju saker som är viktigare."

Ana såg på henne med en ny glimt i ögonen.

"Hur då menar du?"

Ing-Marie sänkte rösten.

"Jag är här för att jag söker några personer", sa hon, "men jag vet inte hur jag ska hitta dem."

"Vad då för personer?"

Ana såg henne rakt i ögonen med ett allvar och en hårdhet som gjorde att hon vågade fortsätta. Ing-Marie såg sig om. Det satt några unga killar vid dörren. Deras lår nuddade vid varandra, en hand som trevade under bordet. Knappast militära spioner. Rummet gungade till och hon kände adrenalinet skena i kroppen när hon viskade fram namnen från listan hon hade fått av Ramón. Hon hade burit den instoppad i trosorna när hon lämnade honom på det där *hotel alojamiento*, memorerat namnen i ensamhet på sitt rum medan hans beröringar fortfarande pulserade i henne, och sedan rivit sönder pappret i småbitar och spolat ner på pensionatets toalett.

Ana lyssnade utan att säga något. Lutade sig bakåt på stolen och tittade ut. Ing-Marie såg hennes blick svepa längs trottoaren och gathörnen, över till andra sidan. Ingen grön Ford Falcon syntes till. Ingen grupp av militärer i uniform närmade sig och heller ingen grupp som bar civila kläder, vilket hade varit ännu värre eftersom ingen säkert visste vilka de civilklädda var.

"Det brukade hänga en tavla där", sa Ana och nickade mot väggen som var målad i en mörk orange färg. Där fanns en ljusare rektangel som avslöjade att något hade plockats ner.

"Ägaren tog ner den för två år sedan", fortsatte Ana, "det var ett porträtt av Che. Det sägs att han grävde ner det tillsammans med alla sina böcker under ett träd i Martín Fierro-parken en natt."

"Jag förstår."

"Gör du?"

Ing-Marie nickade.

"Varför tror du att han inte brände böckerna istället?"

"Man bränner väl inte böcker …?"

"För att han måste tro på att det snart kommer en dag när han kan gräva upp dem igen. För att det här inte kan fortsätta tills böckerna förmultnar i jorden. Håller du med?"

Ing-Marie nickade igen. Hon var inte säker på ordet "förmultna", men sammanhanget begrep hon.

Ana reste sig upp och slog ihop sin bok, lät den snabbt försvinna ner i handväskan. Väskan var blank med beslag i metall vilket fick henne att se ordentlig ut, som en kontorsflicka eller något. Hon drog i tröjans ärmar så att den skylde hennes armband.

"*Chau*", sa hon bara helt kort och gick.

Ing-Marie hörde kaféets dörr slå igen. Hon tittade snabbt ut och såg den unga kvinnan korsa Avenida Independencia utan att vända sig om. Händerna darrade när hon tog sin kursbok i spanska för lägga ner den i väskan. Hon hade misslyckats igen, hon var naturligtvis helt värdelös på det här, vad hade hon inbillat sig? Att hon skulle förvandlas till en *guerrillera montonera* bara för att någon hade fixat falskt pass och köpt henne en flygbiljett? Hon var och förblev Ing-Marie Sahlin från en håla i Värmland som hade tyckt att hon var modig när hon rymde till Stockholm, en folkhögskolestuderande som jobbade extra på kondomfabrik, vad fan var det? Skammen sköljde som en het våg genom kroppen, hon var en belastning för Ramón. Vad hade hon överhuvudtaget här att göra?

Hon såg ner i boken, inte ens tempusformerna i spanskan klarade hon av att få in i sitt huvud, hon var inte i närheten av att ens kunna diskutera revolutionen i det här landet.

Då såg hon att Ana hade skrivit något i marginalen.

I morgon, samma tid.

BUENOS AIRES
2014

Trädgårdsarbetarna sopade upp fallna blomblad och blåste un-
dan löv från trottoarerna, hembiträden från Paraguay och Peru
tog ut barnen på morgonpromenad. Kanske såg de en gammal
man som gick längs trottoaren, kanske inte. Deras åsikter var
inte av intresse och därför föredrog han att vistas ute vid den
här tiden på dagen, när grannarna hade gett sig av till sina
välbetalda jobb i centrala Buenos Aires och hemmafruarna
till sina skönhetssalonger eller vad de nu ägnade dagarna åt.
Det viktiga var att de inte mötte honom och avkrävde honom
meningslösa fraser om vädret eller inflationen eller märren
som nu satt som landets president och vars namn han föredrog
att inte nämna.

Sakta, på grund av ryggen och åldern, promenerade han i
skuggan av trädkronorna som välvde sig över gatan, en grönskan-
de sal där de välbärgade slapp bli brända av solen. I korsningen
av Juramento och Avenida Malién gick han in på glassbaren. En
strut med två kulor *dulce de leche* samt en cappuccino.

"Det vanliga, herrn?"

"Det vanliga."

"Det är kallt idag."

Biträdet fick inget svar eftersom han inte bekymrade sig om
vädret. Det gick mot vinter och om ett par månader, i augusti,
skulle löven falla från träden och lämna sikten fri mot himlen,

bara för att slå ut igen några veckor senare. Samma sak år efter år, så vad fanns det att diskutera?

Han åt sin glass vid ett fönsterbord och slog upp dagens La Nación. På förstasidan fanns en minnesruna över en av landets forna ledare, en aktad man som hade gått bort. Snart fanns det inte några av dem kvar. En insändare beskrev de fruktansvärda villkoren för de militärer som hade tjänat landet och nu satt i fängelse. Gamla män, som hade gjort sin plikt för landet. Han lämnade tidningen på bordet tillsammans med halva struten som han egentligen inte tyckte om, själva glassen hade han slickat ur. Torkade sig i mungiporna med servetten och gick ut. Det dröjde bara en knapp minut innan den första lediga taxin kom i sikte. Han föredrog att fånga dem på gatan framför att ringa och beställa. På så sätt hade de inte hans adress.

Han lutade sig tillbaka i baksätet och tittade ut för att markera att han inte satt där för att konversera chauffören om trafiken eller hur bolivianerna snyltade på landets fria sjukvård och colombianer skrev in sig på deras universitet. En hes sångare från sjuttiotalet sjöng på engelska ur radion, slamrig popmusik, det var en sådan kanal. Han såg det lummiga Belgrano R nästan omärkligt övergå i det likaledes anständiga Colegiales och taxichauffören hade äntligen begripit att han skulle tiga, de kryssade sig in i Palermo och kvarter som hade förvandlats till något trendigt och ungdomligt internationellt han befarade skulle ödelägga stadens själ. Det var rena lättnaden när gatorna öppnade sig och de stolta parkerna och monumenten vid Plaza Italia flöt förbi och så var de på Avenida Santa Fe där bilen ryckigt tog sig fram genom den täta trafiken. Han kände som alltid en diffus smärta i magen när de nalkades Barrio Norte där privata sjukhus flockades kring den medicinska fakulteten och bebyggelsen var hög och trivial.

För två år sedan hade hans läkare funnit en knöl och han var tvungen att skrivas in på den schweiziska kliniken för operation. Cancern var avlägsnad ur hans kropp, påstod de, och hans värden såg bra ut senast de kontrollerade, men varje gång han närmade sig kliniken fick han den där känslan av att de hade missat något, att tumören växte därinne bland tarmar och njurar, en glupande svulst som attackerade och åt honom inifrån.

I hörnet av Santa Fe och Avenida Pueyrredon lät han taxin stanna och klev ur. Nu var det synen han var tvungen att ta itu med. Han såg nästan inte att läsa tidningen längre, kände en svag huvudvärk efter morgonens ansträngningar med La Nación. Det fanns tre optiker att välja mellan, som alla hade avtal med hans privata klinik och därmed ingick i försäkringen.

Efteråt skulle han undra vad som hade avgjort hans val. En ren slump, eller något annat. Kyrkan hade han lämnat därhän de senaste åren, men hade Gud ännu haft makt över honom så hade han sannolikt styrt stegen till någon av de andra glasögon-butikerna i närheten.

Det var en enkel inrättning, just vid ingången till ett slitet köpcentrum där handlarna vräkte ut billiga varor på trottoaren. Optikern hette Oscar Varatsky och såg ut att vara i hans egen ålder, vilket enbart var en fördel. Då kunde han vänta sig sak-kunskap och slippa tröttande tjat om att välja nya bågar enligt det senaste modet.

Han slog sig ner i stolen och fick apparaturen mot ansiktet, den skavde mot näsan men han klagade inte. Fäste blicken på bokstäverna och läste dem en efter en. Optikern bytte glas och skyltar. A H F B C.

"Vad läser ni på den nedersta raden? Och nu? Ser ni bättre eller sämre? Vilken linje är skarpare, den horisontella eller den vertikala? Och nu?"

Mannens ansikte dök upp genom glaset, suddigt och groteskt stort. Ett öga som stirrade in i hans öga, en intimitet som vore obehaglig om den inte hade haft ett tydligt syfte.

"Er syn på vänstra ögat ser ut att ha gått tillbaka en hel dioptri."

"Och det högra?"

"Får jag fråga hur ni mår för övrigt?" Optikern rullade bakåt på stolen och försvann ur synfältet.

"Vad har det med min syn att göra?"

"Det vet man inte. Har ni några krämpor, något som besvärar er?"

"Nej, vad skulle det vara?"

"Sådant som kommer med åren. Det oundvikliga."

"Ålderdomen menar ni? Jag har en bit kvar, om ni ursäktar."

"Så bra då." Det fanns något i optikerns röst som störde honom, något oroväckande och forskande som tvingade honom att förklara sig.

"Jag genomgick en operation för något år sedan, men det gällde magen och enligt läkarna ser allting bra ut även om det är för tidigt att säga något säkert."

Han satt fast med hakan i en fördjupning av hård plast och ögonen fixerade vid tavlan. Bokstäverna tycktes mindre skarpa nu. Han blev plötsligt osäker på beskeden han hade givit om vad han såg och inte såg. Det växlade. Ibland fick han en suddig fläck i vänsterögat.

"Är det färdigt nu?"

Apparaturen hindrade honom från att resa sig ur stolen.

"Ja", sa optikern och drog på orden, "nu är det färdigt."

Ställningen rullades undan och nu såg han mannens hela ansikte. En allvarlig blick som trängde djupt in i hans. Den första tanken var att cancern hade spridit sig till hjärnan, det var därifrån den blinda fläcken kom. För ett ögonblick fladdrade döden i honom, och sedan tog optikern ett steg bakåt med en grimas av avsky i ansiktet som om han känt en vedervärdig andedräkt. Det skramlade när han lade tillbaka sina glas och instrument.

"Jag tror inte jag kan hjälpa er."

Hans röst var mild och ansträngd.

"Vad menar ni med det?"

"Det tror jag ni förstår." Nu vände sig optikern emot honom och där var avskyn igen och väckte ett minne han inte fick tag i, som en fisk sprattlar till i floden och försvinner under ytan igen.

"Jag menar att jag inte gör några glasögon åt er … *Squatina*."

Trafiken i centrala Buenos Aires hade sällan irriterat honom så. Det tog nästan en timme för taxin att ta sig tillbaka till Belgrano R. Den här gången steg han ur två kvarter ifrån sitt hem. Förmiddagens händelse tvingade honom att bete sig som en flykting i sin egen stad, skynda sig in genom porten och låta järngrinden slå igen. Han var inte en man som gömde sig. Han hade uppgivit sitt rätta namn för den där optikern, naturligtvis hade han det eftersom undersökningen var kopplad till hans privata sjukförsäkring.

Det var inte han som skulle gömma sig och fly. Det var brottslingar som gjorde sådant, råttor som smög in i sina hålor om natten.

Hans kock hade vaknat och satt vid köksbordet, trädgårdsskötaren låg i soffan och såg på något av de eviga spelprogrammen vars ljud kunde driva honom till vansinne och därför grep han fjärrkontrollen och stängde av. Abel satte sig långsamt upp i soffan. Han var en ung man, strax över trettio, och visste ingenting om att beskära växter men det var inte heller därför han var anställd och Segundo, kocken, vars armar pryddes av heltäckande tatueringar kunde nätt och jämnt grilla en biff.

De kände inte till det namn som en optiker i Barrio Norte just hade uttalat, de var för unga för att minnas, men de visste vad en order var och varför de fick bra betalt för jobb de inte gjorde.

De åt lunch. Han drack *mate* i sitt arbetsrum på övervåningen. Den beska drycken var traditionellt något som bekräftade vänskap, man lät muggen vandra runt och sörplade ur samma sugrör, men vänskap var ingenting som hörde hemma dem emellan. Han var chef och de var underlydande, hierarkin var avgörande. Den skiljde ordning från kaos. En var ledare, andra lydde och han var plågsamt medveten om de unga männens muskelstyrka och självförtroende när de bredde ut sig i husets nedervåning där murgrönan hade börjat växa sig tät utanför fönstren eftersom ingen klippte ner den.

Efter att det här jobbet var gjort skulle han tala med Abel om växterna. Det var en säkerhetsfråga. Någon skulle börja klaga annars. De som bodde i området brydde sig kanske inte om vad deras grannar hade gjort i det förgångna, men en illa skött trädgård kunde sänka husens marknadsvärde.

Han återvände till Barrio Norte just före skymningen. De åkte i separata bilar, de underlydande i Segundos och han själv i en taxi. Han föredrog att inte synas tillsammans med dem. Steg av vid Plaza Italia och fångade en annan taxi i flykten. Det skulle inte finnas några spår att följa. Ingen mindes en stillsam gammal passagerare, särskilt inte en som teg i baksätet och vägrade chauffören nöjet att klaga över tillståndet i Argentina.

Optikern Oscar Varatsky låste butiken på slaget sju. Han såg sig inte om när han gick längs Avenida Pueyrredon i riktning mot Santa Fe. Därför upptäckte han inte att någon gick efter honom på trettio meters avstånd. Inte heller såg han mannen som följde honom på motsatta sidan. Han korsade gatan och gick mot nedgången till *Subte*, tunnelbanan där en människa kunde slukas av underjorden och försvinna. Förföljarna närmade sig från två håll, i allt snabbare takt. Om Varatsky valde att gå nerför trappan till tunnelbanan var tillfället förlorat. Mannen stannade till. Förföljaren drog sig snabbt in i öppningen till en klädbutik. Det fanns inga tecken i optikerns ansikte på att han hade sett något. Han gick mot blomsterkiosken i gathörnet, en ingivelse att köpa en blomma! Kanske hade han känt doften av jasmin och kommit att tänka på sin älskade, eller en gammal mamma, det spelade egentligen ingen roll eftersom blommorna aldrig skulle komma att levereras.

Det var detta som slutligen avgjorde. En bukett blommor innebar att mannen skulle träffa någon som stod honom nära, troligen redan i kväll, och med tanke på vad han hade upplevt den här dagen så skulle han känna sig tvungen att lätta sitt hjärta: *"Du anar inte vem som kom in i butiken idag! Jag kände först inte igen honom, det är ju så många år sedan och jag hade ögonen förbundna dygnet runt, men när jag hörde hans röst ..."*

Försäljaren gick runt till andra sidan kiosken där blommorna stod i hinkar, vita jasminer, röda rosor, han plockade ihop en bukett medan Oscar Varatsky dröjde sig kvar i det prång av kiosken där affärerna gjordes upp och avslutades.

Han var i rörelse. Ögonkontakt med Segundo som nonchalant stod och hängde vid trapporna till *Subte*, Abel befann sig några hundra meter bort just nu, för att utföra sin del av uppdraget i glasögonbutiken.

Det var exakt tretton steg fram till blomsterkiosken. Optikern stod med ryggen till och räknade upp skrynkliga pesosedlar ur sin plånbok, noterade aldrig närvaron av ett hot. Vapnet dolt under rocken, en sista kalkyl av risken, den var omåttligt stor, det kryllade av människor som alltid på Santa Fe, men just därför skulle kanske ingen se detaljerna i vad som hände omkring dem och trafiken överrösta ljudet av ett skott som avlossades med ljuddämpare mot sidan av ryggens nedre delar. Ännu ett skott, något högre upp.

Oscar Varatsky hann inte begripa vad som hände. Han knuffades framåt så att han föll in bland en samling orkidéer, dold av höga liljor och gröna klätterväxter, och innan blomsterförsäljaren hade hunnit runda kiosken var den äldre mannen i rock som nyss hade stått där borta, på väg ner i tunnelbanan för att blanda sig med tusentals andra *porteños* i rusningstrafiken. Människor stannade till, någon skrek och en annan pekade och såg sig om, men ingen skulle koppla samman mannen som sakta gick nerför tunnelbanans trappa med kroppen som låg bland kullvälta blommor och pumpade blod ut över asfalten på Avenida Santa Fe.

Det var nu hon skulle gå vidare. Varje kväll tänkte hon: i morgon. Då kommer det att lätta inom mig, som de säger. Då kommer det där *vidare* att visa sig, dit det är meningen att jag ska gå.

"Halloj, jag är hemma."

Helene klev över Jockes seglarskor i hallen och lyfte undan jympadojor i olika storlekar. De digitala ljuden fyllde lägenheten och överröstade allt. Om hon lyssnade noga kunde hon urskilja var i fyrarummaren som olika personer befann sig. Där var skottlossningen från något av Maltes spel och dubbade röster från ett amerikanskt barnprogram i Ariels rum, Jockes ständiga musik som stod på i köket så fort hon inte var hemma, någon dyster brittisk pop, och så Rapport som malde på om kåkstäderna som hade börjat växa upp i skogarna söder om stan.

Där var också doften av en lasagne som stod i ugnen.

Helene gick in i köket och öppnade balkongdörrarna på vid gavel. Det var alltid för varmt inomhus. Molnen hade mörknat och hängde lågt över hustaken. Hon stod där en stund för att andas och försökte känna lukten av den stora häggen nere på gården. Hon hade inte märkt när den slog ut. Nu fanns där en sky av vita blommor, ändå kunde hon inte känna dess doft.

Jocke kom upp bakom henne, hans händer om hennes axlar.

"Allt väl?" sa han.

"Jag ville bara släppa in lite luft."

En lätt puss på munnen. Den där känslan av att det borde vara mer.

Han hämtade grytlapparna och böjde sig ner för att ta ut lasagnen. Hon såg hans ansikte lysas upp av lampan i ugnen när han öppnade den. De hade varit gifta i fjorton år, ändå visste hon allt mindre om vad han tänkte. Joakim Bergman. Konsult i ekonomi- och organisationsfrågor. Han hade haft uppdrag för arkitektkontoret när hon först började jobba och hon hade känt sig så trygg i detta att han visste vad ordning och reda var.

Men passionen då? Hur länge sedan är det ni hade sex egentligen? Minns du ens när du tog initiativ till lite rajtan-tajtan?

Rösten var lika tydlig som om hon stod där bredvid. Det var som att vara förföljd. Begravningen var avklarad men Charlie vägrade underordna sig den där eviga friden som prästen påbjöd.

"Jag går och säger till barnen att maten är klar", sa Helene.

Hon grep de fjärrkontroller hon fann i sin väg och sänkte alla ljuden. När de köpte lägenheten hade de slagit ut väggen mellan kök och vardagsrum för att få en öppen planlösning. Allting hördes överallt hela tiden och det fanns ingenstans att gå undan.

Malte sken upp när hon kom, men gjorde sig stel som en pinne när hon kramade honom. Ariel flöt in i hennes famn.

"Jag tycker inte om lasagne", sa hon.

"Du har väl alltid tyckt om lasagne, älskling."

"Man kan ändra sig. Det säger du alltid. Du vet väl inte vad jag tycker om."

Ett tryck över pannan, en annalkande huvudvärk. Att ingenting kunde vara enkelt och självklart, inte ens en middag.

Så det här är vad du kallar lycka? Ja, ja, vi är alla olika.

"Kom och ät nu", sa Helene.

Fem minuter senare skrek hon:

"Det är MAT!"

Och Jocke såg på henne med den där blicken, som om det var *problem*. Glo inte på mig, ville hon skrika, låt mig bara vara ifred, men hon sa ingenting för det hade tystnat emellan dem. Allt det osagda låg i drivor.

"Hur var det i skolan idag då?" Hon hjälpte Ariel att pilla ut löken ur lasagnen och förstod inte varför Jocke insisterade på att ha lök i maten när ungarna inte gillade det. "För att det är så en lasagne ska lagas."

Senare samma kväll: hon stod i köket. Kanske höll hon på att plocka ur diskmaskinen, eller plocka in? Hur som helst höll hon ett glas i handen när Ariel kom rusande gallskrikande ut ur Maltes rum.

"Han slängde fjärrkontrollen på mig."

Och Maltes vrålande från rummet.

"Jag har ju sagt att hon inte får vara på mitt rum."

"Han säger att jag är en idiot."

"Du är en idiot."

"Det är du som är det."

"Och du är ett jävla äckel."

Helene märkte inte att hon släppte glaset, rakt ner på golvet.

"Håll käften", skrek hon, "kan ni bara hålla tyst."

Glaset rullade in under köksbänken, gick inte ens sönder. Flickans ögon vidgades. Helene hörde sitt eget utbrott och kände vreden som en klar kyla inuti, men hon visste inte exakt vad det var Ariel skulle sluta med. Hon gick ner på knä och försökte fånga in åttaåringen i famnen.

"Älsklingen min, förlåt att jag skrek åt dig."

"Släpp mig, släpp mig sa jag." Ariel slet sig fri och sprang in på rummet. Helene gjorde en ansats att följa efter, men Jocke var redan på väg.

"Jag tar henne", sa han, "det är lika bra."

Helene knöt ihop soppåsen och grep den som en anledning

att gå ut. Ryckte åt sig sin vinterkappa som hon fortfarande inte hade hängt undan, stängde dörren efter sig och äntligen, äntligen blev det tyst.

Hon tog trapporna ner och slängde soporna. Steg ut på gatan och hamnade i ett oväder som himlen vräkte ner över henne. Regn forsade via taket och stänkte ner henne helt, skorna blev plaskvåta i vattenpölarna som hade bildats på ett ögonblick. Ändå började hon gå runt kvarteret i en planlös vandring mot ingenstans. Då kom haglet, vita skott som studsade mot trottoaren framför hennes fötter, piskade henne i nacken.

Hon fick se bilen som stod på sin vanliga plats, hukade och sprang, som tur var hade hon nycklarna i fickan.

Satt i framsätet och skakade. Hörde hagel hamra mot taket, regnet som rann nerför rutorna.

Ni ska ju älska varandra, tänkte hon, jävla ungar, ta hand om varandra.

Sedan grät hon.

Hon hade verkligen trott att hon skulle kunna fixa det. Det gällde bara att bryta fullständigt med det onda och trasiga, mammor som försvann och pappor som svek och syskon som inte kunde skaffa sig ett riktigt liv. Hon såg Ariels uppspärrade ögon framför sig, Maltes obekväma kropp när man kom för nära. Fanns det redan där? Den där sprickan som gjorde att de ville slita varandra i stycken, som skulle få dem att tappa kontakten?

Till slut startade hon bilen. Körde, bara körde.

Ljus som flöt förbi i regnet, motorvägen som låg nästan tom. Q8-macken i Rinkeby passerade, vattentornet i Tensta.

En tanke om att ringa hem, men mobilen låg kvar på köksbänken.

Hon svängde av mot Jakobsberg och såg bananhusen torna upp sig på kullen, lampor som lyste varmt i fönstren. Människor som pågick därinne.

Vindrutetorkarna gick. Hon satt på parkeringsplatsen och tittade upp mot elfte våningen, räknade sig fram till det som hade varit sovrumsfönstret. Ljus som rörde sig från en tv, små fönsterlampor i orange.

Charlie var bränd till aska, och någon annan hade redan flyttat in.

När regnet upphörde steg hon ur bilen och gick runt huset, in på gården. Det låg fortfarande några blommor vid Platsen, ljuslila syrenkvistar som hade fallit omkull invid staketet.

Helene böjde sig ner och rätade upp dem. Hon kände doften av vår som växte av regnet, hon hade alltid älskat syrener. Om hon bara hade väntat med begravningen tills syrenerna hade hunnit slå ut så hade den kanske blivit vackrare och ljusare.

"Kände du henne?"

Helene höll på att tappa balansen och satte ner handen rakt i en vattenpöl. Hon vände sig om. Där stod en medelålders kvinna i regnkappa med en liten valp i famnen. Det var en av de där riktigt små hundarna, med för stora ögon och spetsig nos.

"Jag tror inte vi har träffats." Kvinnan lösgjorde handen från hundens rumpa och sträckte fram den. "Lena Morberg. Bor du här?"

Helene skakade på huvudet och sa sitt namn. Hon kastade en blick upp längs alla våningarna och kände tydligt att hon inte längre orkade slingra sig och ljuga när det gällde Charlie.

"Hon var min syster."

"Oj. Det måste vara svårt."

Helene nickade och svalde.

"Jag bor däruppe", sa Lena Morberg. "På åttonde. Jag såg henne den natten."

"När hon låg här?"

"Ja, det också. Jag tänker på det varje dag, och om nätterna ibland. Det har blivit som ett fängelse. Det var därför jag köpte

Happy." Hon gosade lite med näsan mot hunden. "Man behöver något som distraherar. Och nu tar jag mig i alla fall ut."

Helene strök bort håret. Det droppade fortfarande från det, rann ner under kragen.

"Förlåt att jag frågar", fortsatte kvinnan, "men vet du varför hon gjorde det?"

Helene tittade ner på syrenerna. Den mörka fläcken hade suddats ut, kanske var det vätan som gjorde det. Det steg fram på hennes tunga att berätta om hur Charlie hade det, de där pillren hon åt och sjukskrivningarna, att hon levde i gränslandet till det galna och det sjuka, men att Helene ändå hade sett upp till henne på något sätt, som man gjorde med en äldre syster, hon skulle så gärna vilja säga det till någon. Att hon saknade henne så mycket. Så ledsen hon var för att de inte kände varandra trots att de var systrar och borde dela minnen och erfarenheter och komma varandra närmare när åren gick och man mognade och slipade av kanterna. Det var för sent för det. Hon hade blivit lämnad ensam med sin barndom. Charlies död hade slagit ut en vägg inom henne, mot avgrunden, och nu gick hon omkring i en ständig känsla av att falla.

"Nej", sa hon, "jag vet faktiskt inte."

Lena Morberg strök sakta hunden över huvudet.

"Det är så svårt att sluta tänka på det bara. Jag stod där på natten och oroade mig för min son, han gör inget annat än spelar dataspel. Och så får jag plötsligt hennes ansikte framför ögonen, rakt utanför mitt fönster på åttonde våningen."

"Hur såg hon ut?"

"Hur menar du?"

"Ansiktet … blicken … hann du uppfatta något?"

Kvinnan tittade uppåt.

"För mig var det ju bara bråkdelen av en sekund. Hur en människa upplever det inuti vet man ju inte, om det går fort eller sakta … Hela tiden tänker jag att hon såg så förvånad ut. Våra ögon möttes, men jag vet inte om hon såg mig. Det var som att hon inte riktigt begrep vad som hände." Lena lyfte handen i luften och försökte fånga något hon inte riktigt kunde formulera. "Som att hon hade en fråga i sitt ansikte och ville att jag skulle ge henne ett svar, men det kunde jag ju inte. Det gick så fort. Jag tänker att jag borde ha sträckt ut handen och försökt få tag i henne, men det gjorde jag inte. Jag bara stod där. Inte för att det hade … ja, räddat henne, men det kanske hade känts bättre då. Om jag hade sträckt mig ut efter henne."

Hunden gnydde.

"Det hade varit farligt", sa Helene. "Du kunde ha dragits med."

"Jag vet." Lena tystnade och gjorde en gest mot blomman. "Jag hoppas du inte tar illa upp förresten. Jag kände henne ju inte alls."

"Är det du som lägger dit dem?"

Helene blev lite besviken, hon hade trott att det var någon som verkligen kände Charlie, som tyckte om henne.

"Jag började lägga hit något litet dagen efter", sa Lena Morberg, "och nu kan jag inte sluta. Det känns som att det kommer an på mig nu."

En kyrkklocka slog halv tolv på kvällen när Helene steg ur bilen inne i stan igen. En gatubrunn hade svämmat över och bildade en liten oljig sjö i rännstenen. En spegelbild i dess yta bland skräp och fimpar, en ensam gestalt av en kvinna som drog förbi.

Hon lät hissen passera våningsplanet där de bodde. Barnen sov ju och om Jocke var vaken så fanns det för mycket att förklara.

På vinden stod det lilla hon hade sparat av Charlies ägodelar. Bakom hönsnät och hänglås, längst in i raden av förråd.

En kartong och två stora plastsäckar med kläder, det var allt. Kläderna hade hon naturligtvis inte tänkt behålla, de hade bara hamnat på vinden för att hon inte visste vad hon borde göra med dem. Hon hade tänkt på Stadsmissionen eller Myrorna, men sett för sig hur hon skulle möta versioner av Charlie ute på stan. Kvinnor i märkesdräkter från sextiotalet, svarta och alldeles för korta klänningar, den där skinnjackan. Det fanns ju insamlingar som skickade kläderna direkt till Afrika också, men även om en Chaneldräkt skulle bäras av en krigsskadad kvinna i Mogadishu så borde den väl ändå tvättas först?

Hon lyfte undan säckarna. Det enda som hördes var det monotona ljudet från ventilationsanläggningen. Släpljudet när hon drog ut kartongen, ett grönblekt ljus från en naken låg-energilampa i taket.

Hon satt direkt på cementgolvet och kände kylan krypa in genom kläderna. Lyfte upp diverse pappersbuntar, fotografier av Charlie som hon bredde ut över golvet och försökte sortera i ordning så att det började med tonåringen Charlie i svart punk-spretigt hår och fortsatte med en vuxen kvinna som hade lärt sig att nollställa ansiktet för att uppnå den rätta gåtfullheten.

Längst ner fanns sådant Charlie själv hade hystat ner. Det mesta i en enda röra. En lägenhetsnyckel som ingen längre kunde veta vart den hörde. Några gamla kassettband, udda örhängen som knappast skulle ge några svar, ett sönderblekt armband från någon festival. Helene tyckte sig minnas att det hade suttit på Charlies arm i säkert ett halvår. Hade hon varit fjorton, femton? Kanske Roskildefestivalen 1985? När Charlie var mellan åttan och nian och Helene skulle börja högstadiet, det var sommaren innan Olof Palme mördades, så obegripligt länge sedan. Ramones hade spelat och Charlie kom hem och var uppfylld av detta att alla medlemmar i bandet hade tagit sig samma efter-namn. Det var då hon blev Charlie, Charlie Ramone, även om efternamnet föll bort ganska fort.

Glöm Camilla. Hon finns inte längre. Hädanefter ska du kalla mig Charlie, och sedan ska du också ta dig ett eget namn för man

måste själv bestämma vem man vill vara om man inte ska krossas
av alla dem som vill fösa in en i leden.

Ljuset slocknade. Helene trevade längs raden av förrådsdörrar bort till strömbrytaren vid väggen. Gick tillbaka och grävde djupare i lådan utan att egentligen veta vad hon ville hitta, bara att det måste finnas där.

Kanske ville hon bara hålla en stund i hennes saker.

Hon smekte med fingret över Charlies plånbok. Det där slitna i kanterna, märken efter alla gånger den hade fällts ut och stängts igen. Det fanns något intimt i att öppna den, som ett intrång i det mest privata. I sedelfacket låg tre tjugor. Kontokort, medlemskort i butikskedjor, sådant som hade förlorat sitt värde och förstärkte känslan av meningslöshet. Det var bara bitar av plast. Några kvitton, lappar där Charlie hade klottrat ner fragment av sådant hon behövde komma ihåg, en sifferkombination, ett datum, ett klockslag. Så typiskt henne. Charlie hade aldrig kunnat hålla siffror i huvudet, hon var helt hopplös med sådant. En gång hade Helene sett henne plocka upp lappen med koden ur samma fack som bankomatkortet.

Hon log för sig själv. Det var så här hon måste göra. Samla på minnen, hålla kvar vid dem. En känsla av att hon på så sätt, i efterhand och alldeles för sent, balanserade sin skuld.

Hon bläddrade bland visitkorten i de mindre facken. Okända namn, en bankkontakt, en läkare.

Läkare?

Susana Jacobsson, specialist i gastroenterologi.

Helene läste ordet igen. Gastroenterologi. Något som hade med magen, buken, invärtes organ att göra? Hon visste inte att Charlie hade varit sjuk, inte på det sättet, men vad visste hon överhuvudtaget om Charlie?

En tanke om att en människas liv inte finns i det hon lämnar efter sig utan i det hon har velat dölja.

Benen hade domnat. Hon undrade om Jocke hade somnat där nere, som han alltid sov, utsträckt på rygg. Eller hade han blivit orolig, kontaktat sjukhuset, polisen, trott att hon gjort något riktigt dumt?

Så idiotiskt det tedde sig. Ge sig upp på vinden mitt i natten, som om det funnes en hemlig dörr hon kunde krypa igenom och komma ut i ett land där allt var spegelvänt och förklarat.

Hon lyfte ner allt i kartongen igen. Det gjorde ont i små skärsår på händerna av allt grävande i papper. Hänglåset var trögt, hon tryckte ihop det med all sin kraft. Sedan upptäckte hon att en del av kartongens innehåll låg kvar på golvet, några gamla kvitton och Charlies pass. Hon tog upp det och tvekade om huruvida det var mödan värt att låsa upp igen. Just då slocknade lampan. Medan hon trevade sig fram i mörkret mot utgången tänkte hon på att passet hon höll i hade legat framme på bordet i Charlies lägenhet, varför det? Pass hade man inte liggande framme, man förvarade dem i översta byrålådan eller något, men det gällde förstås vanliga människor. Hon hittade strömbrytaren och öppnade dörren ut till trapphuset. Det slog henne att passet var av den nya sorten. Ett sådant där även fingeravtryck numera lagrades, hon hade själv varit tvungen att skaffa ett nytt förra året när de skulle till Koh Samui.

Helene stängde vindsdörren så tyst det gick och tände lampan i trapphuset, bläddrade i passet. Där låg ett litet foto. Av själva storleken kunde hon se att det var gammalt, även om färgerna var klarare än man förväntade sig av ett ögonblick för så länge sedan.

Två flickor, hand i hand. Allvarliga och leende på samma gång, deras ansikten så öppna. Helene fick först inte riktigt syn på sig själv i det lilla ansiktet, bara ett barn som förväntansfullt såg in i kameran. Sedan drogs något åt i bröstet, kring hjärttrakten. De hade vita sandaler på fötterna båda två, men samtidigt tjocka täckjackor. Valborgsmässoafton, tänkte hon. Dagen då man fick

ta på sig de nya vårskorna trots att det alltid var för kallt. Char-
lie hade tappat två framtänder, hon hade håret i tofsar. Helene
var kortklippt med rak lugg. Kanske inbillade hon sig, eller så
framkallades verkligen ett minne ur bilden för hon tyckte sig se
någon bakom kameran men urskilde inte vem. En skugga bara,
och en Kodak Instamatic med en blixtkub ovanpå, en sådan som
räckte till fyra blixtar. Kalasbyxorna som kliade mot benen och
det skrämmande med brasan som snart skulle tändas, eller kanske
brann den redan. Att hon var så rädd för elden då, drömde mar-
drömmar om att hon hade lagt saker på elementen som absolut
inte fick övertäckas, så att hela lägenheten brann.

Men handen. Systern som höll hennes hand i sin och en
svävande aning om samhörighet. Att hon hade förvarat den här
bilden i sitt pass. Att den betydde något.

Hon bläddrade fram passfotot av Charlie som vuxen. Blekt
stirrande in i kameran som man gjorde när man satt i ett bås
hos passpolisen.

Det var utfärdat två månader innan Charlie dog. Kanske var
det en ren rutin, ett pass går ut och man beställer ett nytt, eller
hade hon verkligen tänkt sig att resa?

Omedvetet fortsatte hon att vända blad. Där fanns en stämpel.
På något sätt förstod hon genast vad det stod, men samtidigt flöt
texten ihop och hon måste hålla sidan närmare ögonen, vinklade
den mot lampan i taket.

En inresestämpel. Datumet i slutet av mars, en dryg månad
innan hon dog. Och sedan de två orden som inte lämnade något
tvivel:

Entrada Argentina.

Buenos Aires
1977

Det knotiga ombúträdet såg ut att växa på bredden snarare än på höjden, sträckte sina vida grenar över alla som sökte skugga i Martín Fierro-parken.

På en bänk av betong under trädet hade Ana sagt åt henne att sätta sig den här eftermiddagen vid den här tiden.

"Jag kan inte ensam fatta några beslut", hade hon sagt.

Ing-Marie tände en cigarett och försökte se avslappnad ut. Betongens värme trängde in genom jeansen. Bakom henne vred sig trädets kraftiga rötter, hon tyckte att de såg ut som feta ormar som slingrade sig kring varandra och försvann ner i jorden. Hon tänkte på böckerna som kanske låg nedgrävda där.

En man närmade sig med en hund i koppel och kastade en lång blick på henne. Ing-Marie darrade till. Hon tog ett bloss, och ett till. Mannen böjde sig ner efter en pinne som han kastade åt andra hållet, släppte kopplet och gick sakta efter hunden när den skuttade iväg.

Det var inte han.

"Det är någon som vill träffa dig", hade Ana sagt.

Hon visste nu att Ana inte var hennes riktiga namn. Hon förstod också att det hade varit ett misstag att presentera sig som Claudia. Även om det namnet var falskt så var det någon hon officiellt utgav sig för att vara. Om hon skulle nedstiga i de underjordiska kretsarna så krävdes det att hon tog sig ett namn som alla visste var falskt och som inte fanns i några papper. Det skulle inte gå att härleda till någon existerande människa eller adress.

Hon undrade hur långt hon skulle komma att förflytta sig från sig själv.

Minuterna gick.

Musiken från en karusell spred sig över parken. Ett litet tivoli låg dolt bakom en mur, hon såg de färgglada taken sticka upp och genom entrén syntes en karusellhäst sakta snurra förbi, hon följde den med blicken och den försvann och hon såg nästa dyka upp, och nästa, tills hon blev yr i huvudet. Det fanns människor som dödade och människor som dog och så fanns det de som tog sina barn till parken för att åka karusell.

En känsla av något i luften som förändrades, någon som skymde solen. I motljuset blev han till en väldig gestalt. Rädslan grep tag i henne. Hon försökte se förbi mannen, trots att han fyllde hela hennes synfält.

"Hola, como estas."

Han böjde sig fram och kysste henne på kinden. Luktade rök och lite otvättat. Satte sig nära intill som om de hade varit älskande, eller i alla fall mycket goda vänner. Han hade en bred haka och halvlångt hår. En kavaj som var lite för kort i ärmarna.

Han log hela tiden och tittade rakt fram.

"Om någon frågar så är du bekant med en gammal lärare till mig och vill ha tips på historiska sevärdheter som du inte bör missa när du är i Buenos Aires."

Ing-Marie nickade. Nacken var stel. Det fanns inget sätt hon hittills hade upptäckt som kunde få henne att slappna av i nacken.

"Jag kan inte säga något om de här personerna du frågar efter", sa han.

Hjärtat slog hårt.

"Känner du någon av dem?"

Han tittade på någonting ovanför hennes huvud. Sedan lutade han sig närmare, mumlade i hennes öra.

"Alicia *presente*."

"Förlåt?"

Presente betydde närvarande, men var då? Ing-Marie tittade upp på människorna som passerade, såg ett gäng småkillar som tävlade med sina cyklar och ett gammalt par som stöttade varandra sakta längs gångvägen, en barnfamilj på väg mot karusellerna. Om kvinnan som hette Alicia visste hon bara att hon hade funnits på Ramóns lista som en möjlig kontaktväg in i organisationens inre kärna.

"Hon är här, men inte här, förstår du? Hon dog för tre veckor sedan. Sköts vid ett flyktförsök på Avenida 9 de Julio. Varför frågar du efter henne?"

Han pratade lågt och energiskt. Ingen annan var tillräckligt nära för att kunna höra. Ing-Marie ville inte tänka på en kvinna som blev skjuten i ryggen när hon flydde. Hon sökte i huvudet efter de korrekta böjningarna, det måste vara konjunktiv som uttryckte en viss ovisshet eller önskan om att … och så konditionalis, jag skulle vilja …

"För att jag ville att ni skulle ha fått veta att jag skulle vilja behöva träffa er", sa hon och hörde att hon blandade ihop det fullkomligt och lät som en idiot.

"Vem gav dig hennes namn?"

"En vän."

"Hälsa då din vän och beklaga."

Sedan kände hon hans hand i sitt hår. En lätt beröring, knappt en smekning ens och hon rös till medan han fångade en slinga av det blonda mellan sina fingrar.

"Du stöder oss, säger Ana. Hon säger att du är en *foquista*."

"Ja, jag tror på att en liten grupp revolutionärer kan skapa en revolutionär situation och få med sig folket, inte bara på Kuba utan även här, överallt."

De hade diskuterat det, den där andra gången de hade mötts på kaféet. Ana hade tagit med henne på en promenad längs den bullriga Avenida Independencia tills den bytte namn och övergick i den mer fashionabla stadsdelen Flores och Ing-Marie hade något så när lyckats förklara sin ilska över klassklyftorna och fattigdomen i världen, samt det faktum att hon inte trodde på någon gud.

Säg något om dig själv.

Jag som individ saknar betydelse.

Familj?

Jag rymde hemifrån så många gånger, att min mamma till slut inte brydde sig om att hämta hem mig igen.

Ana hade avbrutit henne där. Vi vill inte veta något personligt om varandra, hade hon sagt.

Allt detta var tre dagar sedan. Ing-Maries rastlöshet hade krupit utanpå huden. Var det inte mer bråttom med revolutionen än så här?

"Och du känner ingen i Buenos Aires, ingen mer än Ana?"

"Ingen, förutom han som jag kom hit med."

"Han, vem är han?"

"Han stöder också den väpnade revolutionen."

Hon gick inte i fällan att säga hans namn. Då hade hon varit opålitlig. Sa hon ett namn idag skulle hon säga ett annat i morgon. Ramón hade tränat henne i hur hon måste tänka. De följande meningarna rann ur henne utan svårigheter, dem hade hon förberett. Det handlade om hans vilja att hjälpa till med vad han än kunde – och här fick hon till den rätta formen av konditionalis – och det var också hennes vilja även om hon var en utlänning, för det var varje människas skyldighet att välja sida och ta strid för det som var rätt oavsett var på jorden man var född.

Han betraktade henne med något frånvarande i blicken. Hon

blev osäker på om han lyssnade, eller om det hon sa lät taffligt i hans öron, säkert naivt. Kanske tyckte han till och med att det var ett kolonialt tänkande, att hon kom här från Västeuropa … Ing-Marie skrek till när något föll ner på hennes huvud och nuddade hennes ansikte, hon började slå över håret och kläderna för att borsta bort en insekt hon inte kunde se.

Mannen plockade upp ett avlångt löv ur hennes knä.

Han log.

"Det är bra", sa han, "att ingen vet vem du är, att du ser ut som du gör … Det är bra."

Ing-Marie undrade om han alls hade hört vad hon hade sagt. Han tog upp en cigarett och erbjöd henne en. Det fanns en omsorg i hans sätt att kupa händerna runt lågan när han tände den åt henne. Det behövdes ju inte, det fanns ingen vind.

"Du kan kalla mig Dante. Ana är din kontakt."

Ännu ett blad singlade ner framför dem. Mannen böjde sig bakåt och tittade upp. En liten pojke hade klättrat upp i trädet och låg där i en grenklyka och repade av blad efter blad, lät dem dala mot marken. Hon såg Dantes käkar hårdna. Pojken hade kunnat höra vad de pratade om. Barn var de mest intrikata angivarna, de kunde skvallra på sin bror och mamma och mormor om någon bara ställde de rätta frågorna.

"Hör du", sa Dante och reste sig, "ta det lugnt med trädet, va." Han var så lång att han nådde upp att gripa tag om grenen. "Vet du varför ombúträden har så tjocka stammar? För att lagra vatten, precis som kameler i sina pucklar, det är därför de kan stå emot både torkan och gräsbränderna på Pampas. Om du vore en *gaucho* kunde du sticka in ett rör i stammen och dricka." Han gjorde en gest med handen, något pojkaktigt som innefattade en handflata och knogar och en vickning med tummen.

Ing-Marie reste sig också. Sakta strosade de därifrån som två vänner på en promenad i parken.

"Förhoppningsvis är det allt vad den pojken minns", sa Dante, "något om kameler och cowboys på Pampas."

De stannade till vid ett öppet skjul. Några äldre män spelade boule därinne. Dante betraktade ett rullande klot som stannade tätt intill den lilla kulan. Det luktade kraftigt av männens kroppar, röken från mörk tobak lade sig under taket.

"Jag ska gå nu", sa han lågt, "men du kan stå kvar och titta."

Hon såg upp på honom, vad menade han, var det allt?

"Och vad gäller sevärdheter", fortsatte han med ett leende, "så tycker jag du ska gå till Historiska museet i morgon. Det ligger i Lezama-parken. Känner du till den, mellan San Telmo och La Boca? Det sägs att det är platsen där Buenos Aires grundades."

"Jag tror jag hittar dit."

"Klockan elva på förmiddagen brukar vara den bästa tiden."

Han släppte sin cigarett i gruset och trampade på den. Böjde sig fram och kysste henne på högra kinden och sedan var han borta.

Ing-Marie följde ett klot som petade bort ett annat klot och såg inte åt vilket håll han gick.

I ensamheten, i sitt heta rum på pensionatet senare den kvällen, funderade hon flera gånger över den där kyssen. Att han tog sig tid för den, och i onödan visade att de hörde ihop.

Han hade ju bara kunnat gå.

Det var först dagen efter, när hon hade tagit sig fram genom de ruffiga kvarteren i San Telmo och gått in genom entrén till Historiska museet och såg Ana stå där och vänta med en musei-broschyr i handen, som det slog det henne.

Hon hade varit där.

Hon hade sett dem.

Kyssen hade varit hans tecken att visa: hon är med oss. Det gjorde henne rusig i kroppen, upphetsad som om hans kyss hade varit av det erotiska slaget och inte alls revolutionär. Samtidigt skrämde det henne, för om Ana verkligen hade varit i parken och Ing-Marie inte hade sett henne, hur mycket hade hon då inte kvar att lära sig om uppmärksamhet?

Och ingenting hade hon kunnat berätta för Ramón den kvällen, och heller inte nästa.

Dessa kvällar när hon låg instängd i en molande värk av ensamhet, i en säng som var så nedsjunken i mitten att hon liksom föll ner i samma position hur hon än vred sig och hörde ljudet av fotbollar som sparkades mot väggar på gårdarna där nere, då låg hon och formulerade allt som hände, som hon skulle berätta det för honom.

Att hon var inne nu. En länk i en distributionskedja där hon ännu inte visste något om kedjans början eller slut. Organisationen bestod av cirklar där de yttersta sfärerna inte visste något om de inre. Hon ville berätta om tidskrifterna som hon nu bar, när hon rörde sig i nya mönster genom staden, hoprullade i trosorna. Tunna blad ännu fuktiga från tryckeriet i någon lägenhet dit hon naturligtvis inte hade tillträde, hon var inte betrodd och informerad. Men ändå. En *guerrillera, montonera*. Hon tyckte om att tänka orden på spanska för det flyttade henne en bit utanför sig själv, de var som musik, som sångerna hon hade lärt sig utantill och som lyfte taket när de sjöng på folkhögskolan. *Venceremos ... vi ska segra! El pueblo unido jamás será vencido ...* ett enat folk kan aldrig trampas ner ...

Och nu var det två dagar kvar till julafton.

Hon hade hört på någon radio som stod på att det skulle bli trettiotvå grader varmt framåt lunchtid. Ändå tog hon på sig en jacka ovanpå t-shirten. Måste stå en stund framför spegeln. Ansiktet hade blivit solbränt, håret blekare och hon såg något i sin egen blick som hon inte kände igen men hon tyckte om det, något främmande i sig själv. En bruten länk mellan det ögonen visade och känslorna inombords. Det yttre skiljdes från det inre.

Hon ville tro att det var ett steg mot den nya människan som Che hade pratat om. Om detta inte var hon så kunde de heller inte skada henne. Hennes person var oviktig och ändå avgörande.

I trappan mötte hon en av de kortvuxna tanterna från landsbygden i norr med något tungt i en påse i famnen. Fuktig av svett och stånkande trängde kvinnan sig mot väggen för att släppa förbi sin granne, *"buenas tardes senõra, qué calor, eh!?"*

Postfacket var tomt. Om Ramón inte hörde av sig före julafton visste hon inte vad hon skulle ta sig till.

Ingen grön Ford Falcon utanför porten.

Det hängde ljusslingor och stjärnor i butikernas fönster. Hon tänkte på julklappar till barnen.

Sol, ännu en dag.

"Har du varit i provinsen?" frågade Ana när de möttes på ett nytt kafé i närheten. Aldrig två dagar i rad på samma ställe, ständigt nya vägar genom staden. Även spanskastudierna hade tagit ny riktning. Hon lärde sig ord som *antiseguimento*, åtgärder som måste vidtas för att man inte skulle kunna spåras. Betydelserna förändrades. En *pastilla* betydde inte längre en halstablett utan den lilla kapseln med cyanid som Ana hade lovat att ordna åt henne, att ha i handväskan om hon blev gripen. Och *provincia* var inte bara landskapet som omgav Buenos Aires på kartan utan ett vidsträckt territorium av fattigdom och slum och medelklassens villaområden i förstäderna, där de väpnade grupperna fortfarande hade sina fästen.

Ana gick före in på damrummet. Ing-Marie väntade några minuter. Sedan drack hon upp sitt kaffe och gick efter.

De sa ingenting till varandra. Ana hade skrivit ner adressen på en lapp. Ing-Marie uppfattade namnet Wilde innan hon knöt sin hand omkring den. En av de södra förstäderna. Hon tyckte att lappen pulserade i handen som om den hade ett eget liv.

En tunn bunt med tidskrifter. Ett tjockt kuvert.

Det fanns knappast en offentlig toalett som gick att låsa i Buenos Aires, så hon stack två fingrar i hålet där låskolven en gång hade suttit och höll i dörren medan hon knäppte upp jeansen och stoppade in kuvertet innanför trosorna. Hon var tvungen att släppa dörren när hon rullade ihop bunten, det var *Evita Montonera*, en av de viktigaste underjordiska tidskrifterna som var döpt efter den döda Evita Perón. Hon kände igen organisationens logga med geväret som korsade ett spjut. Stack bladen innanför linningen där bak och fick nästan inte upp dragkedjan, hon hade behövt lägga sig på golvet som en tonåring i en provhytt, men det fanns inte plats för det. Magen var svullen, hon borde inte ha tagit de här tajta jeansen, vilken dumskalle hon var, men ingenting hon hade smugglat tidigare hade varit så här tjockt och hårt, vad var det i kuvertet? Till slut fick hon igen byxorna och lät blusen hänga utanför.

Hon läste lappen med adressen tre gånger. Sedan rev hon den i bitar och slängde den i toaletten. Spolknappen var skev och åstadkom bara några droppar vatten hur hårt hon än drog. Några små pappersbitar låg kvar där och flöt. Hon tvekade. Sedan knäppte hon upp jeansen igen, höll i kuvertet och tidningarna medan hon kissade. Torkade sig med en medhavd servett och slängde den ovanpå resterna av adressen i Wilde. Något papper fanns det heller aldrig på toaletterna i Buenos Aires.

Ana stod kvar och väntade i tvättrummet.

"Adressen går till en bar", sa hon. "Du ska fråga efter Julio."

Ing-Marie tvättade händerna noga, lät vattnet rinna länge i brist på tvål för att inte rester av trycksvärtan skulle avslöja henne. Det syntes ingenting.

"Jag måste förbi pensionatet", sa hon. "Jag är ledsen men jag måste byta byxor." Hon pekade mot sin mage och tyckte att den putade ut än mer.

"Du borde åka direkt till Wilde."

"Pensionatet ligger bara fem minuter härifrån, på Avenida San Juan, bussarna stannar precis utanför."

"Ångrar du dig?"

"Nej."

"Var bara vanlig och försök att tänka på annat."

Ing-Marie såg deras ansikten bredvid varandra i spegeln, de hade nästan samma hudfärg, var lika smala.

"Jag har tänkt på att klippa av mig håret", sa Ing-Marie, "eller färga det svart."

"Det finns fler än du i Buenos Aires som är blonda."

"Jag tycker alltid att det känns som att jag sticker ut. Jag har en känsla av att de ser rakt igenom mig, att de kan läsa mina tankar."

"Det sitter inte i håret, *gringuita*", sa Ana och log ett av de där sällsynta leendena som fick Ing-Marie att känna det som om det fanns något förtroligt dem emellan trots att de inte skulle veta någonting alls om varandra.

"Vi ses", sa hon och gick.

Vardagligt och naturligt, två bekanta som möttes helt kort på ett kafé och sedan skiljdes åt i tron att de snart skulle råkas igen.

Bussen skakade fram. Hon trängdes bland män med grov hud och lukter av olja och kroppsarbete, kvinnor med trötta blickar. När de närmade sig järnvägsstationen fick hon se en skymt av en kåkstad längs rälsen. Sneda skjul av plåt och kartonger, en *villa miseria*. Slummen vällde emot henne när hon steg av. Barn i trasiga kläder och händer som sträcktes emot henne, ögon som var för stora för deras ansikten. Hon ville titta bort, men hon kunde inte. För en svindlande sekund var det sina egna flickors ansikten hon såg. Inte tydligt, mer som skuggbilder, sådana som döljer sig i en tavla och sedan framträder som bildens verkliga budskap för den som kan se, men deras närvaro kände hon i den stunden så tydligt som om de hade varit där, deras vidunderliga mjukhet och en liten mun som famlade. Ibland skiljde hon inte den ena från den andra, det var som om de hade varit samma barn.

Hon fortsatte in i stationsbyggnaden och hörde hur de följde henne i hälarna. *"Señora, señora, por favor."*

Kuvertets kanter skavde mot ljumskarna.

Hon fann skylten som visade att tåget till Wilde skulle avgå från perrong nummer två om elva minuter. På väg mot biljettluckorna var hon tvungen att passera en polis och två andra män i något slags uniform som hon inte kände igen. Händerna skakade så att hon inte fick upp sedlarna, men hon lyckades köpa biljetten och ta sig till perrongen. Det visslade i öronen av en signal, skrek om skenorna när ett tåg bromsade in.

En halvtimme senare steg hon av på perrongen i Wilde. Stationen såg ut som om den hörde hemma i en sovande landsortshåla, men runt omkring var det höghus och låghus i en planlös blandning, stökiga affärsgator med ett virrvarr av skyltar.

Hon hittade baren, som såg ut att ha legat där längre än de flesta husen. En bardisk av mörkt trä och på väggarna ett gytter av reklam för olika spritsorter, bilder av fotbollsspelare som hängde snett och sportvimplar för något lag i rött och vitt. Några äldre farbröder hukade över sina ölglas, en yngre man satt tillbakalutad med en sporttidning. Hon hade en känsla av att de iakttog henne när hon gick fram till baren.

Beställde en kaffe och ett glas mineralvatten.

"Jag söker Julio", sa hon och möttes av tystnad.

Bartendern torkade långsamt av ett glas och ställde fram det åt henne, slog upp en flaska kolsyrat vatten.

Vände ryggen till och gjorde i ordning kaffet.

Först när han ställde ner koppen framför henne och slog i mjölk utan att fråga om hon ville ha, svarade han.

"Han sitter där." En höjning med hakan mot mannen som satt bakom henne med tidningen. Ing-Marie märkte förändringen i luften när han reste sig, som ett vinddrag och en doft av after shave. Han luktade hund också, kände hon när han lutade sig fram med armarna mot bardisken. Bartendern gick undan och började tömma askkopparna på borden i en hink.

"Du kan avsluta ditt kaffe", sa Julio, "sedan går vi."

Benen darrade när hon gick ut därifrån.

Ingen vet var jag är, tänkte hon, om jag försvinner nu så kommer det inte att märkas.

Hon kände att luften var lätt att andas, det fanns en frihet i det vansinniga, en dans med faran som fick hennes blod att rusa.

Ana, tänkte hon sedan. Ana vet.

De svängde runt hörnet, in på en återvändsgata mellan fönsterlösa hus och lagerbyggnader. Mannen gick fram till en liten skåpbil. En dekal på sidan: *Fruta y Verdura*, frukt och grönt. Han tittade bakåt mot gatan, medan han öppnade dörrarna till lastutrymmet och sa åt henne att hoppa in. Ing-Marie lyckades inte röra sig.

"*Ponete las pilas*", väste han och hon förstod inte orden, det var inte ens riktig spanska utan snacket de hade här, men hon förstod hans rörelser med huvudet och otåliga spanande mot gatan bakom dem, så hon gjorde som han sa och klev snabbt in i skåpbilen. Dörrarna slogs igen om henne och det blev dunkelt, nästan mörkt. Hon hörde bilen starta och kände vibrationerna från motorn när de backade ut.

Det var verkligen en fruktbil, trälådor skakade omkring henne och några tomater hade trillat ur och rullade vid hennes fötter. Det fanns ett litet fönster högst upp på bakdörren, men när hon försökte sträcka sig upp för att titta ut gjorde bilen en skarp sväng så att hon dråsade omkull och slog höften i en låda apelsiner.

Efter några svängar förlorade hon uppfattningen om hur långt de hade åkt. Sedan började hon bli åksjuk.

En tvär inbromsning kastade henne bakåt. Hon hörde bildörren där framme öppnas och några sekunder senare slogs bakdörren upp. Det fanns ett fält utanför och en öde väg. Där gick en häst och betade intill några skjul och ett upplag av skrot, det verkade som om de befann sig utkanten av ännu en *villa miseria*. Åt andra hållet såg hon ett villaområde, låga små tegelhus med stängsel omkring.

Det är nu jag kommer att bli våldtagen, tänkte hon och såg sig om bland lådorna efter något hon kunde slå med, en järnstång, planka, vad som helst.

"Jag ber om ursäkt", sa mannen som kallade sig Julio, "men jag måste sätta på dig den här."

Han höll en sjal i handen. Ing-Marie förstod inte varför. Han vinkade otåligt åt henne att komma närmare. Hon kröp ut och han lade sjalen om hennes ögon och knöt åt.

"Vart ska vi?" sa hon.

Han skrattade till.

"Tror du jag skulle sätta på dig den där om jag ville att du skulle veta det?"

Sedan bad han henne artigt att flytta längre in i skåpbilen igen så att han kunde stänga dörren.

Det var något märkligt med hans sätt att prata, att det var så vänligt. Hon kom att tänka på en steward som sa till passagerarna att spänna fast säkerhetsbältet för att det skulle bli luftgropar. Samma ton, på något sätt.

Illamåendet blev värre i det totala mörkret.

Hon försökte verkligen att registrera vägen nu. De åkte inte långt, en sväng åt vänster, sedan lite saktare, höger, och sedan genast till höger igen. Bilen stannade. Hon hörde honom stiga ur. En grind som öppnades och bilen backade in. Det skakade till när bakdörrarna flög upp, och han bad henne stiga ur. Sjalen satt så tajt kring ögonen att hon inte märkte dagsljuset, kunde bara känna värmen från solen och att luften kändes frisk. Han tog henne varligt under armen och ledde henne några meter, sedan en dörr, och röster någonstans där inne. Hon hörde en hund som skällde och trafik på avstånd, kanske från en motorväg. Sedan slog ytterdörren igen.

Hon måste skärpa sina sinnen. Ljudet av deras steg. Det fanns inget eko, det var inget stort hus. En villa? Hon hörde Julio prata lågt med någon, sedan var han tillbaka vid hennes sida. Hon ville ha honom där. Han hade inte våldtagit henne fast han hade haft chansen och därför litade hon mer på honom än på de andra hon hörde, rösterna någonstans nedifrån.

"Kom", sa han och tog hennes arm. "Det är några trappsteg nu."

Och hon trevade med fötterna och steg nedåt i en källare, kände tobaksröken som låg tät och närvaron av människor och i det ögonblicket tvivlade hon inte längre på var hon befann sig.

Bindeln togs av, men hon visste redan.

De satt omkring henne, en man låg utsträckt på en soffa. Där fanns två kvinnor och ytterligare tre män. De såg inte så militanta ut som hon hade väntat sig, i löst hängande jeans och skjortor, en man hade en stickad kofta som var mönstrad på framsidan, något som liknade gabardinbyxor. Mannen i koftan reste sig. Han var inte särskilt lång, hade ett välansat skägg. Faktiskt påminde han en aning om Che.

"Välkommen", sa han, "jag tror du har något till oss."

Ing-Marie hade nästan glömt materialet innanför trosorna. Hon stack ner handen i jeansen och lyckades dra upp både tidningarna och kuvertet utan att behöva knäppa upp byxorna, räckte honom det.

Mannen tog fram några kassettband ur kuvertet. Det fanns en bandspelare på bordet. Han satte i det ena och tryckte igång. Ljudet hade ett hårt eko, som om det var inspelat i ett tomt stenhus. En röst fyllde rummet, den var suggestiv och sugande melodisk, det var en man som talade om världsmästerskapet i fotboll i juni och hur militärjuntan skulle utnyttja den för sin propaganda, han talade om att mana till bojkott och att det bara fanns en väg: revolution. Framåt mot segern, alltid! Perón eller döden! Leve fosterlandet! Någon slog av bandspelaren. Julio hade lämnat rummet, eller kanske hade han aldrig stigit in.

Mannen i västen klappade på bandspelaren.

"Radio Liberación", sa han. "Tack vare din insats kan vi få ut det här talet över åtta-tio kvarter, sedan skickar vi det vidare, hur många kvarter gör det på en månad?" Han nickade mot en liten box i hörnet som hon förstod var sändaren.

"Trehundra", sa Ing-Marie.

Vad blev det, en promille av Buenos Aires befolkning?

Han log.

"Vår gäst kanske är hungrig", sa han och nickade till en av kvinnorna. Hon lade ifrån sig *Evita Montonera* och reste sig.

Mannen gjorde en gest åt Ing-Marie att sätta sig ner.

Hon närmast föll ner i stolen, benen skakade så.

Genom en öppning i änden av rummet såg hon vapen på ett bord. Hon hade hört att det fanns underjordiska fabriker där Montoneros kunde kopiera de gevär som armén använde. Hon hade också hört att de höll kidnappade i sina hus, "folkets fängelser", som brukade utväxlas mot pengar till kampen. Kunde inte låta bli att snegla mot en tung dörr som såg ut att leda in i ett skyddsrum. *Ajusticiamiento* hette det när gerillan dömde någon till döden, det betydde mer ordagrant att skapa rättvisa. Hon kände att hon var förfärligt kissnödig.

En tallrik spaghetti och ett glas öl landade på bordet framför henne. Frågorna började falla över henne i samma ögonblick.

Vem är din kontakt? Den här "vännen" som vill hjälpa oss, vem är han, vilka är hans kontakter? Du säger att han ska smuggla in vapen, vad för vapen? Kan han skaffa fram dokument, vad för dokument, förfalskade eller stulna? Vilka är hans kontakter i utlandet, från vilket land? Vilken del av organisationen har han haft kontakt med tidigare, var det här i södra provinsen eller i *Capital Federal*, eller *Columna norte*? När lämnade han Argentina, när återvände han?

Ett namn, vi behöver ett namn, någon som kan gå i god för honom.

Ing-Marie drack av ölen.

Försökte snurra upp spaghetti på gaffeln men den trillade hela tiden av.

Drack en klunk till.

I varje paus som uppstod sa hon "det kan jag inte säga", eller "det vet jag inte". För varje gång hon sa det våndades hon. Borde hon gå dem till mötes eller skydda Ramón, vad var egentligen meningen med allt det här?

Till slut blev det tyst.

Mannen som förde talan och som hon gissade var gruppens ledare, *jefe* eller vad han borde kallas, satte sig på bordet framför henne. Han knäppte händerna mellan benen och gungade lite fram och tillbaka.

"Det kanske inte finns några vapen", sa han, "det kanske bara är fantasier det där."

Ing-Marie svalde. Hon mådde fortfarande illa efter bilfärden, ölen gjorde inte saken bättre. Hon var bara en budbärare, det måste de förstå, en kurir, en oviktig person som går med meddelanden men inte något mer.

"Det måste ni prata med honom om", sa hon. "Jag är bara en *mensajera*."

Hon försökte låta bli att titta på vapnen som låg inne i nästa rum och kände återigen hur kissnödig hon var. Hade inte Che skrivit om kvinnans roll i gerillakampen, att kvinnliga *guerrilleras* visserligen kunde bära vapen precis som männen, men att de särskilt lämpade sig för att vara distributörer? Förutom att trösta och ta hand om sårade *guerrilleros*, och laga mat förstås, så att kommande revolutionärer skulle slippa den vedervärdiga gröt de hade kokat till sig själva när de gömde sig uppe i bergen, i Sierra Madre. Che Guevara hade nämnt det som det värsta i hela den kubanska revolutionen, att tvingas äta den där sönderkokta sörjan som Fidel och de andra rörde ihop.

"Han kommer att kontakta mig snart", sa hon och hoppades innerligt att det var sant. "Jag kan ta ett meddelande."

Och sedan bad hon att få gå på toaletten.

Det sista hon hörde nerifrån källaren var talaren på bandet som nu illegalt sändes ut som en störning i det lokala tv-nätet, om hon hade förstått det hela rätt.

De knöt ingen sjal för ögonen när hon fördes tillbaka ut till fruktbilen. Hon skulle ändå aldrig kunna hitta tillbaka igen, även om hon nu såg några meter av platsen. Ett vitputsat hus med en gallergrind för, en hög mur mot nästa villa och en skymt av dess tegelfasad var allt hon hann uppfatta innan de bad henne stiga in bland fruktlådorna igen.

Hon släpptes av bakom en industribyggnad intill järnvägs-spåren. Därifrån sprang hon hundrafemtio meter bort till stations-huset och struntade i om någon såg henne. Där fanns en toalett. Hon låste dörren, vilken lycka, den gick att låsa!

Sedan föll hon på knä framför toalettstolen och kräktes.

"Kan jag komma in?"

Uffe Rainer såg ut att ha samma kläder som förra gången hon såg honom, säckiga militärbyxor och en urtvättad T-shirt med ärmarna uppkavlade.

"Mm, visst", sa han och öppnade dörren en aning till.

Stängde den snabbt efter henne.

Det luktade instängt och lite unket, något som påminde om skit. Det skrämde henne, det fanns något djupt obehagligt med människor som inte höll rent efter sig, lät saker och ting förfalla. Helene tog av sig skorna och övervägde om hon skulle behålla kappan på. Hon mötte blicken hos en grön liten fågel på hatthyllan.

"Vad är det om?" sa Uffe Rainer. "Har de fått tag på den som gjorde det?"

Han spärrade vägen in i lägenheten med sin långa gestalt, skymde ljuset från fönstren längre in.

"Om du menar tog livet av Charlie, så var det hon själv som gjorde det, det är klarlagt."

"Jag såg något om det i tidningen ja, de säger visst det."

Uffe vände och gick in mot köket.

Det hade varit en notis i lokaltidningen, inget namn, bara uppgiften om att inget brott låg bakom dödsfallet på Aspnäsvägen.

Helene följde sakta efter honom, med kappan över armen. Lägenheten var exakt likadan som Charlies, men spegelvänd. Hon kunde se ett avhugget träd utan löv i hörnet av vardagsrummet.

"Du sa något förut om att Charlie var ute och reste", sa hon. "Att hon bad dig titta till posten och sådant. När var det här egentligen?"

Han ryckte på axlarna.

"Ett tag sedan, hurså?"

"I slutet av mars, början på april? Vad sa hon när hon kom hem?"

"Om vad?"

Helene höll upp Charlies pass.

"Hon var i Argentina. Hon måste ha berättat det för dig. Charlie brukade inte tiga om hon hade något speciellt på gång."

"Vad vill du egentligen?" sa han bara och vände sig bort, drog för ett draperi så att ingången till vardagsrummet doldes. "Varför frågar du om allt det här?"

"För att jag inte kan fråga henne."

Uffe Rainer fingrade på tyget. Det var rödblommigt och såg ut att ha hängt där sedan 1970-talet.

"Jag vet inte", sa han. "Hon ville inte snacka om det. Charlie kunde bli sådan, och då släppte hon inte in mig. Det var bara så det var."

"Hade ni ett förhållande?"

"Måste man sätta etiketter på allting?" Han rörde sig oroligt utan att egentligen flytta sig, vägde tyngden från ena benet till det andra. "Hon var inte en sådan kvinna som man kan kräva något av eller styra. Charlie var allt, hon var smart, hon var vacker, hon ville något bättre än det här ..." Musklerna spändes i de nakna överarmarna när han knöt händerna. "Den som gjorde det ... den som tog ihjäl henne han dödade allt som betydde något. Jag skulle ha väntat på henne, hon skulle förstå att hon kunde lita på mig, till skillnad från alla de där andra ..."

Han drämde handen i dörrposten med en smäll som fick Helene att backa. Av någon anledning var hon aldrig rädd för att bli slagen, men en man som gick lös på inventarierna var något annat. Ett eko i henne, av utbrott och skrik. Känslan av att det var hon som hade kunnat vara den där väggen.

"Polisen har utrett hennes död", sa hon. "De gick igenom hela lägenheten, samtalslistorna. Det fanns ingenting."

"Tror du verkligen på det där själv?"

Helene svarade inte, för hon visste inte längre vad hon trodde. Det var exakt något sådant Charlie skulle ha sagt. *Men tänk själv någon gång lilla Helene, har du någonsin tänkt en egen tanke?*

Hon betraktade köksinredningen, skåpen som såg ut att vara original från 1970. Små lampor i fönstret, kaktusar. Bordet var av furu med svarvade ben. De hade haft ett liknande i lägenheten där hon växte upp.

"Kolla här", sa Uffe Rainer och tog upp en iPad från ett sidobord, drog igång den och satte sig ner på stolen bredvid henne. Hon kunde känna hans lukt. Den var varm och inte alls obehaglig.

"Det är inte bara som jag hittar på, det finns fler som vet. Det är bara du som går runt i dimmorna och tror på allt polisen säger åt dig."

Helene såg rubriken på skärmen, lutade sig fram.

OM LIVET OCH ALLT SOM KOMMER EMELLAN.

Där var en bild av en aningen rund kvinna som såg ut att vara något över fyrtio med långt ljust hår, foton av grenar där körsbärsblom hade slagit ut. MONKANS BLOGG, stod det. Uffes finger scrollade ner i texten tills hon fick syn på Charlies namn. NÄR EN VÄN GÅR BORT, löd rubriken. Helene sjönk ner på stolen bredvid och drog iPaden närmare sig. En gammal bild på Charlie i sin punkigaste period med håret svart och spretigt, tagen i den gamla tidens fotoautomat. De hade klämt in sig tre stycken, ansiktena fyllde bilden helt. Helene kände vagt igen en rund och något äldre blond flicka som räckte ut tungan, Monkan. Texten beskrev chocken när hon hade fått veta, hyllade Charlie som "den bästa och galnaste vän jag någonsin har haft".

Uffe rullade texten tillbaka uppåt och stannade vid ett senare inlägg.

VAD GÖR POLISEN? löd rubriken.

Monkan var upprörd över att de hade avskrivit Charlies tragiska död som självmord innan ens en vecka hade gått. De hade inte ens brytt sig om att utreda alla tips som kommit in, inte tagit sig tid att på allvar förhöra vittnen som visste något om vad som hade hänt den natten.

Monkan sörjde och saknade sin gamla kompis, men mest var hon arg.

"Vad har vi för polis i det här landet om de inte ens utreder de värsta brotten? De säger att hon tog livet av sig, men de kände henne inte som jag kände henne."

Helene stötte till Uffes hand när hon själv scrollade vidare, över helt andra poster om dagens dietmåltider och deckare som denna Monkan hade läst. Hur kunde hon ha missat det här? Hon hade googlat Charlie flera gånger för att hitta sådant på nätet som måste avslutas. Något Facebook-konto tycktes hon inte ha, åtminstone inte i sitt eget namn. Däremot fanns det en grupp som hette "Vi som är uppvuxna i Jakan" där hennes död hade varit ett ämne dagarna efteråt. "Vet någon vem som hoppade från bananhusen i lördags natt?" Svaret hade kommit efter två minuter enligt loggen. En kvinna som skrev att det var Charlie, Camilla Eriksson. Någon annan berättade att de hade gått på Kvarnskolan samtidigt, någon mindes henne som "ärligt talat ganska stöddig". Okända eller glömda människor som skrev vila i frid och "jag kände henne inte så väl, men det är hemskt att sådant händer, vad är det för samhälle vi lever i?" "Shit vi var ihop i sexan", skrev en annan. Totalt sextiotre kommentarer, sedan försvann den tråden i glömska. Monkans blogg hade hon missat, vilket måste bero på att Charlies hela namn inte dök upp förrän några veckor efter att hon dog. Vid det laget hade Helene slutat googla hennes namn.

Uffe gick bort till diskbänken och drack vatten direkt ur kranen. På en balkong mittemot lyfte en äldre kvinna ut vårens blomkrukor, blomstrande av något rött.

"Jag säger det här till dig för att du är hennes syrra", sa han långsamt. "Jag kommer aldrig att säga det igen."

Helene vände sig om. Han stod lutad mot köksbänken.

"Hon kom hem vid tvåtiden den där natten. Jag sa till polisen att jag sov då, men det gjorde jag inte. Hon hade en snubbe med sig. Jag hörde dem. Hörde hissen först och sedan hörde jag henne garva ute i trapphuset och tittade i kikhålet, och då såg jag ryggen på honom. Och sedan ligger man ju och tänker. När jag hörde något i trapphuset igen gick jag upp och kikade ut, men jag hann inte se något. Jag tittade i kikaren ner på gården. Det kom en massa folk springande från flera portar och samlades precis här nedanför. Jag såg henne inte först, inte förrän jag kom ner. Då låg hon där. Hon bara låg där."

Han slog handen för munnen, ögonen uppspärrade.

"Varför ljög du om att du sov?"

"Jag fick skälvan, jag vet inte. Trodde de skulle ta in mig för att …"

"För att?"

"Spelar ingen roll nu."

"Men om det är sant så …"

I ögonvrån såg hon draperiet fladdra till och flög upp från stolen. Ett skri i luften: "Håll käften Major Tom." Uffe gick dit och stack in armen bakom draperiet. När han drog ut den satt en papegoja på hans hand.

"Den gör inget om du bara håller dig stilla."

Han strök med ett finger över fågelns huvud. Helene tyckte att det fanns något elakt i dess blick.

"Charlie gillade dem", sa han. "Hon tyckte de var vackra, för att de står för friheten. Hon snackade alltid om sådant, om friheten och drömmarna och de stora sakerna. Att det finns flera liv bortom det här som vi lever, men inte efter döden, utan nu, att vi alla har något mer storslaget inom oss än vi begriper."

Han gjorde en rörelse med handen så att fågeln lättade och flög upp i takkronan.

"Kände du igen den där mannen?" sa Helene. "Hade du sett honom förut?"

"Jag såg honom bara bakifrån."

Hon betraktade Uffe Rainers rygg när han gick fram till fönstret och tänkte att det lika gärna kunde vara han. Hans besatthet av Charlie, denna konstiga värld av fåglar. Varför hade han varit vaken klockan två på natten, hade han suttit och väntat? Hon insåg att ingen visste var hon befann sig just nu och att hon kanske borde vara rädd, men hon kände sig snarare förbunden med honom, som om de delade något.

"Det fanns en man", sa han, "jag har sett honom flera gånger. Inte tillsammans med henne, så jag vet inte om de kände varandra, men han stod och glodde på henne en dag när hon gick ut. Där borta, bakom gungorna."

Helene såg inte gården från sin plats och ville heller inte se den. Hon visste hur den såg ut. Asfalten vid staketet där det hade funnits en mörkare fläck och en blomma.

"En annan gång, några dagar senare", fortsatte Uffe Rainer, "så såg jag honom igen, utanför porten. Jag tänkte inte så mycket på det då, men nu, efteråt."

"Menar du att det var han som var här den natten?"

"Jag vet inte. Kanske."

"Du måste berätta för polisen", sa Helene. "De kan öppna utredningen igen, de kan hitta den här mannen, du måste beskriva honom."

"Jag har dåligt minne för ansikten."

"Jag ringer dem."

"De tar in mig, fattar du inte det?" Han tog två kliv emot henne och hon kände hela hans längd, sin egen förbannade svaghet. "Det finns annat också och de kommer att hitta det. Kan du haja vad det betyder att vara inlåst, att inte kunna fly? Vi flyr hela tiden, du jag allihop, det är mänskligheten. När de låser in dig upphör du att vara människa." Han fångade plötsligt hennes händer. Kramade dem och såg ner på dem. Hans förtvivlan tätt intill hennes ansikte. "Jag lovade henne att inte snacka om vissa saker. Det gäller in i döden, och det är allt man har. Efteråt, alltså."

En impuls att vilja falla in i hans famn, en känsla av att de skulle kunna hålla om varandra.

"Lita på mig", skrek en av fåglarna.

"Jag måste gå nu", sa Helene.

I en papperskorg vid Magnusvägen stack en tidning upp. Afton-bladet från i förrgår. Riddarn lade beslag på den och styrde mot bänkarna i parken. Det var en fördel att det som stod i tidningen redan var passerat, det var lugnare så. Om katastrofen förut-spåddes så kunde han med facit i hand konstatera att världen hade överlevt sin morgondag.

Gitarren hade han förlagt, eller om den hade blivit stulen, men den hade fått fart på musiken i hans huvud, där sjöng de gamla hjältarna medan han gick.

Yesterday's paper telling yesterday's news...

Vid bänken i Riddarparken borstade han bort vätan och vek ihop den rosa sportdelen, lade den under baken när han slog sig ner.

Riddarn läste alltid tidningen bakifrån, började med sista sidan och vädret för de gångna dagarna. Hade solen skinit som de påstod att den skulle göra? Han mindes inte säkert hur det var igår, men för ögonblicket regnade det i alla fall inte.

Han studerade tv-tablån noggrant som om han hade ägt en tv, och sedan serierna och skvallret. Madeleine och Chris skulle inte komma till Öland med lillprinsessan i sommar till Silvias stora sorg. Det stod att kungen hade gått back på bröllopet året innan. Två miljoner minus hade det blivit i kassan, det kunde man sannerligen kalla för en fest.

Allt läste han. Det var en högtidsstund det här. En man och hans tidning, på en bänk en förmiddag. Våren var kommen på riktigt och polarna steg fram ur sina gömslen, ölen som snart skulle smaka så där gyllene och lätt som den bara gjorde om sommaren i det fria.

Notiserna från landsorten och utlandet, sammanklumpade mot slutet. En centerpartistisk riksdagskvinna hade tagit dubbelt betalt. En fotbollsläktare hade rasat i Moldavien. Tjugosju döda och flera hundra skadade. Han grubblade en stund på var exakt Moldavien kunde tänkas ligga. I Colombia var det visst på väg mot fred. De förhandlade om jordreformer och det ena med det andra. Något tickade i honom när han läste ordet jordreform, mumlade det högt för sig själv. Det var inte ofta man såg sådana ord nuförtiden. Fattiga bönder skulle också få del av jordens rikedom, det var därför Farc-gerillan hade börjat slåss i Colombia för femtio år sedan. Han mindes början på det där kriget, det var en tid när alla sådana rörelser skulle segra, till och med orden kom krypande ur det förgångna, som daggmaskar efter regnet som plötsligt låg där på asfalten och måste ha kommit från någonstans, eller ingenstans eller var de nu hade övervintrat, under snön, i den frusna jorden i sin osynlighet, *venceremos* ... vi ska segra ... *el pueblo unido jamás será vencido* ... han försökte sig på att sjunga en stump men tappade bort nästa mening, det var länge sedan och spanska hade aldrig varit hans stora grej.

Solen försvann bakom ett hus och han flyttade sig till nästa bänk. Som klockan, det var en evig rundgång. Dagen skulle sakta gå medan solen vandrade över himlapällen. Han gjorde sig ingen brådska och tog aldrig ut nätterna i förskott.

Kokainfamiljernas lyxliv. Det var en stor nyhet som gick över hela mittuppslaget och två sidor till. Feta rubriker och små svartvita bilder på de där lirarna, såg rätt dystra ut allihop när de glodde in i kameran. Pilar och förgreningar visade hur "kokainfamiljerna" hängde ihop. Det var intressant att följa, nästan som ett släktträd. Huvudmannen var en kvinna, sedan var det hennes exman som hade smugglat in 1,4 ton kokain i landet, och hans nya fru som ansvarade för lagret, och hennes halvbror som också hade varit med på smuggelfärden där de slutligen åkte fast, samt en kusin och hans förra sambo som hade hand om bolagen dit pengarna från kokainet slussades och tvättades för att bekosta det där lyxlivet som visst ägde rum på en herrgård i Närke och i en lyxvilla i Saltsjöbaden, i våningar i London och Marbella, samt på en yacht i Montenegro och kasinon runt om i Europa.

Tills det slutade i Stockholms tingsrätt där åtal just hade väckts.

Kusinen.

Det var på bilden av honom som Riddarn stirrade och kände kylan flöda in i kroppen som om vintern var tillbaka i all sin obarmhärtighet och spred sig ut i fingrar och tår, han kunde rentav känna nästippen värka av köld och måste resa på sig, röra sig, slänga ifrån sig den förbaskade tidningen på bänken och gå av och an i gruset och återvända till bänken för att ta upp tidningen och titta på bilden ännu en gång.

Hans händer skakade när han höll i den.

Mannen kallades kort och gott för Kusinen. På det något oskarpa fotot var han på väg in i rättssalen inför häktnings-förhandlingarna, hans huvud var täckt med ett svart skynke. Det var inte det som var det viktiga.

En annan man gick tätt bakom den där Kusinen. Han såg ut att ha stannat upp och glodde rakt på fotografen, rakt ut ur tidningen.

Det ansiktet. De ögonen. Skallen som var rakad, och hård-heten i blicken, en man som var kortare än de andra runt omkring, men bredare än Riddarn. Hans röst var kylan i Jakans centrum den där natten, den var problem och hot om att det skulle göra ont. *Vad vill du? Känner du honom?*

Ett foto i tidningen kunde inte prata, det var sjukt, det var nojigt, han visste att rösten bara fanns i hans eget huvud fast han tyckte att han kunde se munnen röra sig.

Charlie hade gått iväg med den mannen, det var han säker på. Det var ingen noja.

Han hade sett dem gå mot Aspnäs till. Och sedan var hon död.

Tidningen skakade så att han måste hålla den tätt intill ansiktet när han läste. Kusinen var en man på fyrtiotvå år, bosatt i Vällingby och tidigare företagare i båtbranschen. Det var något med bolag i Schweiz och fonder hit och dit. Ingenting om mannen som gick alldeles bakom hans rygg på bilden, inget namn, inget släktskap, men för nära för att vara vem som helst.

Riddarn kände benen darra när han rev ut sidan, vek ihop den och stoppade den i byxfickan. Han måste se sig om hela tiden, när han gick från parken med sina längsta kliv.

Helene körde upp vid häcken utanför Hemmansvägen 10 och stannade. "Drömstaden" hade området kallats i prospekten när det började byggas i slutet av sextiotalet. Vidsträckta villakvarter på uråldriga åkrar och kullar, med gatunamn som hämtats från en försvunnen jordbruksbygd, som Rågången och Ensittarvägen, ord som hon knappt visste vad de egentligen betydde.

Hon steg ur och gick sakta mot huset. Wallner stod det på brevlådan. Villan var målad i lejongult men annars identisk med den bredvid, med alla villorna längs den här sidan av vägen. Fyrkantiga lådor byggda i en slänt, suterränghus som hade varit höjden av modernitet i slutet av 1960-talet. Hon mindes svagt att en klasskamrat hade bott i andra änden av gatan, villabarn, det hade varit något kalas och hon hade förundrats över hur stort de hade det, bara detta att ha en trappa inomhus, en känsla av något annorlunda och ouppnåeligt.

"Så jävla bra att du hörde av dig."

Monkan var kort och något rundare än på bloggbilderna, klädd i skarpt rosa som satt tajt mot kroppen och framhävde en alldeles äkta jättebyst. Hon hade svarat direkt på Helenes mejl. Granskade henne nu med ett litet leende.

"Jag hade aldrig känt igen dig, men jag kommer ju bara ihåg dig som en liten skitunge. Ni är inte ett skvatt lika."

Helene tog av sig ytterkläderna på avsatsen mellan de båda våningarna. Sovrumsdörrarna på det nedre planet var stängda. Monkan gick uppför trappan och svängde in i köket utan att sluta prata, höjde bara rösten.

"Jag skulle ha hört av mig men jag visste inte vad du hette i efternamn, och den där fostermorsan var ju inte så mycket att ha enligt Charlie, så jag har läst tidningarna varenda dag för att inte missa annonsen."

Hon kom ut med en dunk rosé under armen och två vinglas.

"Har ni bestämt än när det blir?"

Helene stelnade till.

"Jag förstår ju att det drar ut på tiden när det är som det är", fortsatte Monkan och ställde ner dunken på vardagsrumsbordet. "Det är klart att det blir krångligare när polisen är inblandad och så, men det måste vara jobbigt för dig också, att inte få begrava din syster. Jag tror att ceremonier är viktiga för oss, för att vi ska få grepp om livet, men jag ville verkligen snacka med dig innan du gör det."

Helene tog emot glaset trots att hon inte tänkte dricka. Hon satte sig ner på kanten av hörnsoffan. Det hade funnits ett slags gummitak i de här husen, av någon anledning tänkte hon på det och tittade upp för att slippa möta Monkans blick, att innertaket liksom hade hängt löst. Troligen var det av plast, men mjukt som gummi och fullkomligt livsfarligt i händelse av brand. På det där barnkalaset hade de fått peta på det med ett kvastskaft. Hela taket gungade. Nu var det ersatt med fasta vita plattor.

"Begravningen har redan varit", sa hon.

Monkan stirrade på henne med öppen mun.

"Vad fan säger du?"

"För två veckor sedan. Vi ... jag ansåg att det var viktigt att få det gjort. För att gå vidare."

"Har du grävt ner Charlie utan att jag fick veta om det?"

"Kremering", sa Helene tyst.

"Fy fan." Hon hörde Monkan gå fram och tillbaka, ta en paus för en klunk vin mitt i en mening. "Så du tyckte inte att jag hade rätt att ta farväl av henne?"

Det hade verkat som det enda möjliga att göra.

Bara hon och Barbro närvarande, och prästen förstås. Riddarn hade fått en lapp med tid och plats och hon hade bett prästen vänta några minuter efter utsatt tid, trots att det skulle vara en annan begravning efteråt och de gästerna redan hade börjat anlända med färdtjänst och rollatorer, men han dök inte upp. Hon fick lägga ner de båda rosorna själv. Ödsligheten som bredde ut sig omkring dem, ekandet av deras steg när de gick runt kistan, Helene först och Barbro strax efter. Hon hade inte kommit på vad hon skulle säga, mumla där vid kistans ände. Hej då? Förlåt? Har du det bättre nu?

Det var väl det som menades med att begravning sker i stillhet. Det var ju inget ovanligt, det var ett begrepp.

Stillhet.

Ordet skrämde henne när hon såg det i utkastet till dödsannonsen, ändrade betydelse framför hennes ögon. Stilla och het. Hon hade aldrig skickat in annonsen.

Kroppen blev kremerad, blev till aska, en urna som skulle tömmas i jorden framöver, det skulle visst komma besked på posten.

"Var hennes kompisar inte fina nog för kyrkan, eller hur tänkte du?"

Monkan snörvlade till och spolade upp mer vin i sitt eget glas.

"Vi har känt varandra i nästan trettio år. Fattar du hur lång tid det är? Charlie var väl tretton tror jag och jag var sexton när hon kom med i gänget, men hon var vildare än alla, och modigare. Hon var allt det som man ville vara, trots att hon var yngre, hon frågade inte om lov för någonting, tog inte skit av någon. Och snabb var hon …", Monkan skrattade, "… hon sprang ifrån allt. Vakter, snuten, plötsligt var hon bara borta medan en annan åkte dit."

Helene tog en liten klunk av vinet. Att smaka vad som bjöds var ett sätt att acceptera människan som bjöd, att neka var att sätta sig över. Det här var inte stunden när hon skulle säga nej tack, jag kör.

"Jag är ledsen", sa hon.

Monkan sjönk ner i hörnet av soffan.

"Så nu finns det ingenting kvar då, utom en hög med aska. Och den jäveln kommer undan. Tänkte du inte ens på det?" Rösten hade blivit mörkare och lite raspig med åren, en sådan man inte sa emot. "Hon var inte bara din syrra, som du för övrigt aldrig brydde dig om, du som flyttade in till stan och gjorde karriär och såg ner på oss som blev kvar. Det var bevis-material också."

"De gjorde en obduktion. Den visade inget."

Helene tyckte att det kröp under huden. Vad visste den här kvinnan om henne? Ingenting, förutom sådant som Charlie hade förmedlat, *såg ner på oss som blev kvar* …

"Kanske för att de tittade efter fel saker", fortsatte Monkan. "Det finns hundratals fall där man har grävt upp en kropp och gjort en ny obduktion för att de vet exakt vad de ska leta efter, någon substans eller fragment av DNA eller någonting."

"Hon var inte så lätt att bry sig om", sa Helene tyst.

Monkan iakttog henne. Sedan lade hon upp ett garv.

"Nej, det ska gudarna veta", sa hon. "Ingen orkade väl med Charlie i längden, det kunde gå år när vi inte sågs för att jag helt enkelt inte pallade."

"Så ni umgicks inte längre?"

Monkan skakade på huvudet.

"Umgicks är lite att ta i. Hon slutade höra av sig när jag gick tillbaka till Stefan och det är ju flera år sedan." Hon sneglade på Helene. "Eller om det var jag som slutade. Jag menar inte att prata skit om henne, men Charlie skulle alltid kritisera ens liv: 'är det passion då, eller gör du det bara för trygghetens skull?'" Hon slog ut med händerna och höll så när på att välta glaset. "Och vad är det som är så fel med trygghet?"

Helene såg ut genom fönstren, tomten sluttade ner mot en åker. Längre bort kunde hon skönja ljusen från HSB-områdena i Wibbla äng och Västerby där hon själv hade bott, skolorna som låg i andra änden av fältet. Ett svagt minne av att Monkan hade fått barn tidigt, redan på gymnasiet. Det förvånade henne att hon mindes sådant, att allt fanns kvar någonstans i huvudet.

"Det måste vara en galning", fortsatte Monkan. "Vet du varför jag tror det? Motivet! Det kan ha funnits tusen skäl att vilja slå ihjäl Charlie, om vi ska vara helt ärliga. Att hon hade blåst någon på pengar, lånat och inte lämnat tillbaka, hon är till exempel skyldig mig femtusen sedan flera år tillbaka, men oroa dig inte, jag tänker inte kräva dem tillbaka. Någon snubbe hon hade dumpat, ja du vet. Och ändå går det inte ihop. Man älskade Charlie. Man var beredd att göra vad som helst för henne."

Monkan tystnade när det slog i en dörr någonstans på nedervåningen.

"Fast egentligen är det Tessan du ska prata med", sa hon lågt. "Det var hon som såg henne och polisen bara bryr sig inte, jag bli så jävla …"

"Tessan?"

"Terese, min dotter. Hon var ute den där kvällen." Monkan reste sig, men hejdade sig på väg mot hallen. "Jag vill egentligen inte prata med henne om sådant som handlar om döden … var bara vanlig är du snäll."

"Vad menar du?"

"Har du inte hört vad hon var med om, för några år sedan?"

Helene tänkte febrilt, borde hon det?

Monkan satte sig på bordskanten och sänkte rösten. Hon pratade som om det gällde vädret, men sorgen syntes i ansiktet, något tungt över hennes axlar.

"Tessan var en glad tjej innan det där hände. Nu är det svårt att ens få henne att gå ut, leva livet, hon har blivit dyster och grubblande på ett helt annat sätt. Hon funderar på världen och hur vi lever, är rädd att Stefan eller jag ska dö."

"Vad var det som hände?"

"Hon var nere i Spanien med sin pappa, vi hade separerat då, och så kliver hon ut i vattnet, rakt på en död människa. Det vill man inte att ens barn ska behöva uppleva, eller hur? Och ändå, hon lever ju till skillnad från den mannen så vad har vi att klaga över?"

En suck och Monkan försvann nerför trappan. En dörr som öppnades därnere, det hördes mummel. Helene reste sig och gick fram till fönstren. Det hade börjat skymma, svarta skuggor av äppelträd på tomten.

"Mamma säger att du vill veta vad din syrra gjorde på Riddar Jakob."

Terese var huvudet längre än sin mamma, vältränad, en vuxen kvinna i vilket annat sammanhang som helst. Håret blonderat, nästan vitt.

"Det vill jag gärna", sa Helene.

Terese satte sig i en vitklädd fåtölj och drog upp benen under sig.

"Ja inte vet jag, hon verkade liksom vara där med någon, en gubbe, men sedan gick hon upp på dansgolvet helt ensam. Det var rätt pinsamt faktiskt, jag menar en kompis till min morsa … Hon var inte särskilt diskret om man säger så."

Helene sjönk ner på sin plats i soffan igen.

"Och sen kom den där andre gubben och stod liksom framför och hon bara fortsatte dansa som en …"

"Stopp där." Monkan höjde en hand. "Det är inget fel i att gå loss på dansgolvet, det har man rätt att göra även som vuxen kvinna, okej."

"Du sa ju att jag skulle berätta."

Terese himlade med ögonen, en grimas som visade vilken idiot hennes mamma var. Som en tonåring, tänkte Helene, barn eller vuxen eller någonstans i ingenmanslandet där emellan, en tjugofemåring som fortfarande bodde hemma, en ungdom som aldrig tog slut.

"Berätta vad som hände sen", sa Monkan.

"Jag tänkte just göra det." Terese vände sig demonstrativt mot Helene. "Ja, alltså, hon gick därifrån med den andre. Jag kollade på gubben som satt i baren, de hade ju suttit så här nära …" Terese höll upp handflatan några centimeter från sitt eget ansikte. "Som om de var ihop, eller åtminstone på dejt och nu satt han bara och glodde efter henne när hon gick, och sedan reste han sig och gick efter dem, jag tänkte att nu får hon problem. Man kan ju inte gå ut med en kille och sedan dra hem med en annan."

"Hur såg han ut?"

"Vem av dem?"

"Som hon gick hem med."

"Jag vet inte, rätt bra antar jag. Lite som Sean Penn, fast gammal. Fast Sean Penn är ju också gammal. Inte så lång, rakad skalle."

Helene drog efter andan, blundade. Vad hade han sagt, Riddarn? *Den där snubben, han var ingen trevlig typ …* Hon hade tänkt att han hade blandat ihop dagarna, eller fabulerat eller sett i syne. Hade det gjort någon skillnad om hon hade fört hans uppgifter vidare? Hon såg Jakans centrum framför sig, stenläggningen över den breda Riddarplatsen som smalnade av mellan butikerna och sedan hyreshusen, gångvägarna vidare mot Aspnäs. Skuggor, skepnader som hade gått tätt tillsammans.

"Och hur såg den där andre mannen ut, jag menar den förste alltså?"

Hon hörde själv hur dumma hennes frågor lät, vad var det här, en polisundersökning utan poliser, ett famlande efter något som gick att ta på? Ett signalement, en förklaring, vad som helst.

Terese ryckte på axlarna.

"Alltså, jag var där med kompisar."

"Men tänk efter", insisterade hennes mamma, "det här är viktigt."

"Tror du inte jag fattar det?" Terese flög upp ur fåtöljen. "Tror du jag skiter i om någon dör, eller vad tror du om mig? Kan jag gå nu eller?"

Monkan viftade med handen, visst gå du.

"Tack", ropade Helene efter henne, "det var schysst att du berättade."

De satt tysta tills stegen nerför trappan hade försvunnit och en dörr stängdes på undervåningen. Monkan suckade och drog handen över ansiktet, masserade sig i nacken.

"Så där blir det hela tiden, men vad ska man göra? De första åren pratade hon så mycket om döden, man var ju rädd att ... ja du vet. Vi flyttade upp hit, in i arbetsrummet, och Stefan byggde om därnere så hon kunde ha som en liten lägenhet med egen ingång, badrum, kokvrå ... Vad skulle vi ha gjort? Sparkat ut henne? Och skilja oss kan vi ju inte, vi lovade henne att det skulle hålla mellan oss den här gången, vi ville ge henne den tryggheten. Och så bedyrade vi att det inte var för hennes skull, för att inte lägga den bördan på henne."

Hon reste sig tungt och skakade lite på dunken, pressade ur ett glas till.

"Vill du ha något mer?"

"Nej, det är bra, jag måste åka snart."

Tanken på att köra hem var övermäktig. Möta sin man och sina barn, det var fredagskväll, det var fredagsmys och chips och Let's dance eller någonting annat på tv.

"Det kanske går att hitta de där männen", sa hon, "om polisen ..."

"Glöm polisen", avbröt Monkan. "De gör ingenting, de vill bara avskriva så mycket de kan för att det blir billigare och ser bättre ut i statistiken. Kvinna död självmord punkt slut. Jag ringde och berättade vad Terese hade sett och de bara sket i det. Det finns inte ens en riktig polisstation i kommunen längre, på 70 000 invånare, det är fan i mig inte klokt."

Helene blundade. Försökte framkalla bilden av Charlie på krogen, dansande som hon alltid hade dansat, gränslöst, medveten om hur hon rörde varje del av kroppen så att alla blickar skulle dras till henne. Charlie som lämnade krogen, gick hem genom centrum. En man vid hennes sida. Människor som rörde sig omkring dem utan att förstå.

"Det var säkert en dejt", sa Monkan.

Helene såg upp.

"Varför tror du det?"

"Vem annars kunde hon ha mött på Riddar Jakob? Det är bara tjugoåringar som går dit numera." Hon började skratta. "Förlåt mig, men vore inte det typiskt Charlie? Att göra två flugor på smällen som hon brukade säga."

"Vad pratar du om?"

"Men fattar du inte? Hon kanske hade stämt träff med dem båda två?"

"Hur då?"

"På nätet så klart, vad tror du?"

"Jag vet inte alls hur det där funkar", sa Helene.

Monkan fick något retsamt i mungipan.

"Trogen in i döden eller?" Hon kröp upp i soffhörnet. Tv:n stod på för fullt nere på bottenvåningen och dottern kunde knappast höra henne, men hon sänkte ändå rösten. "Charlie tyckte att jag skulle kolla Karleksliv.se. Hon hade testat Match. com innan, men det var för seriöst för henne sa hon, och jag håller med. Mysiga hemmakvällar och trevliga långpromenader, en vän för livet och sådant. Vi snackade lite om det där, utbytte erfarenheter om man så säger."

"Jag trodde inte ni umgicks."

"Vi stötte ju ihop ibland, sist var det nere i centan och vi tog en fika på Sans Rival i vintras någon gång, februari tror jag för det var rätt mycket snö, man gick i dunjacka. Charlie skröt om hur många besök hon hade på sin sida, jamen du vet ju hur hon är ... Förlåt, hur hon var. Någon tjugosjuåring som var helt galen efter henne och sådant."

Helene såg ut genom fönstret där ingenting syntes utom spegelbilden av ett vardagsrum, det var mörkt ute nu. Bilden av Charlie framför datorn, på jakt efter kärleken därute eller vad? Några rader kom för henne ... *som brännhet lava över hennes kropp och sedan kylan när han vände sig bort, och däremellan existerade inte längre något liv* ... något hon hade läst bland pappren i Charlies lägenhet. Men så slog det henne att det inte hade funnits någon dator i lägenheten så hon måste ha suttit med mobilen och sökt sina män, och den hade de inte heller hittat.

"Du borde prova någon gång", sa Monkan och suckade. "Om inte annat så för känslan av att någon annan fantiserar om en när man kryper i säng med sin egen gubbe. Man behöver ju inte träffa dem för det." Hon lutade sig tillbaka mot soffkuddarna och drog med handen genom håret liksom i en smekning. "Fast det ska erkännas att ibland är det jäkligt svårt att låta bli."

Gatlyktornas ljus letade sig upp och lade skuggor över parketten. Försiktigt, nästan ljudlöst, stängde hon dörrarna om familjens oregelbundna andning, barnens lite snabbare och lätta, Jockes som rosslade lite på gränsen till snarkningar.

Hon knöt morgonrocken och satte sig vid matbordet. Fällde upp sin laptop och skrev in Karleksliv.se i adressfältet.

Ögonblicket därpå fylldes skärmen med par som skrattade mot varandra och vittnade om att de hade mött lyckan just här.

En ruta högst upp: "Skapa din profil och sök bland tusentals singlar." Helene tog ett djupt andetag. Den här världen befolkades av signaturer och alias, ingen skulle någonsin få veta vem hon i verkligheten var.

Hon kallade sig "Kvinna123" och fyllde i sitt födelseår. Skrev in att hon sökte en man i samma ålder, plus eller minus fem år.

Några klick till och män av alla skepnader radades upp framför henne. Någon som lutade sig över en MC, en man med vinden i håret och många fler helt utan hår, konstnärliga svartvita porträtt vid sidan av usla hemmafoton framför datorn och nästan lika många ansiktslösa rutor, de som inte vågade eller ville visa sig på bild. "Dinbaradin" och "Lejonmannen", "Tompa666" och "Snusmumriken." Enligt uppgift så befann sig 3 237 singelmän online just nu, klockan 02.22 på natten. Hon undrade om de alla var sömnlösa, om de hade jobb, hur de bar sig åt för att komma upp om morgnarna.

Det blinkade till på skärmen och ett "hej du, är du också vaken?" poppade upp. Helene ryckte till, en impuls att gömma sig. Inte en rad hade hon skrivit om sig själv än, inga lockrop om vem hon var eller vad hon sökte, men redan var någon ute efter kontakt. Det räckte med att finnas där. Vara inloggad, vara

Kvinna123. Hon fick en aning om desperation, och om längtan. Och fast hon inte alls ville, rentav kände ett lätt illamående vid tanken, så klickade hon på länken till mannens profil.

"Vältränad, energisk man på några och fyrtio som vill ha ut lite mer av livet."

Och nästa.

"Är väl ärligt talat inte typen som har behövt söka efter kvinnor på sådana här ställen, men det vore ju dumt att inte chansa."

Helene fortsatte, till nästa sida, och nästa, grubblande över hur hon skulle gå till väga för att hitta Charlies urval av män, om det ens var möjligt utan polisiära befogenheter eller datatekniska färdigheter på hackernivå. Hon tappade snart räkningen på hur många hon hade besökt och hur många middagar som någon längtade efter att laga åt henne, eller bara gå ut och ta en öl, vara ute i naturen, finnas till för varandra och gosa lite grand. Hur många bilder på männen vid sidan av sin hoj, på Golden Gate-bron eller i en bar i södra Spanien, på en segelbåt på väg ut till havs.

Hon upptäckte att fotona av dem hon hade besökt visades i en lång rad i hennes egen profil. I nästa sekund dök en av dem upp igen. Och en till. Instinktivt drog hon sig bakåt. De var vakna, de var där. De såg att hon hade sökt upp dem, och nu ville de i sin tur kontrollera vem hon var.

En aning om hur det hängde samman. Hon var ingen idiot på datorer, hade haft dem som arbetsredskap i hela sitt vuxna liv och visste att ingenting därute var magiskt, det var ettor och nollor och information som länkades samman i förprogrammerade mönster som någon hade tänkt ut. Man förevisades det som programmet räknade ut att man ville se. Det blev lättare när hon tänkte på det som ren matematik. Det fanns inget slumpartat i vilka män hon såg, eller vilka som fick syn på henne.

För att kunna leta rätt på Charlies män måste hon bara hitta

Charlie därute. Sedan skulle länkarna finnas där, och mönstren, deras beskrivningar av sig själva ner till minsta fritidsintresse och träningsvanor.

Hon återvände till startsidan, "Skapa din profil".

"Man123" var upptaget, så hon kallade sig "MannenABC", det simplaste av alla användarnamn och ett lika simpelt lösenord.

Kryssade i att hon sökte en kvinna mellan trettiofem och fyrtiofem. Tanken slog henne att Charlie kunde ha ljugit om sin ålder, hon justerade marginalen på kvinnornas ålder nedåt till trettiotvå år.

Nu var hon en man, 41, som sökte en kvinna, helst i samma stad.

Och där stod de på parad. Hon bläddrade igenom bilderna så snabbt det gick, tryckte på "nästa" och fick upp ytterligare tjugo annonser, och tjugo till. Det värkte i ögonen av det svaga ljuset, kvinnorna flimrade förbi, ljusa, mörka, smala, runda, leende, längtande.

Hon flämtade till när Charlie dök upp på skärmen.

En liten ruta bland de andra. Bara en av tusentals.

Det var den svartvita bilden. Inte exakt samma som hade legat hos polisen, men från samma tillfälle. Här såg hon betraktaren i ögonen, uppmanade honom att komma närmare. Munnen en aning öppen.

Billie Jean, kallade hon sig. Senast aktiv: mer än en månad sedan.

Helene darrade lite på handen när hon öppnade sidan.

Två minuter senare visste hon något mer om sin syster. Om hennes längtan och drömmar och förmåga att dupera.

På Karleksliv.se var Charlie tre år yngre än i verkligheten, en författare och före detta modell som hade levt ett äventyrligt liv och nu längtade efter mer passion i sitt liv. Viktigast i livet var "kärleken och du". Sex var "mycket viktigt" och ärlighet likaså, hon ville resa till New York och Nya Zeeland, klättra i berg och leva livet fullt ut, kanske med just dig.

Längre kom hon inte. För att kunna se vilka Charlie hade kommunicerat med måste hon logga in som henne, eller rättare sagt som Billie Jean. Hon började med de enklaste av lösenord, ABC och 123 och de sista siffrorna i Charlies personnummer. Fortsatte med hennes födelseår, portkoden … Det verkade åtminstone inte finnas någon gräns för hur många gånger man fick misslyckas med inloggningarna till kärlekslivet.

Ett gnyende från Maltes rum fick henne att slita sig från datorn. Han sov djupt, mumlade bara i sömnen. Helene satt en stund vid hans sängkant. Det var som att hon hade glidit bort ifrån dem den senaste tiden. På lite distans kunde hon ibland få för sig att de liknade människor hon placerade ut i prospekten för nya bostadsområden, en familj som var *medveten och modern*, men inte helt verklig.

Hon strök den sovande pojken lätt över håret och gick ut i hallen, klev i stövlarna och fortsatte upp till vinden utan att bry sig om att hon bara hade morgonrock på sig. Dök ner i kartongerna igen och hittade plånboken, alla skrynkliga lappar med Charlies nedtecknade koder och siffror hon inte hade velat glömma.

Där fanns det. Helene förstod direkt när hon hittade lappen, det var enkelt och uppenbart. På baksidan av ett kvitto hade Charlie antecknat Billie Jean och sedan sifferkombinationen 250609. Användarnamn och lösenord på samma lapp, så urbota dumt. Siffrorna snurrade i huvudet när hon gick nerför vindstrappan, ett datum som det verkade. Halvvägs nerför trappan kom hon på det, det var Michael Jacksons dödsdag, helt logiskt eftersom Billie Jean var namnet på en låt av honom. Charlie, Charlie. Helene kände den gamla irritationen som en suck inom sig. Ett lösenord var en hyllning till en favoritartist, ett *statement* snarare än en åtgärd för säkerhet och skydd.

I lägenheten var det fortsatt tyst, helt stilla.

Hon knappade in kombinationen av siffror. Inget felmeddelande poppade upp. Istället steg fotot av Charlie fram på skärmen, Välkommen Billie Jean!

Sedan ansikten i rad på rad, männen som hade tittat närmare på henne, den senaste för mindre än en timme sedan. Där fanns tretton nya meddelanden. Helene klickade fram dem.

"Gillar det du skriver, hej!"

Fler sådana korta brev, försök till kontakt. Det fanns en flirtfunktion också, där man kunde skicka en blinkning eller en ros.

"Fina ögon, är du seriös?"

"Hej vill bara snacka lite."

"Hallå, vart tog du vägen?"

Helene scrollade ner till tidigare meddelanden, de som hade kommunicerat med Charlie innan hon dog.

De som hade fått svar.

Där fanns en som kallade sig Kerouac. Fyrtiotre år och intresserad av konst och musik och att laga goda middagar till dig. Han skrattade på fotot, taget i lite motljus, Helene kunde inte låta bli att tycka att han såg bra ut, anade att han kunde vara Charlies typ. Deras konversation hade upphört en vecka innan hon dog. Hans sista meddelande: *Vi kan väl höras på telefon istället* och så ett nummer. Charlies svar: *Jag hör av mig!*

Helene fick syn på markeringen högst upp i Kerouacs profil: *online*. Klickade sig snabbt bort från hans domäner och såg honom bara några sekunder senare dyka upp i hennes logg.

Hon intalade sig att det inte gjorde något, hon var dubbelt dold, hon var Kvinna123 och Billie Jean, han kunde inte komma åt henne med mindre än att spåra IP-adressen. En del av henne ville logga ut och stänga ner och gå och lägga sig i dubbelsängen vid sidan av sin man, krypa tätt intill honom och känna något slags värme.

Hon scrollade vidare i brevväxlingen. Det sista brevet i varje konversation var synligt i listan och därför var det lätt att sortera bort dem som bara hade gjort ett försök, ett tafatt "hej, du verkar trevlig (och snygg!)", urskilja dem det hade gått lite längre med.

Ett avslutande meddelande från en man som kallade sig Hela Härligheten:

Det här är för segt, vi kan väl höras på chatten istället?

Helene letade efter chatten, men det som eventuellt hade skrivits där såg inte ut att lagras, det skulle krävas experter och polismakt för att komma åt det i gömslena på en server.

Innan då?

Det framgår inte av bilderna, är du slank eller kurvig? Vill du berätta vad du tycker om?

Hon klickade snabbt bort konversationen, det brände i kroppen, hon vill inte se vad Charlie hade svarat. Hann bara uppfatta en början:

Jag kanske är den du drömmer om att jag ska vara.

Helene reste sig, kände sig kladdig och obehaglig och gick till köket för att dricka vatten, ljudlöst och barfota. En känsla av att vara naken, trots att hon i alla fall hade morgonrock på sig. Han kan inte se dig, tänkte hon, han ser bara att Billie Jean har varit inne på hans sida. En känsla av att verkligheten vek undan.

Vad kunde hon göra med det här?

Lämna uppgifterna till polisen, vem annars skulle kunna spåra de här männen? Och sedan? Hade inte den där Krawczyk gjort klart att det helt och hållet var Charlies ensak vem hon hade sex med och hur?

Helene återvände till datorn, den långa listan av män. De var verkligen inte få, där hade Charlie haft rätt i sitt skryt, uppåt hundra hade försökt få kontakt med henne bara sedan årsskiftet när det verkade ha börjat.

Helene betade av några till och fastnade vid en man som kallade sig "Tangokillen". Han var lite överviktig, såg snäll ut på ögonen. Deras brevväxling hade pågått i veckor, sista meddelandet i mitten av februari: *Ska vi höras på chatten istället? Eller på Facebook?*

Och därmed tog det slut. Hon följde tråden av korta brev som hade utväxlats mellan dem, och började frysa där hon satt.

Drömmer om att åka till Buenos Aires med dig …

Det var Charlie.

Men vi har ju inte ens träffats …

Det var mannen. Nu hade han börjat kalla sig vid ett verkligt namn, längst ner i sina brev. Han hette Mats. Det gick runt i huvudet. Hon tyckte sig höra sin systers röst.

Vi kan väl lära känna varandra på vägen ;-) Ska man dansa tango ska man göra det i Buenos Aires!

Det var hon som hade tagit kontakt först.

Hej där, tangokille, vill du dansa?

Och Mats verkade ha låtit sig övertalas, vem kunde stå emot Charlie när hon gick in för det? *… det skulle vara som en dröm som går i uppfyllelse, men jag vet ju inte om jag kan få ledigt från jobbet …*

Charlie:

I sommar är det för sent, för då är det vinter i Buenos Aires …

Helene reste sig. Måste gå ett varv i rummet, titta ut genom fönstret, försommarnatten som ljusnade därute, hon kunde se det gröna i trädkronorna nedanför.

Det hade varit vinter i Stockholm när de skrev, sommar i Argentina.

Hade de åkt? Tillsammans?

Var det för att dansa tango som Charlie hade rest till Argentina? Skulle inte tro det.

Helene klickade sig in på Tangokillens profil, hans intressen, arbete. Segelbåten, dansen, civilingenjör, där fanns till och med en fråga om inkomst. Vill inte uppge, hade han kryssat i, men av fotona framför båten och huset framgick det att han hade det gott ställt.

Hon lutade sig tillbaka, gick in på bilden av Charlie och betraktade sin syster. Hennes liv som var kaos och obetalda räkningar. Hur skulle hon ha haft en möjlighet att ta sig till Argentina om inte någon annan betalade?

Den där känslan hon ingav om att känna sig utvald. Att det var en ynnest att få låna ut pengar eller betala för något, vad som helst, faktiskt var det nästan en skyldighet för att man hade pengar och inte hon. Även när Helene hade börjat lära sig säga nej så malde det dåliga samvetet, känslan av att hon var snål som inte delade med sig av allt hon hade.

Om det var så, om den här mannen hade varit hennes biljett, då fanns det också någon som visste vad Charlie hade gjort i Buenos Aires.

Helene drog ett djupt andetag och sträckte ut fingrarna som kändes kalla och stela. Sedan gick hon in på "Skicka meddelande" och adresserade det till Tangokillen.

Ett tomt fält.

Vad visste han? Hur skulle hon uttrycka sig?

Hon hade ingen aning.

"Hej, hur är det?" skrev hon till slut och tryckte iväg det i samma rörelse, innan hon hann ångra sig.

Sedan upprepade hon proceduren tre gånger till. Det gick en strömvirvel genom kroppen när meddelandena flög iväg, en hetta som sköt upp från underlivet.

Hela Härligheten fick också ett mejl, liksom två andra av de senaste kontakterna som Charlie hade haft före sin död.

Innan hon slog av datorn tömde hon cacheminnet. Det utplånade inte spåren, men gjorde dem mindre uppenbara.

Hon smög in i sovrummet och lade sig längst ut på kanten av sängen för att inte störa. Fötterna var iskalla. Det gick inte att somna. Hon blundade bara, låg helt stilla och kände sin egen upphetsning, en hisnande tanke om att någon därute hade återuppstått ifrån de döda.

"Ursäkta, är det du som är Susana Jacobsson?"

Kvinnan vid kafébordet lyfte blicken från sin bok och stirrade på Helene. Tog av sig läsglasögonen och gapade, sedan slog hon handen för munnen och mumlade något. Det lät som herre min skapare, jädrar och anåda.

"Förlåt", sa Susana Jacobsson och skakade på huvudet, "jag ber så hemskt mycket om ursäkt."

"För vad?"

Helene visste inte om hon skulle sätta sig, förvirrad av hela situationen. Hon förstod inte varför läkaren i gastroenterologi hade velat träffas på ett konditori i centrum och inte på sitt tjänsterum. Än mindre begrep hon reaktionen.

"Vill du ha något?" sa hon till slut.

På bordet fanns en halvt urdrucken kopp kaffe och en medicinsk avhandling som läkaren slog igen.

"Tack, det är bra. Jag kan bara inte smälta det, att du är så otroligt lik henne."

"Min syster? Det är det ingen som har sagt förut."

"Nej, nej, Ingis, förstås."

"Vem då?"

Kvinnan slog sig med handflatan mot pannan och log. Hon var i sextioårsåldern, med håret i page och vinröda läppar. Faktiskt så strålade hon av vänlighet och medkänsla.

"När du stod där så var det som att hon hade klivit rakt ut ur mitt minne, du förstår? Herre mina jävlar."

"Menar du Ing-Marie?" Helene sjönk ner på stolen. "Kände du henne?"

"Om jag kände henne." Susana tryckte handen mot bröstet och viftade sedan, hennes händer rörde sig hela tiden. "Så många gånger jag har tänkt genom åren att vi skulle kunnat göra mer för er. Men på samma gång, vi ville inte störa. Du var så här liten …"

Hon visade i höjd med bordsskivan. Det var ungefär så stor som Helene kände sig, och lika villrådig.

"Jag är så ledsen för din syster."

Helene harklade sig.

"Vad var det för fel på henne?"

"Fel?"

"Ja, Charlie, Camilla alltså, vad sökte hon för?"

"Nu förstår jag inte."

Susana Jacobsson talade utmärkt svenska, men en och annan bakvänd ordföljd avslöjade ett annat ursprung och fick Helene att prata långsammare och lite för tydligt.

"Som jag skrev i mejlet så hittade jag ditt visitkort i Charlies plånbok", sa hon. "Jag visste inte om att hon var sjuk. Det är kanske inte viktigt nu, men jag behöver få veta sådant för att acceptera vad som har hänt och gå vidare. Eller om det var något hon sa som kan förklara … Man pratar ibland med sin läkare, om annat också. Jag är tacksam för vad du än kan berätta även om jag förstår att du har tystnadsplikt."

Susana betraktade Helene medan sekunder gick och några ungdomar reste sig från bordet bakom dem, slamrade på sin väg ut.

"Du kanske ska ta dig något att fika", sa hon. "Vill du att jag ska hämta?"

Helene skakade på huvudet och reste sig, gick bort till disken. Hon kunde inte avgöra om inredningen hade förändrats, men färgerna hade det inte, konditori Sans Rival var som hon mindes det från enstaka lördagar då deras pappa tog dem dit, murrigt mörkbrunt med speglar och guldfärgade handtag, pråliga taklampor som hade undgått all förnyelse.

Kaffekoppen skallrade mot fatet när hon hällde upp. Hon tog två småkakor också, en schackruta och en dröm. Som liten hade hon stått vid glasdisken med bananbakelser och franska våfflor, mazariner och prinsesstårtor och vetat att vad hon än valde så fanns det alltid något annat som var godare.

När hon återvände till bordet hade läkaren lagt ner sin bok i väskan.

"Jag stötte ihop med din syster på sjukhuset i vintras", sa hon. "Jag hade inte känt igen henne, förstås, om jag inte hade hört hennes namn ropas upp."

Susana vek in läsglasögonen i sitt fodral. Helene noterade att händerna hade börjat åldras, skinnet var lite löst och finrynkigt. Det syntes inte alls på samma sätt i hennes ansikte.

"Jag hade ett ärende in på … en annan mottagning", fortsatte hon. "Camilla satt i väntrummet. Hon var alltså inte min patient, för i så fall hade jag knappast gjort det jag gjorde."

"Vad då för mottagning?"

"Det kan vi kanske lämna därhän."

"Psykiatrin?"

"Som sagt, hon var inte min patient, och jag skulle hur som helst inte kunna uttala mig om hennes medicinska status …"

Helene lutade sig tillbaka. Lukten av kaffet fick henne att må lite illa, eller om det var den svaga doften av en tid när man ännu hade rökt här inne.

"Så vad handlade det om?"

Läkaren sänkte rösten.

Hon hade gått fram till Camilla i väntrummet och frågat om hon var dotter till Ing-Marie Sahlin.

"… och det bekräftade hon ju, och så bad jag henne komma

till sjukhuskafeterian lite senare, för det var något jag ville berätta ..."

En paus, en blick där Helene kunde ana hennes professionella övervägande om vad patienten tålde att höra.

"Din syster sa att du inte var intresserad, annars hade jag gärna tagit kontakt med dig också."

"Nu är jag intresserad."

Susana log.

"Man måste inte vara intresserad av sitt förgångna. Jag tycker det där pratet om ursprung och rötter är överdrivet, själv har jag aldrig haft någon vidare lust att återvända. Det fanns en anledning till att jag var med bland dem som gjorde revolt på den tiden, jag tyckte inte om den miljö jag växte upp i. Det var ett högborgerligt hem, vi hade alltid hembiträden från Bolivia och mamma kallade dem *cabecitas negras* när de inte hörde, svartskallar. Jag ville bort från det där, det gamla och förlegade."

Sakta sjönk det in i Helene, betydelsen av det hon sa, och språket.

"Är du från Argentina?"

"Buenos Aires. Visste du inte det?"

Helene skakade på huvudet. Letade intensivt i minnet, men där fanns ingen Susana. Det hade kommit många latinamerikanska flyktingar till i Jakobsberg på den tiden, och några av dem hade umgåtts med hennes mamma, men det var allt hon visste.

"Vi kom hit 1976, Fabbe och jag ... ja, det var min dåvarande man, Fabricio. Jag sa på en gång att jag tänkte inte leva i ett väntrum. Vi hade bekanta som hade flytt från diktaturen i Spanien och sedan satt de i Buenos Aires i årtionden och väntade på att Franco skulle dö, de hade inget liv. Jag ville inte leva så, med väskorna packade. Vi visste ju inte hur länge det skulle vara. Men Fabbe ..."

Hon suckade. Utanför rörde sig människor mellan pendeltågstunneln och affärerna, pratade i mobiler, blickarna rakt fram. En kvinna satt hopkrupen vid en lyktstolpe, insvept i sjalar, med en handtextad skylt och en mugg framför sig. Folk skyndade förbi.

"Jag ringde studieförbunden, folkhögskolan, sa att jag kunde undervisa i spanska, började läsa svenska på ABF och sedan universitetet … Jag tvingade mina svenska vänner att lära mig svära på hundra sätt. Det är sådant som avslöjar om man kan språket. Oregelbundna verb och svärord, de där som går långt tillbaka i historien, som finns i ryggraden, du vet."

"Jädrar anåda", sa Helene.

Ett leende igen. Susanas blick rörde sig över Helenes ansikte som om hon smekte minnet av den hon hade trott sig se.

"Det var där jag lärde känna din mamma, på Jakobsbergs folkhögskola."

Hennes ursprung blev tydligare, hördes i de markerade sche-ljuden och ett sätt att snubbla sig igenom meningarna, kanske för att hon förflyttade sig tillbaka till då. Helene insåg att hon aldrig hade hört någon prata om Ing-Marie på det sättet, som så … närvarande.

Det var festerna, och vännerna som var från Sverige och Argentina och Uruguay och Chile, de hade faktiskt brukat träffas just här, på Sans Rival för att äta frukost om lördagarna. Det var den där första tiden i Sverige, ett land som hon vid ankomsten tyckte luktade schampo. Hon kunde fortfarande känna den doften ibland. De hade valt Sverige för att det var de mänskliga rättigheternas högborg förstås, men också – och det var ju lustigt med tanke på att Helene hette Bergman i efternamn – för att Fabbe ville lära sig språket som talades i Ingmar Bergmans filmer.

"Din man är väl inte släkt med den Bergman?"

"Inte vad jag vet."

"Nej, det är ju ett vanligt namn."

I början av deras förhållande brukade Fabbe dra med henne och se Bergmans filmer på Avenida Corrientes där de flesta biograferna i Buenos Aires låg, i ärlighetens namn fann hon dem en smula långtråkiga, utom den där, vad hette den nu ... *Cuando huye el día* ... Smultronstället! Och sedan satt man på Café La Paz till tre-fyra på natten och diskuterade och bokhandlarna på gatan var fortfarande öppna.

Jakobsberg i mitten av sjuttiotalet ... ja, det var inte som Buenos Aires förstås. De hade gått omkring i villaområdena ibland och tänkt att alla människor var döda, man såg inte en levande själ ute, och tåget gick in till stan bara en gång i halvtimmen, men de visste att de inte kunde kräva av Jakobsberg att det skulle vara Buenos Aires.

"Kände du henne väl? Min mamma."

"Inte så väl, det kan jag inte säga, men jag kände henne."

Ännu ett pendeltåg hade anlänt till Jakobsbergs station och människofloden rann förbi utanför fönstren.

Ing-Marie hade varit Susanas elev på en kurs i spanska och de hade blivit vänner, kanske på ett ytligt sätt, men inte utan betydelse. Visst fanns det naivitet bland svenskarna, det här var ju den första stora flyktingvågen, men framför allt en välvilja, man ville hjälpa och förstå och myndigheterna gjorde vad de kunde. Socialsekreteraren hade till och med bjudit hem dem till sig den första julen, det skulle ju inte vara möjligt nu. Folkhögskolan var samlingspunkten och alla, från studenterna och ända upp till rektor, var engagerade i de latinamerikanska folkens sak.

"Och så träffade hon den där Ramón, det var på en fest tror jag, du vet det var piroger och musik, de skulle alltid ha de där sydamerikanska folklorebanden att spela och jag hatade det. I Buenos Aires lyssnade jag på Rolling Stones."

"Vem var han?"

"Jag vet inte ... jag minns inte hans efternamn." Hon rynkade pannan och gnuggade sina tinningar för att skaka liv i minnet. "Men han var jädrigt snygg, från en övre medelklassfamilj någonstans i Buenos Aires norra delar, Nuñez tror jag. Hans syster hade blivit bortförd och var försvunnen, och han stod förstås näst på tur."

Helene tittade in i en av vägglamporna tills det började flimra för ögonen, bilden av mamman som dansade till panflöjter eller vad de nu spelade på. Och var hade vi varit, tänkte hon, tog hon oss med, att sova under ett bord någonstans? Eller hade hon redan flytt från oss, lämnat oss hos en pappa som somnade full varenda kväll?

Susanas röst som fortsatte.

"En dag var hon bara borta, och han också. Några av våra vänner trodde sig veta att de skulle ta sig in i Argentina för att hjälpa dem som fortfarande gömde sig."

Orden kom saktare.

"Vi gjorde vad vi kunde för att ta reda på vad som hade hänt dem, men det var inte lätt. Det fanns inga spår. Vi vågade inte vara öppna med vad vi visste, inte ens flera år senare, när juntan hade fallit, man visste inte vem man kunde lita på."

Susana reste sig och gick för att fylla på kaffekoppen. Första påtåren gratis stod det på en lapp. En gest med kaffekannan mot Helene som skakade på huvudet.

Hon slog sig ner igen. Det hade blivit tystare på kaféet, ungdomarna hade dragit vidare.

"Det är svårt att se på dig. Du har verkligen hennes ögon."

Susana sopade bort några smulor från bordet.

"Ja, som jag sa … eller sa jag det? Att min exman flyttade tillbaka för några år sedan, efter att vi hade skilt oss? Hans skuldkänslor blev värre med åren, för att han hade flytt och överlevt när så många av våra vänner dog. Fabbe fick för sig att han skulle hem, men allt var ju förändrat. Det var inte samma

Buenos Aires som vi lämnade, och barnen bor ju här. Så nu sitter han där och längtar hem istället. Eller bort, eller tillbaka till något som var och inte längre är."

Susana slog ut med händerna i en uppgiven gest.

"Han hör inte av sig ofta numera. Han misstror Skype, ringer inte ens till ungarna, går ur Facebook, han tror att CIA övervakar alltihop."

"Det gör de ju."

"Hur som helst …"

Susana drack några djupa klunkar vatten innan hon fortsatte.

"Han hade träffat en gammal studiekamrat i parken, en kvinna som han hade någon relation med på universitetet och som satt fängslad under juntatiden. De flesta andra har vittnat och gått vidare, men hon ville inte prata om det."

Ett par tonårstjejer hade slagit sig ner vid bordet bakom och skrattade högt åt någon film som rullade i mobilen, men ändå tyckte Helene att hon kunde höra sitt eget hjärta slå.

"Fabbe har blivit lite besatt av det som hände de där åren. Han gick tillbaka till Lezamaparken där den här kvinnan brukar sitta, tog med kaffe, bröd, *mate*, och till slut började hon prata."

"Vad sa hon då?"

Helene ville svälja, men hon kunde inte. Hon visste att hon måste svälja, om hon skulle kunna fortsätta andas.

"En hel del som är mer intressant för domstolarna, tortyren, det är för plågsamt att höra, jag vet inte förresten. Det min ex-make berättade för mig innan han slutade prata om sådant, och det jag kände mig tvungen att berätta för din syster den där dagen när jag såg henne i väntrummet, var att den här studiekamraten hade hört en röst hon kände igen. Hon kunde inte se personen, för fångarna tvingades bära huva dygnet runt. Senare hade hon tänkt att hon hörde fel, för hon hade ju hört talas om Dagmar Hagelin, du vet den svenska tonårsflickan som kidnappades och blev mördad av militären, och det var även två franska nunnor, sådana fall blev vida kända över världen för att deras släktingar och länder ställde till en sjuhelsickes massa rabalder, man kan möjligen mörda sitt eget folk, men ger man sig på andra … Hon hade själv trott att hon yrade i febern och smärtorna, för kvinnan hon kände var tyska och den här pratade svenska, och hade det verkligen funnits ännu en utländsk kvinna inlåst och kedjad på ESMA så borde det ha blivit känt."

"Ing-Marie?"

Helene kunde fortfarande inte svälja.

"Man använde aldrig namnen därinne. Hennes nummer var 676. Märkligt nog så mindes den här kvinnan det. Att nummer 676 ropades upp en onsdag, och hon försvann."

En tystnad.

"Och hur vet hon att det var en onsdag?"

"Det var alltid på onsdagarna. Det betydde att man transporterades … fördes därifrån, till flygplanen … och dog."

Helene stirrade på henne. Hon hade sökt på nätet för att få veta mer om läkaren och funnit en avhandling om *neuro-immune regulation of macromolecular permeability in the normal human colon and in ulcerative colitis* vilket inte sa henne ett dugg. Hon kunde inte strunta mer i vilken invärtes del av kroppen Susana Jacobsson brukade rota runt i och varför.

"Är du … den där Fabbe … verkligen säkra på att det var hon?"

"Nej", sa Susana Jacobsson, "men det är det närmaste vi någonsin har kommit."

"Sa hon någonting mer, den där kvinnan i parken."

"Det kanske du ska fråga Fabbe om, det var så rörigt allting. Den här kvinnan visste inte ens hennes riktiga namn, men …"

Läkaren tystnade och såg allvarligt på henne.

"Vad?"

"Hon påstod att hennes kodnamn var Vera."

På krönet av en kulle låg folkhögskolan, inrymd i det som för hundratals år sedan hade varit den gamla gården Jakobsberg. En herrgårdsliknande byggnad med två flyglar, en park med väldiga och uråldriga träd.

"Jag tog mig friheten att ringa vår dåvarande rektor", sa kvinnan som tog emot henne på expeditionen. Hon var i femtioårsåldern, med håret snaggat på ena sidan huvudet och längre på den andra. På väggarna hängde affischer om elevernas vårutställning och något biståndsprojekt i Västafrika.

"Själv jobbade jag ju inte här på den tiden, men han mindes din mamma mycket väl."

"Tack, det var snällt."

Helene bytte ställning i stolen och kände sig obekväm. En irrationell avundsjuka över att den där rektorn, och nu också den här kvinnan, visste mer än hon själv, en skam över att hon aldrig hade frågat. Hon hade ringt och lagt fram sitt ärende. Det var lättare på telefon, när man slapp bli betraktad med nyfikenhet och välvilja.

"De förstod visst aldrig vart hon tog vägen", sa kvinnan.

Det hade varit sent på hösten året 1977 när Ing-Marie Sahlin lämnade skolan från den ena dagen till den andra. Den mörkaste tiden, hade rektor erinrat sig, i november. Utan förklaring hade hon plötsligt uteblivit. Det handlade ju om vuxna elever så skolan dröjde ett tag med att reagera, men när andra började ringa och undra så förstod de ju att något var fel.

"Vilka andra?"

Kvinnan sneglade på Helene.

"Ja, pappan till hennes barn, din pappa alltså, och någon kvinna som tog hand om er, som han mindes det. Det gjorde ju saken ännu mer förbryllande, att hon hade barn. Skolan kontaktade Ing-Maries mamma i Värmland också. Hon visste tydligen inte ens om att dottern studerade, kontakten var bruten."

Så det hade funnits en mormor i Värmland. Jaha.

Kvinnan fortsatte prata, redogjorde för vilka kurser Ing-Marie hade gått, det var visst en allmän kurs för att läsa in gymnasiekompetensen, och sedan hade hon sökt en konstkurs efter jul.

"Hon fick aldrig ut sina kursintyg", sa hon och sträckte över ett kuvert.

Helene tog emot det. Efter jul? Då måste Ing-Marie ha tänkt sig att komma tillbaka, hon hade inte planerat för att vara borta för evig tid.

"Sa rektorn något om en man, som hon gav sig av tillsammans med?"

"Det gick rykten om det, ja. Och det fanns också en man från Argentina som var inskriven på svenskkursen och som hoppade av utan motivering. Ingemar, vår dåvarande rektor alltså, säger att han aldrig har upphört att grubbla över vad som hände med dem. Alla levde ju tätt inpå varandra här, studenter och personal, svenskarna och alla våra gäster, många blev vänner för livet."

Kvinnan lyfte upp ett papper, en formell och ifylld kursansökan. Där fanns ett namn. Det svindlade till. Ramón Maguid, född 1946.

Det var första gången hon såg hans namn på pränt, med ett efternamn och ett födelseår, som om han blev verklig i den stunden. Han hade varit trettiotvå år när han studerade svenska för invandrare i Jakobsberg, fem år äldre än Ing-Marie.

"Jag är ledsen att jag inte kan vara till mer hjälp."

På väg ut från parken vek Helene av och sneddade över gräset. Där låg en damm, dold bakom väldiga träd och försommarens grönska.

Det förvånade henne att hon mindes den.

Dammen var så gott som igenvuxen, en grönaktig sörja av växter och bortkastat skräp, det gick knappt att skönja dess vatten. Hon kunde förnimma en känsla av fara, en varning om att inte gå för nära. Det hade sagts att den var bottenlös. Föll man i där drogs man ner och det fanns ingen räddning.

Några petflaskor glimmade vid kanten. Man hade satt upp ett litet staket omkring.

Tänk om mamma ramlade i där och drunknade. Om man svimmar eller får kramp så sjunker man.

Charlies röst, för länge sedan. En gång hade de stått här. Hon hade hållit sin systers hand och mindes rädslan när Charlie släppte taget och gick närmare dammen, böjde sig fram och drog med handen genom det där äckliga vattnet så att det bildades ringar som spred sig och löstes upp.

Det var mamma som berättade för mig att dammen är bottenlös. Det var hon som förbjöd mig att gå hit.

Helene sjönk ner på huk. Det steg en unken lukt ur det stillastående vattnet, samma som då.

Charlie hade minnen. Det var den stora skillnaden. Minnen som Helene aldrig kom åt för att hon var för liten. Ju äldre hon blev, desto längre ifrån dem kom hon. Små saker, som när de hade åkt pulka med mamma i de här backarna, från folkhögskolan och ner mot vägen som ledde in till villagatorna. Det var där kondomfabriken låg, där deras mamma och pappa hade träffats. Ing-Marie jobbade vid bandet där kondomerna förpackades och han vid maskinen som testade gummina, *Sveriges känsligaste penis finns i Jakobsberg.*

Hur hon talade med dem om livet, på allvar, fast de var så små. Satte igång kuddkrig tills de skrattade så de skrek och fick ont i magen, hon hade ett sätt att kittlas så man nästan dog. Senare började Helene misstänka att Charlie bara hittade på. Hon märkte att historierna förändrades och nya kom till.

De säger att det är skönt att drunkna. Man känner ingenting.

Kom, vi går nu. Jag vill inte vara här.

Säg hej till mamma.

Vattnet som skvätte upp i hennes ansikte, kanske skrek hon. Charlie som tog tag i henne och skakade.

Håll käften din dumbom, det är klart hon inte drunknade. Jag skulle ha känt om hon var död, fattar du det, jag skulle höra hennes röst om hon var här, hon skulle komma som en fågel och vaka över oss. Hör du något kanske?

Och Helene försökte lyssna men hörde ingenting. Bilar bara, på gatan nedanför, och det svaga ljudet av löv som nuddade varandra i vinden.

Buenos Aires
1978

"Identifíquese, señora."

Han stod framför henne, en man i uniform. Det var i den smala gången från perrongerna, hon kom inte undan. I högtalarna ropades en avgång ut och det lät som om det ekade: *Identifíquese, identifíquese.*

Ing-Maries hand ville flyga upp till magen för att skydda det hon gömde där. Hon hade varit ouppmärksam, det var det enda hon kunde tänka, övermodig, nästan lycklig när hon steg av tåget från Wilde för exakt ... hon sneglade upp mot en klocka under taket som välvde sig högt ovanför dem i stationshallen... fyra minuter sedan.

Det var den tredje resan hon hade gjort tur och retur till Wilde och den första på det nya året, äntligen hade hon något att komma med! Ramón hade verkat så frånvarande och uppgiven senast, men nu väntade han på henne i ett rum på ett hotell i La Boca och hon skulle skynda sig dit och säga åt honom att blunda och sedan ta hans hand och föra den in mot brevet som hon gömde. Det är till dig, skulle hon säga.

"Señora, documento."

"Si, claro."

Hon fumlade i väskan där passet och hennes andra papper låg. Fick darrande upp läppstift och tamponger och försökte le mot honom, bara se ut som en kvinna som inte hittar i sin egen väska, medan hon jagade i huvudet efter allt hon visste om uniformer, var han stadspolisen eller den federala, polis var bättre än militär men det kunde också vara värre och om han var militär, i så fall av vilken sort, marinkåren sades vara den hårdaste. *Documento, documento*, ekade hans ord.

Ing-Marie räckte honom passet. Kanske tillhörde det någon som verkligen hette Claudia Viehhauser, kanske fanns det ingen sådan människa.

"Jag är tysk medborgare", sa hon.

Mannen bläddrade sakta. Såg upp på henne och ner i passet och sedan på henne igen. Han var en bit över fyrtio och lite överviktig.

"Så vad gör du i Argentina?"

"Studerar."

Ing-Marie böjde ner huvudet för att verka ödmjuk.

"Spanska", lade hon till. "Jag studerar spanska."

"Jag måste be er följa med", sa han.

"Är det något fel?"

"Jag måste visitera er. Det här är inte en lämplig plats."

"Varför det?"

Hon såg sig om, människor som skyndade förbi. Det fanns små köer framför biljettluckorna. Försäljare och tidningskiosker. En vanlig järnvägsstation, i en stad vilken som helst för den som inte ville se vad som pågick.

Han grep tag om hennes överarm.

"Det förstår du säkert."

Greppet hårdnade när han ledde henne genom stationshallen och ut via en sidodörr. Hon tänkte på cyanid, *la pastilla* som låg i den lilla necessären i väskan tillsammans med p-pillren sedan tre veckor tillbaka, Ana hade lyckats ordna ett till henne strax efter jul. De hade skojat om att det var en julklapp.

Polisen, eller om han var militär, stannade till vid ett övergångsställe och väntade på att de skulle kunna korsa gatan. Inte för en sekund lättade hans grepp om hennes arm. Ing-Marie märkte hur människorna runt omkring vände sig bort. En sista gång tittade hon bakåt, mot den pampiga järnvägsstationen, såg några av de där barnen från skjulen stå och glo. Men spring härifrån, ville hon skrika, spring för i helvete medan ni kan, och hon önskade att de skulle sluta stirra för hon stod inte ut med att någon såg hur viljelöst hon lät sig föras bort.

"Vart ska vi? Vart tar du mig någonstans? Är det något fel?"

Han svarade inte. De korsade gatan och stannade framför en port. Det såg inte ut som en polisstation, det var ett gammalt hus. En avskavd skylt om att det var ett hotell, eller kanske hade varit. Det kunde betyda vad som helst. Efter statskuppen hade militären tagit över alla möjliga lokaler i staden, gjort sig närvarande överallt.

Murriga tapeter och en vithårig man i receptionen. Trött noterade han brickan som den uniformerade höll upp, sträckte sig efter en nyckel på väggen bakom sig.

Ing-Marie såg en telefon på disken. Hon tänkte att hon borde säga sitt namn och att receptionisten måste ringa ambassaden, men hon hann inte avgöra om det var den tyska eller den svenska ambassaden, för i nästa stund knuffades hon uppför den smala trappan och vidare genom en korridor, in i ett rum.

"Seså, låt mig känna nu." Han slet väskan ur hennes hand och slängde den på golvet.

Sedan började han vid axlarna och lät händerna glida ner längs hennes armar. Hon såg att han tuggade på något, eller om det bara var käkarna som rörde sig. Det var ett mörkt och nedgånget rum, sängen hade ett brunt överkast, var slarvigt bäddad. Han såg henne inte i ögonen. Klappade på hennes bröst och sedan ner längs sidorna. Ing-Marie vände sig om och lät honom känna längs ryggen också. Det var en långsam och noggrann procedur. Han stack in en hand under blusen. Det handlade bara om sekunder innan han var nere vid byxlinningen. Skulle han nöja sig med att känna utanpå? Brevet var av tunt papper, som flygpost, kanske fanns det en chans att han inte skulle upptäcka det.

Hon var förlorad om han läste brevet.

För en gångs skull hade hon brutit mot reglerna och öppnat det på tågtoaletten. Kuvertet var inte igenklistrat. En plats och ett datum, en tid när de ville träffa Ramón. Hon anade att *el jefe*, som hon nu visste kallade sig Martín efter Argentinas befriare, själv skulle komma till det mötet.

"Vänd dig om", sa polisen, och hon stod med ansiktet emot honom igen.

Han andades tungt.

"Knäpp upp blusen, *por favor*."

Hon lyfte händerna mot den översta knappen och såg hans ögon som hängde vid hennes bröst och det hände något i hennes huvud. En klarhet. Han var ensam. Det stämde inte. De arbetade alltid i grupp, gäng av civilklädda som trängde sig in i husen och som alla visste tillhörde militären eller åtminstone arbetade på order av dem.

Hon började sakta lirka upp den första knappen. Det handlade om att vinna tid. Hon undrade hur många som hade tvingats ner i den där sängen, om det här var hans vanliga procedur.

"Jag har inte hela dagen på mig", sa han. "Seså, låt oss få det här gjort nu."

Han sträckte fram handen och tog tag i blusen, slet upp de sista knapparna.

"I helvete heller", sa hon på svenska och snurrade runt så hon gled ur blusen och hans grepp på samma gång.

Hon fick tag i väskan som låg på golvet och kastade sig mot dörren, ryckte upp den och sprang, tog tag i trappräckena och flög nedför trappan, rusade genom receptionen och ut på gatan, måste veta åt vilket håll, en sekund på sig att bestämma. Hon sprang tillbaka mot järnvägsstationen medan kväljningarna steg upp i halsen, jackan hade hon tappat och blusen hade blivit kvar i hans hand, hon sprang i bara linnet och var säker på att alla stirrade, att det syntes vilken smutsig människa hon var. Hans händer hade inte nått längre än till brösten men ändå var det som att hon kunde känna dem överallt, och något i henne var fortfarande kvar i det där rummet, lät sig pressas ner i sängen och hon visste att hon hade lämnat något kvar som hon aldrig skulle få igen. Hon var feg, inte värd, inte värd, orden hamrade i henne när hon sprang. Det var ingen *subversiva* som smugglade förbjudna dokument han hade sett på stationen, ingen *guerrillera, montonera*, nej bara en rädd liten idiot han kunde lura och släpa med sig till ett skitigt äckligt hotellrum och försöka knulla bara för att han hade makten att göra det och hon visste att hon borde vara tacksam för att det bara hade handlat om det.

En rad av bussar utanför stationen. Hon sprang förbi den första och klev på den andra, spanade ut genom fönstren medan hon grävde efter lösa mynt i väskan.

Ingen patrull som rusade efter henne, ingenting som såg ut att avvika från det normala flödet av människor på väg hit eller dit.

Och bussen rullade, åt fel håll men bort från stationen, det var det enda som räknades. Hon sjönk djupt ner i ett säte. Först efter tre hållplatser vågade hon stiga av och byta till en buss som förde henne dit hon skulle.

Adressen ... adressen?

Hon gick längs en gata vars namn hon var säker på, men numret stämde inte. Sjönk ner på ett trappsteg till en lastbrygga. La Boca var inte slum, men de fattigaste av arbetarkvarter, hon förstod inte varför Ramón alltid valde sådana här adresser. Hade inte överklassen i Recoleta också några hotell där man hyrde per timme, med dusch och luftkonditionering, hon kände att hon skulle kunna dö för en timme på ett sådant rum, att få låta varmvattnet rinna, med tvål i små förpackningar.

Hon fortsatte gå och skämdes över sina individualistiska tankar, allt var ju hennes eget fel. Ouppmärksamheten, och att hon nu inte kunde minnas rätt adress. Kanske hade hon vänt på siffrorna. Hon gick tillbaka längs andra sidan gatan, och där var det.

Telo som det kallades, hon kunde flera ord för många saker nu. *Hotel alojamiento.*

Kanske såg det värre ut än de tidigare sjappen, eller så hade hennes blick förändrats, det var smutsigare och fulare och saknade helt den där känslan av romantik som hon ibland kunde känna inför det gamla och slitna.

Gå inte in, sa något i henne. En känsla av fara, något i luften. Hon såg sig om, som alltid, spanade efter de vanliga bilarna och andra tecken, men allt tycktes lugnt.

Det hängde blågula vimplar över disken, Boca Juniors färger som alltid fick henne att tänka på Sverige. Enligt historien hade fotbollslaget bestämt sig för att välja färger efter det första fartyg som lade till i La Bocas hamn, och det råkade bli ett svenskt. Hon ville säga något om det till den unge killen som satt bakom disken.

Så trött på att vara Claudia, på att vara Vera.

Det var ett idiotiskt kodnamn. Hon hade fantiserat om något tjusigt ur revolutionshistorien, Rosa eller Ninotchka, men det lät ju bara dumt. Till slut hade hon dragit till med Vera, efter en gammal moster i Värmland som skulle vända sig i graven om hon visste eftersom hon hade varit centerpartist.

Ramón låg som vanligt på sängen med en tidning, hon såg att det var *Evita Montonera*, att han hade fått tag i den!

"Du är sen", sa han.

"Jag råkade ta fel buss", sa Ing-Marie och sparkade av sig skorna. "Och sedan var det lite svårt att hitta, jag har aldrig varit så här långt in i La Boca förut."

Hon gick fram till fönstret och försökte finna en anledning till att inte kasta sig över honom som hon alltid gjorde.

"Jag har hört att det inte är så säkert på de här gatorna", sa hon.

"Det är ingen fara", sa Ramón, "det är fullt dagsljus när du går härifrån."

"Var har du fått tag på den tidningen?"

"Det vill du inte att jag ska berätta."

Naturligtvis inte. Det störde henne att han tydligen hade någon som levererade tidskrifter till honom. Att det inte var hon. Hon ville inte tänka på vad han gjorde mellan deras möten. Det kunde dröja mer än en vecka ibland.

"Jag undrar ibland om din familj", sa hon. "Varför kan jag inte få träffa dem?"

"Det vet du."

"Din mamma skulle väl i alla fall inte ange oss. Eller skulle hon det?"

"Varför drar du in min familj i det här?

"Brukar man inte göra det? Dra in familjen, träffa föräldrarna …"

Hon såg ner på en bakgård utanför, som fortsatte i ännu en bakgård. Oregelbundna fasader av korrugerad plåt, ett hopsjunket skjul, tv-antenner som spretade. Hon hörde hur jobbig hon var med sina frågor. Varför sa hon inte bara vad som hade hänt? Hon hade ju klarat sig, sprungit, hade hon inte därmed visat prov på sitt mod? Men hon visste att detta skulle hon aldrig kunna berätta.

Ungars rop och bilar och larmet från någon siren, att det aldrig någonsin var tyst. Ändå tyckte hon sig höra hans stilla suck från sängen bakom sig, förnam hans känsla av irritation. Gnisslet från fjädrarna i sängen när han satte sig upp.

"Det är speciella omständigheter", sa han. "Du vet att jag inte kan utsätta min mor för fara."

Allt växte till en tjock klump i henne. Sin mor skyddade han, inte henne. Och nästa tanke: det var hon som var faran. Det var henne han måste skydda sin mor ifrån.

"Vad gör du egentligen, när vi inte ses?"

"Längtar efter dig", sa han och kom upp bakom henne, hon kände hans armar runt sin midja och önskade att det hade funnits en dusch. Det fanns det aldrig. Duscharna låg i korridorerna och hon hade aldrig använt någon av dem, för hon ville inte möta någon av de andra som hyrde in sig per timme.

Hon hade alltid tyckt om att hans lukter fanns kvar på hennes kropp.

"Du anar inte hur tråkigt det är att gömma sig", fortsatte han mot hennes öra, trasslade runt i hennes hår. "Jag skulle också vilja att vi kunde äta söndagsmiddagar och gå i kyrkan tillsammans."

Ing-Marie lösgjorde sig och vände sig om mot honom och i ett rusande ögonblick visste hon inte längre vem han var. Hon såg inte den vanliga värmen i hans blick. Önskade inte att få sjunka in i honom, tvärtom, hon ville backa och springa därifrån som hon nyss hade sprungit från ett annat hotellrum, en intensivt molande känsla i magen av att något var fel. Att hon inte borde ge honom det där brevet som hon fortfarande bar innanför trosorna. En känsla av att något rasade omkring henne, som kulisser. Att hon var lurad. Det var ett spel, och hon var hans docka. Han ryckte i trådar. Detta att han hade gömt henne i en annan stadsdel, att de aldrig återvände till samma hotell, att han kunde kontakta henne men hon kunde inte kontakta honom. Allt det som hade malt i henne när hon blev ensam för länge.

"Brukar du gå i kyrkan?" sa hon. "Det har du aldrig sagt."

"Jag menade det som ett exempel." Ramón slog ut med armarna och tog sedan hennes ansikte mellan sina händer. "Jag vet inte vad det är med dig idag. Vad har jag gjort?"

Han strök henne över håret, som han gjorde ibland, det fanns något ömt i just den smekningen som fick henne att känna sig älskad på ett annat sätt, mildare och mer verkligt än när de hade våldsamt sex, och därför nästan farligare för att det gjorde henne svag. Hon älskade honom så mycket. Hur kunde hon missta hans oro för något annat, det var ju henne han skyddade genom alla de här hemligheterna. Det är klart att det var så. Han ville hennes bästa och de var förbundna i kärlek men också i något större, hon och Ramón och alla som hade flytt, kamraterna hon hade mött här och som delade hoppet om en bättre värld och rättvisa och självförverkligande för alla. Hon fick inte sluta tro på det. Hur skulle hon då förklara att hon hade rest ifrån sina barn?

"Håll om mig", sa hon och tryckte sig in i hans famn, borrade in ansiktet mot hans hals. Hans lukt, alltid samma rakvatten, hans armar omkring. Det blev varmt.

"Har det hänt något?"

Ett ögonblick tvekade hon, inte längre än så. Hon kunde höra en fotboll studsa utanför, en, två, tre gånger.

"Nej, jag är bara lite nervös", sa hon och drog fram brevet. Det var alldeles fuktigt, hon hade svettats så. "Det är till dig."

Han tittade på kuvertet, vred på det och stoppade sedan ner det i bakfickan. Ing-Marie sjönk ner på sängen.

"Ska du inte läsa det?"

"Det gör jag sedan. Har du pengar så du klarar dig?"

"Ja, det har jag." Hon fick alltid ett tryck över bröstet när han tog upp det där med pengar. Hennes studielån var på väg att ta slut fast hon levde så snålt hon kunde för att slippa be.

Ramón satte sig ner bredvid henne.

"Så vilka träffade du idag?"

Han lekte lite med hennes hår och smekte henne lätt på magen medan hon kröp tätare intill honom och berättade om samtalen i huset i Wilde, personerna vars kodnamn hon nu kände till. Mannen som kallade sig Martín och verkade vara en central person i den södra kolumnen som den här gruppen hörde till, och hon berättade om vapnen och ett attentat som de tydligen hade tagit på sig, mot en biograf på en militärförläggning, och om Julio som faktiskt hade börjat prata lite om sig själv, han hade två barn, men hans fru var inte alls engagerad så han kunde inte träffa dem så ofta, och det blev så skönt och avslappnat att bara ligga där och få prata om allt som hon hade varit med om. Hon pratade bort rädslan och svagheten och avståndet som uppstod mellan dem ibland när de inte hade setts på ett tag. Om hon bara utelämnade det som hade hänt på järnvägsstationen så skulle det lösas upp och försvinna som en morgondimma över sjön Fryken, det skulle aldrig finnas mer.

"Och hur är det med Ana? Och den där Dante, har du träffat honom någon mer gång? Jag undrar förresten om de är rätt personer för det här, om de har den erfarenheten som krävs."

"Snart kan du fråga dem själv", sa hon.

"Tror du? Vet du när?"

Stelnade han till lite? Han upphörde i alla fall att cirkla med fingret runt hennes navel. Skit också, Ramón fick inte veta att hon hade tjuvläst brevet.

"Martín, kommendanten i Wilde alltså, jag förstod på honom som att det står något om det i brevet, att de vill träffa dig."

"Ja ja."

"Är du inte glad? Ska du inte läsa det?"

"Varför vill du inte snacka om Dante?"

"Vad menar du?"

"Ja, vad menar du … " Han reste sig plötsligt och en kyla drog in mellan dem, trots värmen i rummet.

"Du tror väl inte att jag …"

"Ja, vad vet jag. Vad är det med den där Dante som är så speciellt?"

"Ingenting. Jag har inte träffat honom någon mer gång. Varför säger du så?"

"Jag hör ju det när du pratar om honom, du har det där le-endet …"

"Du kan väl inte anklaga mig för att le."

Men han skakade bara på huvudet och reste sig.

"Jag måste gå."

"Redan?"

"Det var ju du som var sen."

Hon klamrade sig fast vid hans höfter, smekte honom, ville få tiden att stanna. De hade inte ens fått av sig kläderna, det fick inte vara så här misslyckat när de sågs. Hon förstod att det var hans sätt att bestraffa henne för att hon hade varit så kylig när hon kom. Det var klart att det hade sårat honom.

"Förlåt", viskade hon, "om du säger åt mig att aldrig träffa någon av dem mer så gör jag det inte, de betyder ingenting."

Och någonstans inom sig hoppades hon att han skulle säga just det.

"Dumbom", sa han på svenska, och hon måste skratta. Det var ett av hans favoritord på språket som han aldrig hade hunnit lära sig riktigt. Han vände henne ner i sängen igen och plötsligt var det inte så bråttom längre. "Det är klart att vi ska fortsätta." Han kysste hennes panna, smekte linjerna kring hennes mun. "Det finns viktigare saker än du och jag, det får vi aldrig glömma."

Förr om åren hade Riddarn inte tvekat om vart man skulle gå
för att köpa tjack.

Parken runt klocktornet, exempelvis, men den var numera
inbyggd mellan galleriorna så där fanns hundratals ögon som
såg. Det hade funnits en lägenhet på Sångvägen också, konstigt
nog mindes han att det var på fjärde våningen till höger, och flera
på Snapphanevägen, men de som hade huserat där var troligen
både vräkta och döda.

Människor som sålde det ena med det andra hade dragit
någon annanstans.

Så han hade fått fråga runt en aning, bland dem som han
kände till namnet och ibland mindes sedan långt tillbaka, som
hängde i centan så länge det var ljust och drog sig undan, fan
visste vart, när det mörknade. De hade slutat berätta för varandra
om var de hittade en sovplats, en trapp där man kunde smita in,
ett konkursat lager eller en broder som för tillfället kunde bjuda
tak över huvudet. En slaf var hårdvaluta. Kom det för många
personer till samma ställe blev det klagomål, de slängdes ut och
anmäldes, det blev en massa jidder och dörrar bommades igen.

Han fick syn på Ecke Modig utanför affären där Hellströms
skivbutik hade legat förut. Hörde Bowies Young Americans i
huvudet när han knatade ditåt. Den plattan hade kostat trettionio
spänn när han köpte den därinne och det var sannerligen valuta

för pengarna, för även om varenda skiva han någonsin hade ägt var borta så hade han dem i huvudet, inspelade i hjärnans irrgångar och vrår, det var det formidabla med musiken, den snurrade från skivtallriken och rakt in i evigheten.

Ecke satt tillbakalutad på bänken. Han var en man som hade dragit i sig det mesta under trettio års tid. Det syntes i ryckningarna i armarna, det eviga tuggandet med käkarna. Själv hade Riddarn lagt av med sådant för länge sedan, brasset gjorde honom trött och tung, och starkare grejer skrämde honom. De få gånger han hade provat hade han nojat ur, börjat fiska strömming i en källarlucka på Kåken och fått panik för hajarna som simmade under golvet.

"Skulle kolla uppe vid Dackehallen om jag var som du", sa Ecke som egentligen aldrig varit någon polare, en opålitlig jävel. "Visste inte att du hade börjat med koks. Trodde inte det var din stil."

"Aldrig för sent att ändra sig", sa Riddarn och tackade för tipset.

"Kan väl vara värt en hundring?"

Han skakade på huvudet och stegade iväg i riktning mot Söderhöjden.

Det här var hans gamla jaktmarker. Revir som han hade känt som sina egna byxfickor, men träden hade vuxit sig höga och andra hade tagit över och härskade över parker och portar, irakier och somalier och jugoslaver, fast så sa man väl inte längre när Jugoslavien inte ens var ett land. Gränserna flyttades. Här hade han lekt skyttegravar i bergsgroparna när det fortfarande var skog där, och lämnat morsan åt sitt öde när han gick ut plugget, dragit runt och bott lite här och var tills han fick en egen lägenhet på Frihetsvägen, fixat jobbet på Kodaks lager och sedan på kådisfabriken. Han kunde se sin första lya på avstånd, på översta våningen där Ing-Marie också hade bott hos honom ett tag, och barnen, tänk ändå. En konstig tid i en mans liv som skiljde sig från alla andra tider. Och sedan hade hon stuckit, och han fortsatte väl som vanligt. De var för unga för att få till det där med familj, så hade han tänkt om den saken. Hur skulle han veta hur man höll kvar en kvinna som hon? Som vinden hade hon varit, eller vattnet när det strömmade som värst i de stora älvarna och som ingen kunde stå emot. Det visste han. Farsan hade drunknat där, i timmerflottningen uppe i Ångermanland när vattnet vred stockarna runt så att han kanade ner och klämdes emellan.

Utanför ICA Dackehallen hängde en grupp unga män och såg sysslolösa ut. Riddarn visste bättre, han kände igen dem på fladdriga blickar och händer som kramade förbjudna varor i fickorna.

"Tjena farfar", sa en av dem.

Han fumlade med tidningsklippet i fickan, vek upp det.

"Ska du ha nåt eller?" sa en annan.

Riddarn skakade på huvudet. Han pekade på rubriken, bilderna av kokainfamiljerna och deras förgreningar.

"Känner ni till de här?"

Han märkte hur några av dem närmade sig bakom hans rygg, hotet från att vara omgiven av en grupp.

"Varför frågar du?"

"Vad är det för jävla fråga?"

"Är du snut eller?"

De skrattade. Han garvade med. Såg han ut som en snut kanske, i sina dubbla rockar, med håret som blåste fram i testar framför ögonen? Han fick en knuff mot axeln.

"Jag känner igen dig, du brukar sitta nere i centrum. Jävla alkisen, alltså."

Riddarn viftade med klippet.

"Den här snubben", sa han, "dödade min dotter. Slängde ut henne genom ett fönster."

Han pekade mot ett av höghusen för att liksom ge en bild av höjderna. Hörde tystnaden från männen runt omkring och inandningen alldeles vid sitt öra när en av dem drog ett djupt bloss på sin cigarett.

"Och varför kommer du hit? Vi känner inga såna typer, vad tror du om oss gamlingen?"

Hjärtat stökade och slog i bröstet.

"Ni kanske känner nån som känner nån. Ni kanske kan fråga."

"Shit man, de där är stora." Mannen hade en sportjacka som var skinande röd med vita ränder längs ärmarna. Han ryckte klippet ur händerna på Riddarn. "1,4 ton, fatta hur mycket det är."

Nu flockades alla runt tidningssidan och var mer intresserade av artikeln om smuggelvägarna över havet än av Riddarn. Han tittade bakom dem, in i butiken som hade byggts om och fixats till, en glimt, en känsla i kroppen av att han hade kört en liten flicka i en kundvagn därinne, kört rally mellan hyllorna med konservburkar och mellanölsflaskor skramlande i kärran, och flickan hade skrikit av skratt.

Någon slängde en fimp som landade vid hans fötter.

"Det kan vara Säpo", sa Riddarn och såg ner på fimpen. "Det var inte henne de var ute efter egentligen, det var en varning."

I bakre delen av skallen undrade han om de kunde förstå det här. De var från en annan kultur eller säkerligen flera, visste de ens vad Säpo var? Kände de till Olof Palme?

Teorin hade kommit till honom under natten, när han ändå inte kunde sova. Han hade krupit till korset, bokstavligen, och lyckats få sig en sängplats på RIA-gården med hela Jesuspaketet på köpet och när han väl låg mellan lakanen och hörde någon snarka längre bort, så var det som att allting klarnade.

En anonym man, en av de grå, som spionerade och bevakade. Varför han gick bakom en kusin i kokainfamiljen när fotografen knäppte av kortet begrep inte Riddarn, men han kände igen en Säpo-agent när han såg honom. Hade stirrat honom rakt i ögonen, den där gången utanför Riddar Jakob. Borde han inte redan då ha förstått vad det gällde?

Natten igenom hade han tittat i taket och känt hur ångesten väcktes, klorna inom honom som rev och slet, och hade det inte varit för att sängen var så gudabenådat varm hade han givit sig ut på gångvägarna direkt, för att leta efter något att dricka.

Det var inte hans dotter de här männen var ute efter, det var honom. Så måste det vara. Han var hennes pappa. Det hängde ihop. De hade på något sätt fått veta att han kände till hela bedrägeriet kring statsministerns påstådda död. Han hade ju pratat om det för alla som ville höra på, till och med den lokala polisen, hur kunde han vara så dum? Om de hade lagt ner all denna möda på att dölja det faktum att Olof Palmes död var en skenaffär för att lura CIA och KGB och fan och hans moster, så skulle de inte sky några medel för att få tyst på den som gick och snackade. Men de hade inte tagit honom, de hade tagit hans dotter. Som en varning. Det var så de gjorde, de fega jävlarna.

Han hade fått bråttom upp ur sängen, hade bara spolat av sig fort i duschen som ingick och slängt i sig müsli och limpmackor som de vänliga RIA-tanterna tillhandahöll. Givit sig ut att trampa på asfalten igen, och börjat fråga sig fram.

Polisen kunde han inte gå till, det var det absolut sista. Inom ett ögonblick skulle Säpo vara informerade och komma efter honom. Han hade funderat på att försöka få tag i sin andra dotter, Helene som var så lik sin mamma, men för det första hade han ingen telefon. För det andra hade hon inte lämnat något nummer och för det fjärde kunde han inte dra in henne i det här, se hur det gick för hennes syster. Han ville gråta när han tänkte på vad flickan hade fått utstå för hans skull. Hade det varit ett slagsmål i den där lägenheten uppe vid Aspnäs? Hade hon försvarat sig?

"Och sedan kastade de ut henne", sa han och tittade upp, såg de främmande männen stå och lyssna. "Jag vet inte om det bara var den här mannen, eller om de var fler i lägenheten, de kan ha bevakat henne länge."

Rynkade pannor, skeptiska blickar.

"Vad fan, göra så mot en kvinna va", sa en av dem, "så gör man inte bara."

"Tror du Säpo bryr sig om såna som dig va? De har fullt upp med att fånga terrorister för fan."

"Olof Palme var en fucking great man", sa en tredje och kastade upp en cigg, fångade den mellan läpparna. "Han borde komma tillbaks och reda upp i skiten här och nu."

Riddarn såg ner på ringen av skinande nya jympadojor omkring sina egna kängor och kände att han blev lite harig igen. Det var inte bara Säpo, det var allt det här som omgav honom, platser som förändrades, där hans egna lagar inte gällde längre, där han inte visste hur man bäst förklarade en komplicerad sak.

Han backade och vände sig om för att gå, mumlade.

"Tack ändå."

Mannen med den röda jackan viftade med tidningssidan.

"Du farfar, jag behåller det här, okej?"

Det var hon, men ändå inte hon, som steg ur en taxi vid Maria-torget sent den kvällen för att träffa en man vars verkliga namn hon inte visste.

Hans signatur var "Kerouac".

Helene bar en midnattsblå klänning med snett skuren urringning som hade tillhört Charlie.

En svag doft av en annan människas parfym.

"Kerouac" hade gjort klart att han ville ses eller så fick det vara. Han var trött på att mejla fram och tillbaka. Det var också han som hade föreslagit platsen, en bar med inredning av kakel och stål, med mat från Louisianas träskmarker.

Hon köpte ett glas vitt vin och satte sig vid ett bord med utsikt mot dörren. Undrade hur Charlie hade känt sig när hon väntade på en av alla dessa främlingar, om det hade bultat lika dovt i henne, nerverna som låg utanpå huden så att hon kunde känna den fysiska beröringen av plaggen hon bar.

Längre in i lokalen satt en man och en kvinna mittemot varandra och åt räkor ur en ångande skål, ett annat par hängde vid bardisken. Helene såg dem plötsligt med nya ögon, verkade de inte lite uppspelta och obekväma, främlingar som ännu inte hade vidrört varandra?

Hon sökte efter anletsdragen i varje man som kom in, det ganska tjocka kortklippta håret, blicken som hade skratt och trånad i sig.

Över trettio meddelanden hade de skickat mellan varandra, den här mannen och Charlie, allt mer ingående och privata. I de sista åtta hade de börjat planera att ses och slutligen hade han skrivit ut sitt telefonnummer.

Strax innan Charlie åkte till Buenos Aires upphörde kontakten på sidan.

Telefonnumret var inte registrerat. Helene hade övervägt att ringa, men förstod inte hur hon skulle förklara sitt ärende. Det var så lätt att lägga på, men något svårare att vifta bort en kvinna i en bar dit man hade begett sig av fri vilja, om än under falska premisser.

Hon drog ner klänningen över låren, den åkte upp när hon satt. Var en aning trång runt höfterna, men annars hade de ungefär samma storlek. Det hade inte funnits något i hennes egen garderob som hon kunde tänka sig att bära.

"Billie Jean?"

Hon ryckte till och kände hans andedräkt helt nära. Mannens hår var lite tunnare än på bilden och möjligen hade han lagt ut några kilo. Ett litet leende, som om han tyckte om vad han såg.

Han sträckte fram handen.

"Peter", sa han.

I samma ögonblick insåg hon att det här var helt fel. Mannen hade aldrig träffat Charlie, han trodde verkligen att hon var Billie Jean, även om han rynkade ögonbrynen och granskade henne lite väl ingående.

"Du är dig inte så lik från bilden."

Han vinkade till sig bartendern och beställde en Brooklyn Lager.

"Det är en gammal bild", sa Helene och såg ner på sina knän, på klänningen som var för kort och för utstuderad. "Eller ... Det är inte jag på bilden."

"Menar du allvar?"

Han tog ett steg bakåt, betraktade henne uppifrån och ner. Hon tyckte sig se avsmak i hans min. Han skakade sakta på huvudet och sträckte sig efter ölflaskan.

"Lägga ut en bild på någon annan, det tar fan ta mig priset. Kvinnor som ljuger om sin ålder, som har sminkat upp sig till värsta modellerna på fotot men sedan ser ut som vem som helst när man ska försöka hitta dem i en lokal, det är väl en sak, men det här ..."

Han halsade några klunkar utan att ta ögonen från henne.

"Vad är det med er? Tror ni inte att vi märker det när vi träffar er? Eller vill ni bara jävlas?"

"Nej, det är inte så", sa Helene lågt. "Det är min syster. Det var henne du hade kontakt med."

"Och vad gör du här i så fall?" Han såg sig om. "Är det något slags skämt eller?"

"Hon är död", mumlade Helene. "Hon dog för en månad sedan."

"Död?" Mannen skrattade till. "Mycket har jag varit med om, men det måste vara första gången jag går på dejt med en död."

Helene tvingade sig att hålla kvar hans blick och han blev allvarlig.

"Är det sant?" sa han. "Hur dog hon?"

Helene sköt undan vinglaset, svalde hårt.

"Någon dödade henne."

Så hade hon sagt det, rakt ut. Något lättade i henne i det ögonblicket. Det innebar att någon annan bar skulden.

Hon sträckte sig efter vinglaset.

"Åh fan", sa mannen som alltså hette Peter. "Och du trodde det var jag då eller?"

"Nej, jag bara …" Helene tog en liten klunk och visste inte vad hon hade trott, eller vad som hade fått henne att göra det här. Ljuga hemma om en middag med jobbet, bege sig hit. Det ena ledde till det andra, hon hade startat något hon inte längre kunde backa ur.

Han snurrade lite på flaskan, såg ner på den.

"Billie Jean …", sa han och fick något drömmande i rösten. "Hon var en sådan som lekte. Lovade och gick ut hårt, men sedan när det började bli allvar så släppte hon det bara, försvann."

"Försvann?"

"Det är så det är." Hans ton blev hårdare. "Man skriver och lämnar ut sig och sedan hittar ni någon annan därute som ni tror är bättre."

"Ringde hon dig någon gång?"

"Visst. Hon ringde. Vi snackade. En timme ibland, eller två, det var som att hitta sin tvillingsjäl, sin andra hälft, eller vad det nu är de brukar säga."

Det ilade till i henne. Tvillingsjäl? Var det inte något sådant Uffe Rainer också hade sagt? Skulle det finnas så många män som liknade hennes syster? Helene tvivlade. Det var nog snarare Charlies förmåga att glida in i en annan människa och få en att känna sig sedd och förstådd, en alldeles särskild närvaro.

"Pratade hon någon gång om att resa till Buenos Aires?" frågade Helene.

"Visst, hon gick på om det varenda gång vi snackade, försökte få mig att tända på tango och jag vet inte allt, men inte fan kan jag ta ledigt mitt i terminen."

"Sa hon något mer?"

"Att hon sökte passionen." Han såg in i flaskorna som stod uppradade längs väggen bakom bardisken, ölsorter från halva jordklotet. "Att en vanlig fisljummen vardag inte var något för henne, hon ville veta hur långt passionen kan driva en, om den kan få en att överge allt. Och sedan slutade hon svara när jag ringde."

Mannen tömde resten av lagern i ett svep och vandrade med blicken över Helene ännu en gång.

"Och du då, vad söker du själv?"

"Jag är gift."

Han sneglade på hennes vänsterhand. Ringen låg i handväskan. Han suckade.

"Jag hade ändå tänkt sluta med det här."

Så ställde han ifrån sig flaskan och gick.

Helene satt ensam kvar med en förvirrande känsla av att ha blivit granskad och bortvald. Hon betalade för dem båda och tog sin kappa, gick ut med något lättare steg. Ingen hade känt igen henne, ingen visste vem hon var eller varför hon gick längs Hornsgatan i ökande blåst den här kvällen. Och mannen som kallade sig Kerouac hade faktiskt sett gillande ut, medan han ännu trodde att det handlade om kärlek.

Billie Jean hade tretton nya meddelanden.

"Visst snacka du, men om vi ska ses igen är det på mina villkor."

Det var mannen bakom signaturen Hela Härligheten som nu hade svarat den han trodde var Billie Jean.

"Jag gillar inte att bli lurad, men fine, om du vill leka den leken så leker vi."

Så skrev man väl inte till en kvinna man hade kastat ut från en balkong, eller gjorde man?

Helene läste hela brevet en gång till.

Jag gillar inte att bli lurad kunde tolkas som att det var Charlie som hade lurat honom, eller att han visste att han blev lurad nu. Ville han invagga henne i säkerhet, få henne att gå till det där mötet, *på mina villkor*?

Helene drog till med något hon trodde att han ville höra.

"Visst, du bestämmer …"

De skulle ändå aldrig ses. Hon skulle försöka lista ut vad de här männen verkligen hette men aldrig någonsin mer träffa någon av dem i verkliga livet igen.

Tangokillen hade ännu inte svarat.

Hon lyfte blicken över skärmen och såg sig om i lokalen. Den ende av kollegorna som inte var ute på lunch var den inställsamme Sverker som satt i andra änden av lokalen. Eftersom han var senast anställd hade han sin plats längst bort i hörnet där ljusinsläppet var något sämre och varifrån han omöjligen

kunde se att hennes skärmbild visade något helt annat än toalett-
uppställningarna i en hyresfastighet i Skövde.

Uppdraget hade legat på hennes bord när hon kom på mor-
gonen. Budskapet var tydligt.

Det var dags att engagera sig mer i byråns projekt och sluta
skylla på privata angelägenheter.

Det hettade i kinderna när hon öppnade nästa brev.

Kerouac: "Tack för senast. Hör av dig om du vill ses igen ;)"

Helene klickade snabbt bort det. Man svarade, eller svarade
inte. Hon började lära sig. I den här världen gällde inga regler
om artighet och förpliktelser, det behövdes inga ursäkter, inget
avsked när man gick. Hon tyckte sig se falska avsikter bakom
varje leende, något obehagligt i deras blickar. Ändå loggade hon
in så fort hon fick tillfälle. Hon läste vidare. Det var som ett gift.
De flesta var nya försök till kontakt, tafatta, anspelande. *Vi verkar
vilja samma sak du och jag …*

Ett nytt meddelande dök upp i raden, ett svar från en av dem
hon hade skrivit till.

Mannen kallade sig 27-åringen. Han hade ingen bild av sig
själv, bara en tom silhuett i rutan där ansiktet borde vara.

Brevet bestod av en enda rad.

"Billie Jean kan inte snacka längre för hon är död. Så vem
är du?"

Ett ljud bakom henne. En het flod som sköljde genom krop-
pen. Snabbt ändrade hon skärmbilden så att ritningen över
hyresfastigheten i Skövde var det enda som syntes. När hon
vände sig om och såg sin chef stå där var hon inte säker på om
hon hade varit snabb nog. Kanske fanns det något roat i hans
ansikte.

"Hur går det?" sa Peo Ahlsén.

"Bra, spännande", sa Helene och nickade mot linjerna på
skärmen.

Toalettuppställningar var något man ritade första halvåret efter arkitekthögskolan, praktikanter kunde få skissa på sådant.

"Fint", sa han, "för det skulle ha varit klart igår."

Helene satt kvar när de andra hade gått den kvällen. Vid det laget stod varenda toastol på rätt plats i sjuvåningshuset och de kompletta ritningarna låg på Peos bord.

Lysrören var släckta och dagsljuset svalnade mot blått.

Hon loggade in på Karleksliv.se och öppnade brevet från 27-åringen igen. Blev torr i munnen när hon skrev:

"Hur vet du att Billie Jean är död?"

Sedan blev hon tvungen att gå och göra sig en kopp te innan hon klarade av att fortsätta. Hon hörde människor som drog förbi på gatan utanför, sorl och klirranden från restaurangerna omkring, det där ruset som sommaren alltid förde med sig när den äntligen kom. Innanför väggarna fanns bara det eviga surret från elektronik som aldrig slogs av och ibland när hon satt ensam på kvällen som nu kunde hon höra knäppningar i taket som hade bevarats från en avlägsen industriepok.

Hon gick in på Tangokillens sida. Betraktade mannen med de vänliga ögonen som hade avslöjat att han hette Mats.

Tre brev hade hon skrivit till honom. Av loggen kunde hon utläsa att han inte ens hade öppnat dem. Mats ville uppenbarligen inte ha något med Charlie att göra.

Hon skummade återigen hans presentation av sig själv. "Egentligen är jag väl en blyg kille."

Det fanns en funktion på sajten som blockerade oönskade kontakter. Om Mats hade blockerat Billie Jean så visste han inte ens att hon hade skrivit, då spelade det ingen roll om hon så kröp på sina bara knän och bedyrade sin kärlek, tiggde om att han skulle höra av sig.

Det fanns naturligtvis en annan möjlighet, hon visste det, men ändå fortsatte hon att klicka sig djupare in i sajtens funktioner och system för att nå den här mannen. Om han var den som Charlie hade rest med till Argentina visste han sådant som ingen annan visste. Det var också fullt möjligt att han hade byggt upp sina drömmar och sin passion till ett sådant vansinne att han var beredd att döda, det var hon inte dummare än att hon begrep och därför var det nästa hon gjorde att ladda ner hans foto. Hon skapade ett mejl, bifogade bilden och adresserade det till Monkan.

"Kan du be din dotter titta på det här och säga om det var honom som hon såg på Riddar Jakob?"

Sedan började hon skapa en egen profil på Karleksliv.se.

Ett nytt användarnamn och ett lösenord som var tillräckligt krångligt för att ingen någonsin skulle lista ut det.

Nära sanningen, tänkte hon, ärlighet.

Mats ville ha en ärlig kvinna, det visste hon. Hon kunde hans önskemål utantill nu. Någon han kunde lita på efter att ha blivit bränd.

Ville han ens dansa tango längre?

Namnet dök upp från ingenstans, en uppsats hon skrev i skolan en gång om en flicka som sprang barfota över klipporna.

Katja.

Hon hittade orden som beskrev hennes längtan, eller om det var Katjas längtan, efter närhet och ömhet och en man att dela glädjen i livet med. Hon skrev om sitt musikintresse och lade till något om passion också.

När hon övervägde att sudda ut just det ordet, för att det kändes för storvulet, slog det henne att det här hade återkommit gång på gång. Flera män som Charlie hade intresserat sig för hade talat om passion. Passionen som fick en att överge allt, som *fick dig att glömma allt, att kasta dig ut över branterna, som fick dig att dö och vilja dö igen*. Det fanns i Charlies texter som hon hade läst i lägenheten, i något hon hade sagt till Kerouac och medan

Helene fullföljde sin profil framträdde det tydligt för henne som när en bild i alltför hög upplösning stegvis tar form på skärmen. Charlie sökte kanske inte bara kärleken i sin mest överdrivna skepnad, för hade inte passionen förr likställts med galenskap och rentav sinnessjukdom? Hon hade sökt efter svaren på varför. Att en gång känna en passion så brinnande vansinnigt het *som brännhet lava över hennes kropp* att den kan få en människa att överge allt. Till och med sina egna barn.

Att slutligen, kanske, förstå.

Frågan var vad hon hade gjort i Buenos Aires. Susana Jacobsson hade lovat att försöka få tag i sin exman, men Helene hade inte hört något mer ifrån henne.

Hon plockade upp sin egen dator och letade fram ett foto från förra sommaren vid badplatsen på Väddö. Ett där hon log och såg helt obekymrad ut. Hon skar bort allt utom ansiktet, flyttade över bilden och gömde den i en zon där bara speciellt utvalda kunde se den.

Den förste, och ende, som skulle få en invit var Tangokillen.

"Jag tycker om vad jag ser", skrev den anonyma kvinnan som kallade sig Katja och kände ett rus av något olovligt och skrämmande som fortplantade sig i kroppen och gjorde henne het och skamsen, fick henne att sekunden efter att brevet gått iväg logga ut och stänga av datorn.

"Om du vill så kan vi ses", skulle hon skriva nästa gång. Inte allt genast, för då skulle han kanske tro att hon var desperat och bli avskräckt, men frågan hade hon redan formulerat inför kommande brev. "Är det inte bättre att se varandra i ögonen, i verkliga livet?"

"Aurek Krawczyk här, polisen i Norrort."

Helene svarade mitt i steget, på väg att kliva på bussen från jobbet.

"Ja?"

Hon backade ner från trappsteget och lät den åka iväg utan henne. Nu säger han att de gjorde ett misstag, hann hon tänka, att de har tagit den som gjorde det.

"Jag har en fråga bara. Säger dig namnet Anette Häger någonting?"

Helene fick obehagliga aningar. Det var lättheten i hans röst. Han bad henne inte sitta ner, eller något sådant. Namnet på kvinnan rusade genom hennes hjärna men fann inte fäste någonstans.

"Nej ... Hur så? Har ni inte lagt ner utredningen?"

"Det gäller en annan utredning, avseende ett rån. Jag tror jag sa något om det när vi talades vid."

Rån, tänkte hon, det var något med medicinerna som fanns hos Charlie. Helene gick undan så folk inte skulle tro att hon stod i busskön.

"Menar du det där rånet mot apoteket?"

"Igår kväll tog lokalpolisen tre killar som försökte bryta sig in i en kiosk i Jakobsberg. Jag har rapporten framför mig. Vid husrannsakan hittade man lite väl många rakhyvlar och huvudvärkstabletter från samma apotek."

"Och den där Anette ...?"

"Häger. Vet du om din syster kände henne?"

"Jag tycker jag känner igen namnet. Är hon från Jakobsberg?"

"Hon är delägare i apoteket och var där när rånet begicks. Skulle just stänga när de tvingade henne att släppa in dem."

"Jag tror hon gick i Kvarnskolan samtidigt med oss, men jag förstår inte vad …"

Helene drog sig längre in i busskuren. Det var sju minuter till nästa buss. Hon försökte febrilt komma på vad hon skulle säga om Charlies kontakter med de där männen, nu när hon hade polisen på tråden, att flera personer hade sett henne med någon den natten, att han kanske kunde hittas bakom någon signatur på nätet.

"Jag har själv närvarat vid förhören nu på morgonen", fortsatte Krawczyk. Han sänkte rösten men höll telefonen närmare så att det ändå hördes lika bra vad han sa. Som om han gick undan för att säga det här bara till henne. "De här killarna har helt olika versioner när man pressar dem, en vill bara hem till mamma och säger att han aldrig har rånat någon. De blev insläppta, säger han och då räknas det inte som grovt rån, om det inte finns något våld eller hot om våld med i bilden, de kan lagen de här killarna. När jag går tillbaka till rapporten så finns det en del annat som stör. Apoteket var på väg att gå i konkurs och stod med ett lager de inte kunde sälja. Och så hamnar flunisarna hos din syster, hur då, undrar jag. De här killarna har inga sådana kontakter. Camilla var inte känd i de kretsarna. Jo, jag vet det, jag har frågat runt en del för vet du, Helene Bergman, jag gillar inte att en kvinna som har en historia av att försöka ta livet av sig får sådana här grejer i sin hand. Jag tycker inte om det helt enkelt."

"Okej", sa Helene för hon visste inte vad hon skulle svara på allt det där. Hon noterade att han hade kallat Charlie vid förnamn och blev lite varm av omtanken.

Hon drog efter andan.

"Det är en annan sak jag vill prata med dig om", sa hon. "Jag vet nu att min syster var ute med en man den kvällen. Eller, det var egentligen två …"

"Som sagt så är den utredningen nedlagd, men om det kan glädja dig så tror jag att vi i alla fall kan få ett avslut på det här. Så det ringer ingen klocka?"

"Nej tyvärr, jag är ledsen", sa Helene. Hon letade efter ett sätt att förklara vad hon menade, men allt som hade verkat så klart och obestridligt kändes plötsligt så vagt. Någon som hade sett någon, signalement som stämde in på tusentals män, känslan av att något inte stämde. Hon visste tillräckligt mycket om juridik för att inse att det krävdes mer än så för att öppna en utredning som en gång hade stängts.

Bussen gled in och stannade, ett pysande ljud när den sänktes för att folk skulle stiga på.

Hon målade svartare kring ögonen. Tog på sig kappan och lämnade hotellrummet som hon hade hyrt för en natt.

Officiellt var hon på en kurs utanför stan och skulle sova över.

Inofficiellt gick Katja, som hon kallade sig, ut genom hotellentrén för att vända ute på gatan och gå in genom sidodörren till hotellets bar.

Hon såg Uffe Rainer sitta vid bardisken med ett glas öl. Han såg malplacerad ut, en jeanskille med oklippt hår i ett hav av mäklare och finanskillar och IT-folk, hon kunde nästan förnimma lukten av fågelskit och det fick henne att känna sig trygg.

En säkerhetsåtgärd, trots allt.

Helene hade kommit att tänka på hans långa gestalt, det oroliga i hans rörelser och något varmt som han utstrålade, något reservationslöst. Av någon anledning tvivlade hon inte på att han skulle träda emellan om det behövdes.

Och Jocke kunde hon ju knappast fråga. Han var den siste hon kunde dela det här med. Hon hade alltid hållit sin bakgrund åtskild från sitt äktenskap. Inget som var solkigt och skamligt fick föras vidare till hennes barn, de var en nyplantering, en vårsådd och det här angick inte dem, men det sista Charlie hade gjort var att dra in Helene och därför måste hon fortsätta.

Inte bara därför, tänkte hon, och svepte med blicken runt lokalen. Hon måste få veta.

Tangokillen satt vid ett bord för två.

Han fick syn på Helene när hon styrde mot bordet. Fumlade

bort mobilen och strök sig över håret. Hon såg att han torkade handen mot byxbenet innan han reste sig för att hälsa.

"Mats", sa han.

"Katja", sa hon.

Han skrattade nervöst, men hans handslag var fast och blicken lysande blå.

"Vill du äta?"

"Nej tack, bara ett glas vitt."

Helene slängde en sista blick bakåt för att försäkra sig om att Uffe Rainer såg var hon satte sig.

Bordet var för litet, det var svårt att placera benen så att de inte krockade med mannens. Kyparen var snabbt där och rabblade vinlistan.

"Husets blir bra", sa Helene.

Mats beställde ett glas rött med långt franskt namn, hon brydde sig verkligen inte om viner längre.

Nu eller senare, tänkte hon, och bestämde sig för att vänta tills de åtminstone hade fått i sig någon klunk.

"Får man fråga vad du heter egentligen?" sa han.

"Katja", sa hon och ryckte på axlarna. "Duger inte det?"

"Visst, det duger fint." Han log och Helene blev medveten om hans hand på bordet som tycktes krypa närmare hennes. "Jag är glad att du ville träffas så snart. Det handlar ju ändå om det, om vad som händer när man ser varandra i ögonen."

Vinglasen landade mellan dem. Hon tog två djupa klunkar. Terese hade inte kunnat identifiera mannen från fotot, men var heller inte säker. Kunde vara han, eller inte. Ja, ja, hon var full, och?

Mats pratade på om köket som tydligen skulle vara bra, om vädret. Helene ansträngde sig för att nå ett stadium av likgiltighet bortom rädsla och nervositet. Ett svalt leende, det var allt.

"Det spelar förresten ingen roll vad jag heter", sa hon, "för vi ska inte träffas igen."

Han log inte längre.

"Du var då snabb på att döma", sa han.

"Det är inget fel på dig. Du är säkert en jättebra man, du ser bra ut, jag är övertygad om att du är trevlig. Det handlar inte om det."

Två klunkar till, glaset var nästan tomt.

"För en tid sedan dejtade du en kvinna som heter Camilla, hon kallade sig förmodligen för Charlie, men på nätet var hon Billie Jean."

Mats backade i stolen.

"Vad är det här? Vad vill du egentligen?"

"Vet du vad som hände med henne?"

Han såg åt sidorna, pressad, nervös, färgen som steg i hans ansikte och fick honom att se lite yngre ut, förvåningen som sakta blev till aggression.

"Nej, hur fan ska jag kunna veta det? Jag bryr mig inte heller. Det var hon som dumpade mig, så om du ska komma och anklaga mig för något ... Vad har hon sagt om mig egentligen?"

"Ingenting. Hon har inte sagt något."

Helene fokuserade på att tala lugnt, lika neutralt som i en förhandling med en underkonsult om byggmaterial och priser.

"Det är ingen som anklagar dig. Jag kände henne väl, kanske bättre än någon annan och jag vet hur hon kunde vara. Hon använde människor för att få det hon ville. Jag är säker på att hon fick dig att känna det som om du betydde allt och nästa dag kunde hon kasta bort dig och du var inte vatten värd, för hur mycket du än gjorde för henne så svek du henne till slut, alla svek, för ingen kunde rädda henne från sig själv. Det finns ord för det, en narcissistisk personlighetstyp om man så vill, vi skulle kunna prata om andra diagnoser ... Kanske var hon bara en människa som inte kunde bli vuxen. Hade hon varit född till pojke hade man kunnat kalla henne för Peter Pan, men jag vet inte om man kan säga det om en kvinna."

Helene drog efter andan, ville få honom att känna att hon stod på hans sida.

"Och vad har allt det här med mig att göra?" Mats rynkade pannan, trummade med fingrarna mot vinglasets fot. "Hur hittade du mig? Varför påstod du att det här var en dejt? Jag hade en tjej på gång, vi har mejlat i två veckor men jag släppte henne för att träffa dig. Du verkade så enormt angelägen, vilken blåsning."

Han var på väg att resa sig. Helene slängde en blick bakåt och såg att Uffe Rainer hade dragit sig närmare, men han var för långt bort för att höra vad de sa.

"Sätt dig, snälla", sa hon. "Jag bjuder på ett glas till."

Mats spanade efter kyparen och rättade till sin kavaj.

"Jag förstår inte varför jag ska behöva lyssna på det här, om hur hon var, som om jag bryr mig." Han sträckte sig efter rocken som låg över en stol och fastnade halvvägs i rörelsen, rynkade pannan. "Du pratar ju om henne som om hon vore död."

"Hon är död."

"Du driver med mig."

"Sätt dig."

Han sjönk ner på kanten av stolen.

Antingen var han en mycket god skådespelare eller så var han uppriktigt chockad. Satt tungt tillbakalutad medan hon berättade i grova drag om Charlies död utan att nämna misstankar om mord, det skulle bara komplicera. Mats stirrade i taket och sedan ner på sina egna händer. Fingrarna var lite knubbiga. Hon undrade i vilken grad de hade rört vid Charlie. Var gick gränsen för hennes strategier?

Helene beställde två glas vin till av samma sort.

"Du heter inte Katja, va?" sa han till slut.

"Jag är hennes syster."

"Och vad vill du mig?" Rösten hade blivit hesare.

"Reste ni till Buenos Aires tillsammans?"

Mats tittade på henne. Ögonen följde långsamt linjerna i hennes ansikte som om han såg bilden av Katja lösas upp och den verkliga personen framträda.

Han suckade.

"Vi skulle dansa tango. Det är något jag har drömt om i många år, att dansa tango i Argentina. Det är inte den där striden mellan kvinna och man som här …", han gjorde en gest över lokalen, "hon måste följa dit jag för henne och glömma vem hon är, jag har gått på så många kurser vet du."

"Jag visste inte att Charlie kunde dansa tango."

"Hon påstod det, ja." Han torkade sig över munnen med baksidan av handen, en grimas som var han äcklad av vinet eller av sig själv. "Men inte fan vet jag. Vi kom inte ens i närheten av en *milonga*."

Hans bitterhet låg och malde som en dov underton i allt som Helene företog sig de följande dagarna, medan hon ordnade med det praktiska.

Hon tillbringade mer tid med barnen än hon hade gjort på länge. Följde Ariel till och från dansen. Stannade kvar på Maltes träning och hejade så fort han fick bollen som hon hade gjort när han var liten och hon ännu fick krama honom efteråt, när hans kropp hade varit så späd att den försvann i hennes famn och inte robust och gänglig som nu, på väg att växa bort ifrån henne. Hon kröp ner med dem i sängen på kvällen och läste högt men till och med då, mellan raderna, befann hon sig i en stad hon inte riktigt hade några tydliga bilder av, försökte följa Charlies irrvägar när hon gång på gång försvann ur sikte.

Mats hade hävt ur sig hela sin besvikelse till slut. Allt detta som han hade hållit inom sig fast det inte var han som skulle skämmas.

Hade han kanske gjort något fel? Hade han gjort annat än att för en gångs skull bestämma sig för att tro på kärleken och göra något verkligt galet i sitt liv? Ge sig av till andra sidan jordklotet med en kvinna han bara hade träffat två gånger och inte ens hade kysst, men de hade ju skrivit så mycket till varandra innan, om känslor och allt. Man lärde känna varandra på ett annat sätt då, bortom allt det där med utseende och yta.

Han hade kramat om Helene när de skiljdes åt den där kvällen, på gatan utanför hotellrestaurangen. Hade hållit henne lite för länge, och hans kropp blev tung mot hennes axel. Han uppskattade att få lätta sitt hjärta, sa han. Hon ångrade att hon hade gett honom sitt telefonnummer. Den fysiska känslan av honom låg kvar som ett klibbigt lager.

Det hade varit högsommar när de landade i Buenos Aires den där dagen i mars, med temperaturer som närmade sig fyrtio grader, och allt han hade kunnat tänka på när de satt i taxin från Ezeiza-flygplatsen var att det höll på att bildas svettringar under armarna och att Charlie var vackrare än någon kvinna han hade varit nära. Samtidigt fanns det där tvivlet redan då. Hon hade velat titta på film hela resan, lutat sig ifrån honom när hon sov trots att det satt en främmande man på hennes andra sida. Mats hade flera guideböcker och listor som han hade skrivit ut från nätet med rekommenderade tangoshower och *milongas* där man kunde dansa till levande musik.

"Vi kan väl bara ta det som det kommer", sa hon och han hade väl tänkt att det här var tillfället i hans liv när han borde lära sig att slappna av lite mer.

Redan den första dagen hade hon börjat försvinna.

Det fanns ord för sådana som hon. På världens alla språk. Namn som han inte ville uttala nu när hon var död. Inte inför hennes syster.

De hade checkat in på hotellet, och visst hade hon väl jublat en del över den lyx han erbjöd henne. Ett dyrt designhotell i Retiro, som var en av de mer fashionabla stadsdelarna men samtidigt nära till centrum. Svarta textilier, dolda kranar. Låga soffor i vestibulen. Hon sa att hon bara skulle gå ett snabbt ärende.

Och timmarna gick.

Klockan var närmare tio den där första kvällen när Charlie slutligen dök upp igen. Mats var nästan förbi av oro vid det laget. Buenos Aires var en farlig stad. Han hade pratat med receptionen om att ringa polisen, men bestämt sig för att avvakta en stund, och ambassaden hade stängt.

Och så var det så simpelt.

Den där första kvällen ville hon ut och äta middag, klockan tio på kvällen. "Det är så här dags folk äter i den här stan, var inte så tråkig och svensk."

Och han hade väl trots allt känt sig lite glad över att hon var tillbaka. Att hon levde. Hon sa att hon skulle berätta allt för honom en annan dag, att det hade med hennes familj att göra, att hon helt enkelt hade varit tvungen att börja den här resan på egen hand.

De åt en fantastisk biff den kvällen, och sedan ville hon fortsätta ut på barer och han hade fått hejda henne. De hade ju tidsskillnad i kroppen, och trötthet efter resan, och de hade ju över en vecka på sig.

På rummet somnade hon. Han hade fortfarande inte kysst henne.

Det finns något olyckligt i den här kvinnan, hade han tänkt när han såg henne sova, hopkurad som ett litet barn. Han hade känt att han ville läka det. Att hon behövde hans kärlek.

På något sätt kände han sig ändå lite lycklig den där första natten innan han somnade, försiktigt för att inte komma för nära henne så hon vaknade, hans känslor var så ömsinta då.

Nästa morgon hade han gjort upp planer för dagen, allt vad

de skulle se. De tog en taxi till Recoletakyrkogården med sina skulpturer och stenpalats till mausoleer där en gravplats kostade mer per kvadratmeter än en lägenhet på Manhattan och de hade hittat Evita Peróns grav till slut, Charlie hade gömt sig i de där irrgångarna och lurat honom på skoj och blivit fascinerad av den märkvärdiga historien med Evitas lik som stals och var försvunnet i sexton år innan det återfanns, det kändes som att de började lära känna varandra. De hade ätit en svindyr lunch på ett av utekaféerna i närheten och fast Charlie var upptagen med sin mobil just då, det var fri uppkoppling på det där kaféet, så hade de ändå sett ut som ett par på semester och han var stolt, det skulle erkännas, för hon var förbannat snygg och sexig i shorts och bara ett linne. Sedan tog de en taxi till Casa Rosada och tittade på balkongen där Evita stod och sjöng *Don't cry for me Argentina* … i filmen alltså, när hon spelades av Madonna. I verkligheten höll hon väl snarare ett tal.

Helene såg det blänka till av något som kanske var tårar i hans ögon innan han tog av sig glasögonen och torkade bort det.

Där hade varit fullt med folk som demonstrerade utanför presidentpalatset, han visste inte mot vad och brydde sig inte heller. Charlie hade lagt en hand på hans arm och sagt att hon behövde gå en stund för sig själv, det var väl okej? Hon var sådan, hade hon förklarat, behövde en sfär av luft omkring sig, en känsla av frihet. Man behövde ju inte hänga ihop varenda sekund bara för att man reste tillsammans.

Mats ville inte vara en sådan man som kontrollerade sin kvinna.

Det är klart att det var okej.

Charlie kom inte tillbaka till hotellet förrän vid midnatt. Mobilen hade hon stängt av för att folk inte skulle ringa från Sverige, det blev ju så fruktansvärt dyrt.

Samma sak nästa dag. Hon bara försvann, och det räckte inte

med det. Han misstänkte att hon tog pengar ur hans plånbok. Vid ett par tillfällen bad hon om dollar för att växla, och sedan gav hon honom pesos enligt den officiella kursen, drygt sju för en dollar. Som om han inte visste att man fick minst elva pesos för varje dollar när man växlade svart på hotellet. Hon roade sig för hans mellanskillnad.

Nu började han förstå alltihop, det föll på plats. Charlie hade utnyttjat honom för att få en biljett, men hon träffade en annan. En argentinare säkert, kanske någon hon fått kontakt med på nätet men som inte hade ekonomiska resurser att själv bjuda över henne.

Eller om det var flera män. När dagarna gick började han tänka i de banorna, att det var sådan hon var, en kvinna utan vett och gränser, helt utan moral, kanske psykiskt sjuk. Sexmissbrukare. Och okej, han sa det till henne, han sa det där ordet till slut, och om Gud fanns fick han gärna straffa honom för att han talade illa om en död, men var det inte sanningen som du frågade efter?

Helene nickade.

"Hora." Han höll näven hårt knuten kring vinglasets fot och sa det en gång till som om han njöt av att äntligen uttala orden. "Det var så hon betedde sig, som ett litet luder. Jag hade åkt till andra sidan jordklotet med ett fnask som knullade runt med *porteños*, det är så de kallar sig själva, och det räckte inte med det."

"Vet du vem hon träffade? Sa hon det?"

Han skrattade till, eller snarare fnös så att det stänkte lite saliv på bordet.

"Sa? Hon sa inte ett ord. Nej du, hon ljög din kära syster, jag har aldrig hört en kvinna dra sådana valser som hon."

Om det var den tredje eller fjärde dagen, när han fick nog.

Charlie måste verkligen ha trott att han var en idiot. En förälskad dåre som skulle låta sig blidkas av tårar när han ställde henne mot väggen.

Det var nästan det värsta.

Han spärrade dörren till hotellrummet så hon inte kunde komma ut och sa exakt vad han tyckte om sådana som hon. Kanske skrek han åt henne. Hon förtjänade det. Han krävde att få veta vad hon gjorde om dagarna. Hade han inte rätt till det kanske, som hade betalat resan? Vart gick hon med den andre? Vad gjorde de? Vem var den jävla latinon som hon knullade runt med?

Han tänkte inte låta henne slippa ut därifrån förrän hon sa som det var.

Mats tittade på Helene i det ögonblicket och såg nästan förvånad ut. Kanske tog hans ord en sväng runt bordet innan han insåg vad han just hade sagt.

"Jag hade rätt att få veta", mumlade han. "Jag är inte sådan. Jag slog henne inte. Jag har aldrig slagit en kvinna, det måste du tro på. Jag gjorde henne inte illa på något sätt."

"Det är lugnt", sa Helene. Det började bli ansträngande att vara så neutral och förstående. "Jag vet hur hon kunde vara."

"Jag fattar inte hur jag kunde vara så dum. Man läser ju om folk som blir lurade på nätet, men tror inte att det ska drabba en själv."

"Vad sa hon? Då, när du ställde henne mot väggen."

Mats skrattade till.

"Det var så jävla dumt." Han var på väg att bli full. Anletsdragen lite slappare, talet långsammare.

Charlie hade börjat gråta. Hon sjönk ihop på sängen och tårarna bara rann. Var det något han hade svårt för så var det kvinnor som grät, det var deras maktvapen.

Och så drog hon en vals om sin mamma.

Sin mamma.

Mats skrattade och skakade på huvudet.

Ta den där om Rödluvan också, hade han sagt. Det var verkligen sjukt. Vilken historia, va? Att hennes mamma skulle ha försvunnit där i Buenos Aires för trettiofem år sedan och hon hade känt sig övergiven hela sitt liv, men nu hade hon fått veta vad som hade hänt henne. Det var därför hon måste ut och ränna på stan.

"Kan du förstå? Hon letade efter sin morsa! Där ligger till och med min exfru i lä när det gäller lögner!"

"Sa hon vad som hade hänt med mamman? Berättade hon det för dig?"

"Nej, och jag ville inte lyssna heller. Sa väl åt henne att hålla käften helt enkelt."

Helene lutade sig fram. De hade höjt volymen på stället där de satt, så allt hon sa tycktes drunkna i musik.

"Sa hon ingenting mer?"

"Inte fan tänkte jag stå där och lyssna på hennes fantasier. Jag gick."

"Du gick."

"Ja, ut."

Charlie hade nästan inte alls synts till de sista dagarna i Buenos Aires. Hon kom bara till hotellet för att hämta kläder ibland och oftast när Mats inte var där. Han hade märkt det på att saker låg slängda, en kvardröjande imma på spegeln i badrummet.

De där dagarna hade han vandrat i sin ensamhet, längs gator vars namn det inte fanns några skäl att minnas. Hade lärt sig beställa en *chopp* på kaféerna, fatöl redan till lunch, och sökt upp turistattraktioner för att fotografera och lägga ut på Facebook, lyssnat till evighetslånga guidningar på spanska som han inte helt förstod men det fick timmarna att gå, och när kvällarna kom och hon fortfarande inte dök upp hade han tagit en taxi till någon restaurang det stod om i guideboken. Promenera tordes han inte sedan mörkret hade fallit. Ingen på resebyrån hade upplyst honom om att det fina hotellet låg bara några kvarter från slummen kring järnvägsstationen. Och varje kväll när den där biffen lade sig som en sten i magen, dessa väldiga biffar från Pampas, övervägde han om han trots sin medfödda blyghet skulle uppsöka en *milonga* på egen hand.

Det fanns kanske andra kvinnor som ville dansa.

Till slut slank han in en eftermiddag på ett danshak som han hade på sin lista.

Där satt de mycket gamla människorna, kanske för att det var eftermiddag, det var änkornas och änkemännens tid. Ett enda par kunde han se, annars satt de ensamma vid borden och han såg i det ögonblicket vad som väntade honom, ett ensamt åldrande utan hopp eller återvändo, ett livstids fängelse i sin egen skröplighet. När musiken började spela möttes blickar tvärs över lokalen, det räckte med en nick för att en gammal kvinna skulle resa sig och långsamt vandra eller rentav stappla upp och möta sin kavaljer på dansgolvet. Han såg dem sväva, böjda och grånade ut över golvet och i samma stund blev deras ryggar raka som förr, de förvandlades framför ögonen på honom, fötterna blev lätta och kvinnornas höfter svängde, inom dem fanns inte längre några åldrar.

Mats hade gått därifrån. Han var bara fyrtiofem år gammal och han visste att han aldrig skulle kunna dansa som de.

När han kom till hotellet såg han Charlie kliva in i en taxi. Det var ett ögonblicks beslut. Han vinkade till sig en annan bil, de gulsvarta passerade alltid i strid ström överallt, det fanns ingenstans en sådan mängd taxibilar som i Buenos Aires. Han sa det han aldrig i livet hade trott att han skulle säga.

"*Can you please follow that car!*"

Taxichauffören tog sig an uppdraget med största allvar. Han visade sig vara en stor fan av svenska kriminalromaner, särskilt Wallander som just hade sänts på tv och som han pratade om på alldeles för snabb spanska medan han körde.

I röran av bokbord och tidningsstånd på Avenida Corrientes

stannade taxin och Charlie klev ur. Mats befann sig bara tio meter ifrån henne just då, men risken att hon skulle få syn på honom i baksätet var obefintlig, trafiken väsnades och det var fullt av folk på trottoaren. Ändå förstod han direkt när en man närmade sig henne. Det var honom hon skulle möta, hans sätt att lägga en hand på hennes axel, hur hon snurrade runt. Mats väntade på att få se en kyss, men det blev bara en sådan där på ena kinden. Sedan lade mannen armen om henne och drog henne med runt hörnet. Taxichauffören väntade inte på vidare order, han lät sin bil sakta rulla efter. De fick se Charlie stiga in i baksätet på en bil och följde efter den norrut där husen blev präligare och gatorna lummiga. Taxametern tickade upp till över hundra pesos. Mats följde med på turistkartan han höll i händerna för att veta var i denna väldiga stad de befann sig.

Så tvärbromsade taxichauffören. En allé av mäktiga träd bildade ett grönt valv över dem och stängde ute solen. Bilen hade stannat framför en stor villa, ett stenhus bakom en hög mur. En grind gled upp och de körde sakta in. Grinden stängdes bakom dem.

Taxichauffören kliade sig i håret.

"*Y ahora*, Wallander? Vad gör vi nu?"

Mats visste inte varför han fattade beslutet. Kanske ville han inte vara iakttagen av någon, eller tvingas förklara allt i helt fel ordföljd. Han betalade, rikligt med dricks, och tackade.

"Bye bye Wallander", sa chauffören.

När taxin var borta gick han fram till grinden. Den var av kompakt järn och gick inte att se in igenom. Högst upp fanns vassa piggar, spretande uppåt som vridna spikar i massivt stål. En liten porttelefon utan namn. Där grinden övergick i en stenmur fanns en smal springa. Mats kikade in. Såg en fasad av sten, några trädgårdsmöbler. Murgröna klängde längs väggen och gav ett intryck av trolldom och glömska.

Han gick över till andra sidan gatan. Därifrån kunde han se de översta fönstren. Det var ännu dagsljus ute. Han såg inte om det lyste därinne, ingen som rörde sig i fönstren. Stod där en stund och plågade sig själv med att tänka på vad Charlie gjorde därinne. Tog en vända till fram till grinden och prövade tanken att ringa på. Vad skulle han säga?

Det fanns ingenting han ville.

Han fortsatte gatan fram och mindes tydligt att han kom till en korsning där det låg en glassbar. Sedan förnam han snabba steg bakom sig. Ett slag mot huvudet, en smärta i ryggen. Ett ansikte som böjdes över honom, en man helt klart, och något som lät som ett hot eller värre än så. Han förstod inte längre det lilla av spanska han nyss hade kunnat. Hans huvud dunkades mot asfalten och sedan tog minnet slut.

Han hade vaknat upp i en sjuksäng, i en förfärligt nedsliten sjukhussal.

En läkare talade engelska. Han fick låna en telefon eftersom hans egen var borta och ringa till svenska ambassaden. De skickade dit en ung kvinna som tolkade och hjälpte till med att förstå.

Det de berättade var att han hade hittats nedslagen och rånad på en bakgata i Barrio Norte, i norra delen av Buenos Aires centrum. Just det här var ett allmänt sjukhus och eftersom sjukvård var gratis för alla, oavsett nationalitet, så blev den detaljen inget problem. Ambassaden ordnade med tillfälligt pass eftersom hans var stulet, och hjälpte honom att komma åt sina pengar. Han skulle aldrig förstå vad som hade hänt från det att han slogs ner på en gata i Belgrano till dess att man hittade honom i en stadsdel längre söderut.

Den sista natten på hotellet kom Charlie in i rummet.

Av hennes välmejkade skönhet var det inte mycket kvar. Hon var svart under ögonen, håret låg platt och spretigt. Samma kläder som för två dagar sedan. Hon tycktes inte se hans blåmärken eller det svullna i ansiktet.

Bara satt där på kanten av sängen.

Mats förmådde inte säga något om det han varit med om. Så patetiskt, att följa efter henne i en taxi. Den glädjen ville han inte ge henne. Något i honom önskade att även hon hade fått sig en omgång av de där vettvillingarna, vilka de nu var. Han undrade om hon ändå visste.

Hon hade trevat efter hans hand utan att titta på honom och bett att få låna pengar. Det var absolut nödvändigt. Hon lovade att han skulle få tillbaka dem. Tiotusen måste hon ha och helst i dollar.

"Far åt helvete", sa Mats.

Charlie visade sig inte mer den natten, inte förrän nästa morgon när det var dags att åka till flygplatsen. Hon fick ta en egen taxi dit. Han betalade den åt henne, men kunde inte förmå sig att sitta bredvid.

På flygplatsen checkade han in dem på olika platser, långt ifrån varandra. Han talade aldrig mer med henne.

"Aldrig? Inte efter att ni kom hem heller?"

"Aldrig", sa han.

BUENOS AIRES
2014

Bedagad skönhet var orden som dök upp i huvudet när taxin bromsade in. Sällan hade de ägt en sådan giltighet som vid huset i stadsdelen San Telmo.

Kring porten sträckte sig pilastrar med infällda kvinno-skulpturer som såg ut att höra hemma i antikens Rom snarare än i en nedgången stadsdel i Buenos Aires. Där fanns slingrande ornament och friser som var såriga och spruckna, stora sjok av puts hade fallit ner. På andra våningen hade krukväxter för länge sedan löpt amok och slingrade sig nu in genom hål i fasaden, upp över takterrassens balustrader.

Helene spanade mot fönstren till en forna paradvåning på andra etaget. Hon såg inga tecken på att någon bodde där. Kontrollerade adressen i sin mobil. Numret stämde, en gata med namnet Bolívar.

Hon gick fram till porten. I bottenplanet var plåtjalusier ner-dragna och täckta med graffiti över en stängd butikslokal. Hon noterade ett lågt fönster ovanför som tydde på en mezzanin, en halvvåning där de som drev affären säkert hade bott en gång i tiden. Ingen av de två porttelefonerna hade någon namnskylt. Från den ena hängde en sladd löst och själva knappen var borta. Hon tryckte på den andra och hörde en signal någonstans därinne.

En buss skakade förbi på gatan bakom henne. Det luktade stekos och regn.

Helene ringde på igen och det rasslade till innanför. Dörren for upp och där stod en man i sextiofemårsåldern, lite böjd vilket gjorde honom aningen äldre och med något jagat över sig, en känsla av hjärtklappning. Kanske hade han legat och sovit.

Fabricio Varela sken upp.

"Jamen se på dig", sa han på svenska och skrattade. "Min kära exhustru överdrev visst inte den här gången." Hans mörkgrå hår var välklippt och stod lite på ända, skjortan hängde delvis utanför. "Det är minsann som att få det förflutna på besök. Som om jag inte har nog av det allaredan."

Hans skratt hade en efterklang av sorg.

"Ja, ja, välkommen till Buenos Aires får jag väl säga då."

Han böjde sig fram och kysste henne på den högra kinden. Helene var på väg att luta sig åt andra hållet för en symbolisk kyss även på den vänstra, men han sköt bort henne.

"I Argentina bara en kyss. Gick flygresan bra?"

"Visst." Hon såg några elledningar som hängde löst ovanför hans huvud och fick en tanke om att stenar skulle falla ner från de trasiga balkongerna ovanför.

"Så du bor här", sa hon och tog ett steg in, "det är ju ett fantastiskt hus."

"Ja, inte sant?" Fabbe gick före henne uppför en marmortrappa där stegen var nertrampade i mitten, en jämn fördjupning av århundradens vandrande upp och ner. "Jag gick förbi här en dag när jag just hade kommit tillbaka och där hängde en skylt, *se vende*, till salu. Det var min barndoms kvarter det här, jag gick i den katolska skolan alldeles i närheten."

Porten slog igen bakom dem och det blev beckmörkt.

"Du får ursäkta, elektriciteten. Jag skulle ha fixat det men jag begriper inte hur de har dragit ledningarna, det är ett enda, vad säger man … sammelsurium?"

Helene fick fram sin mobil och de fortsatte långsamt uppåt

i den smala ljusstrimman från displayen. I dunklet anade hon klotter på väggarna, en låg gång som kanske ledde in till den där halvvåningen emellan.

"Ofta vet man inte ens vem som äger de här gamla husen i San Telmo. Från början var det någon överklassherre som flydde från gula febern-epidemin i mitten av 1800-talet och bara lämnade det åt vindarna och regnet. Hela stadsdelen övergavs och de fattiga flyttade in utan papper och kontrakt, det blev en glömd plats mitt i staden dit ingen ville gå när det blev mörkt."

Fabricio stannade upp. Hans andning var tung.

"Jag väntade på att hon skulle kontakta mig igen", sa han.

"Min syster?"

"Och sedan hörde jag ingenting mer. Jag tänkte att hon kanske ångrade sig."

Orden lämnade inget eko efter sig, bara tystnad. Helene hörde sig själv andas, något som skrapade innanför en vägg.

"Vad menar du att hon skulle ångra?"

"Som jag förstod det så tog din syster livet av sig."

"Det är inte säkert", sa hon. "Vi vet inte."

"Jag är ledsen", sa han.

Sedan fortsatte han de sista stegen upp och öppnade dörren till den forna paradvåningen. Dagsljuset flödade in. De klev över några rullar med målarpapp i hallen.

"Kaffe vill du väl ha? När du kommer från Sverige."

Ett hastigt drag av smärta i ansiktet när han rätade på ryggen.

"Tack gärna", sa Helene.

Hon hängde av sig kappan på ett dörrhandtag och gick efter honom in, böjde nacken bakåt och tog in den enorma tak-höjden.

"Wow", sa hon. "När är det byggt egentligen, sent 1700-tal?"

"Eller möjligen ännu tidigare." Han lyfte bort en tallrik med matrester från vardagsrumsbordet, några glas. Helene försökte undvika att titta på de stora partierna i väggarna där putsen var borta. Någon hade försökt lappa och laga med spackel men sprickorna sträckte sig hela vägen upp till taket och murbruket i tegelväggen under hade vittrat och lämnade ett myller av hål och gångar där råttor och kryp skulle kunna kila ut och in om de ville.

"Inte så dåligt, va? Och det här får man när man säljer en liten tvåa i Jakobsberg, kan du tänka dig? Lite renoveringsbehov förstås, men ..."

Han försvann in mot köket. Helene lyfte undan några tjocka böcker ur en fåtölj och satte sig. Studier i filosofi, så mycket förstod hon av spanskan på omslaget. Benen värkte av sömnbrist och obekväma ställningar i en flygstol natten igenom, sjutton timmars resa sammanlagt med byte i London. Till sin man hade hon sagt att hon måste åka på en internationell arkitekturkonferens. Någon hade blivit hastigt sjuk och det var viktiga kontakter för kontoret. Det hade gått förvånande lätt att ljuga. Jocke hade förstått fullkomligt, sådana chanser måste man ju ta.

Från flygplatsen hade hon tagit en taxi till hotellet, sett skyskrapor på håll och en glimt av kåkstäder i motorvägens skugga. Lämnat väskorna på rummet och tvättat av sig, bytt kläder och tagit en taxi vidare hit.

"Så trevligt att få prata svenska igen", ropade Fabbe inifrån köket där en vattenkokare hade slagits igång och bubblade. Sedan stod han i dörröppningen med en bricka i händerna och hon tyckte att han hade fått en gråare ton i ansiktet.

"Just i den stolen satte hon sig också", sa han.

Helene motstod impulsen att resa sig och byta plats.

"Träffade du min syster mycket när hon var här?" sa hon för att börja i någon ände. De hade talats vid i telefon, korta samtal mest för att bekräfta det praktiska. När hon äntligen fick tag i honom hade hon redan börjat kolla flygpriser.

"Ett par gånger, tre kanske. Vi pratade, vi promenerade, jag tog med henne till ett par kända barer här i kvarteren, hon fick träffa några personer som vet mer om det här."

Han ställde ner brickan på bordet. Började pilla av stanniolpapper från små runda chokladkakor och räckte henne en, den smakade maräng och kletigt socker, *alfajores* sa han njutningsfullt, det var sådant man längtade efter när man var i exil.

"Din syster trodde kanske att jag skulle ge henne ett underverk, men de som försvann, de försvann. Det var ett ondskans system. De greps, fängslades i hemliga läger och alla torterades. Det finns inga mirakel. De som försvann, de är döda."

Helene tittade på fönstren vars glasrutor var oregelbundna, såg himlen bukta sig därute. Det verkade klarna upp.

"Som jag sa i telefon så hade vi inte så mycket kontakt", sa hon. "Sista gången jag hörde från Charlie var över en månad innan hon dog, i mars." Det där samtalet, hur hon hade spelat upp det inom sig gång på gång, försökt fånga ett ord till, en stämning, en ton i Charlies röst som hon hade missat. "Jag förstår inte varför hon inte ringde igen, om hon nu verkligen hade fått reda på något om vår mamma."

"Det är ett svårt besked", sa Fabbe.

"För andra kanske, men inte för Charlie. Hon var drastisk, hon var rå. Sa alla sanningar rakt ut, även om ingen hade bett om att få höra dem."

Han såg på henne, länge. Helene fick en känsla av att han först nu faktiskt såg henne och inte bara en avbild av hennes mamma, eller systern till någon som varit där förut. Någonting i det var så välbekant, hur hon satt där i skuggan av Charlie som tog all plats, oavsett om hon var närvarande eller inte, knappt lämnade luft nog kvar för en annan människa att andas.

Fabricio tycktes långt bort i sina egna tankar.

"Jag hör ljud här om nätterna ibland", sa han och skrapade lite med foten mot den mörka parketten. "De kommer från våningen under fast den står tom. Det är röster, samtal. Ibland är det skrik jag hör men också mummel som om det vore en vardag som pågick där nere. Jag kan urskilja ord och meningar, som att 'jag älskar dig' och 'om du lämnar mig nu så kom inte tillbaka' och '*che boludo*! Din dumskalle!', och jag vet inte om det är människor som verkligen har dött här i huset eller några som har försvunnit, eller om det försiggår i mitt eget huvud."

Han borstade bort smulor och chokladflarn som hade landat på hans byxben.

"Ibland undrar jag om det är bättre att inte veta."

Helene kände igen det tunga och det sammanbitna. Skuld var något hon visste en del om vid det här laget, hur den åt sig in och förmörkade allt.

"Charlie var som hon var", sa hon. "Att hon dog … det har inte med dig att göra."

Fabbe slog ut med händerna i en gest som tycktes betyda att han inte visste eller att ingen kunde veta, att allt var och skulle förbli oförklarat. Någonting sådant.

"Jag har två barn", sa Helene. "Jag tänker inte ta livet av mig."

Faktiskt så log han, äntligen.

"Det var verkligen skönt att höra."

Helene log också. Hon bad att få låna toaletten och reste sig, hade suttit och hållit sig lite för länge. Det tog en stund. Det var något märkligt med långa flygningar, att de orsakade förstoppning och sedan skulle allt ut på en gång, ett dygn av samlade avfallsprodukter. Medan hon satt där övervägde hon om hon skulle säga något om frågetecknen och spekulationerna kring Charlies död. Varför skulle hon?

Hon var tvungen att spola två gånger.

När hon kom tillbaka var Fabbe inte kvar i salongen, han ropade på henne från arbetsrummet som låg längre in i våningen.

Där fanns en liten öppen spis av marmor. På bordet låg papper och travar av böcker, mer filosofi. Han såg hennes blick.

"Jag har skrivit in mig på universitetet", sa han, "jag vet att det är i senaste laget, men de ska inte få ha tagit det ifrån mig." Han lyfte undan böckerna så att pappren som låg under blev synliga. Skisser, anteckningar. "Militären marscherade in på fakulteten när jag gick mitt andra år, mitt i ett seminarium om Heidegger och behovet av att upphäva begreppet människa. Sedan delade de upp oss, vilka som skulle föras bort och vilka som fick gå hem. Mig skickade de hem. Det var en lättnad förstås. Jag överlevde. Jag vet fortfarande inte varför."

Helene lyssnade medan han fortsatte att röja undan det värsta från bordet och hon insåg att det stora pappersarket under inte var något senkommet studentarbete i filosofi. Hon fick luta sig lite närmare för att kunna urskilja ansikten i små svartvita fotografier som han hade tejpat fast bland anteckningar och streck. De hade kopierats i en vanlig kopieringsapparat och var därför grå och ganska otydliga.

"Och hur ska man egentligen begripa att en sådan stor tänkare som Heidegger hemföll åt nazismen? Är det tänkandet i sig som gör oss till människor, som Descartes skulle sagt, 'jag tänker därför existerar jag', eller finns det något annat som måste tillföras? Vi vill ju gärna tro att det är godheten som är det mänskliga, vår förmåga att känna empati och handla därefter, men hur definierar vi då ondskan?"

"Förlåt?"

Nästan i mitten av skissen hade hon upptäckt namnet. Det var det enda hon såg nu, i kolsvart tusch, allt runt omkring tycktes suddas ut.

Ing-Marie Sahlin.

Det fanns inget grådaskigt fotografi av henne, bara en ruta med en svart silhuett som förstärkte känslan av hennes frånvaro.

Helene förstod att de andra bilderna var ansikten på några av alla de tiotusentals människor som också hade försvunnit, men av Ing-Marie hade det inte ens funnits någon bild.

Hon var försvunnen bland de försvunna.

Februari 1978.

Kodnamn: Vera?

Nummer 676.

Helene kände igen siffrorna som hans exfru Susana hade nämnt, numret på den fånge som påstods ha talat svenska.

Hon smekte lätt med fingret över den svarta silhuetten.

"Så vad vet du egentligen?"

"Ingenting och allt." Fabbe svepte över skissen med sin hand. "Allt det här skedde i total hemlighet, samma sak över hela landet. Det var systematiskt och välorganiserat, med metoder som bland annat hämtades från fransmännens krig i Algeriet. Vi har haft en sannings-kommission och rättegångar, men militärerna tiger fortfarande, det är en pakt, en *code of silence* som har varat i över trettio år."

Han satte sig långsamt och omständligt ner i stolen.

"Så när du frågar vad vi vet, så bygger det mesta på vittnesmål från fångar som ingenting såg eftersom deras ögon var förbund-na dygnet runt, de visste inte ens var de befann sig. Det är ett pussel, fragment av information. Vad någon har tyckt sig höra eller se i nederkanten av en huva, stegen de räknat när de gått nerför en trappa, nummer på fångar som måste ha hängt ihop. Om nummer 675 och 677 existerade så måste det även ha funnits en nummer 676, om du förstår?"

Helene satte sig på bordskanten, sökte efter något på skissen.

"Det var något hus som Charlie åkte till, hade det också med det här att göra?"

"Vad för ett hus?"

"Jag vet inte, i norra delarna av stan, någon av de sista dagarna hon var här."

"Nej … det vet jag inte. Vi sågs nog inte då. Hon skulle höra av sig, men sedan ringde hon inte igen."

Han tog sig upp på fötter igen, stönade lite och gick några steg mot väggen.

"Det är ryggen", sa han, "men det blir bättre när jag står. Det är priset för att ha jobbat som slöjdlärare i Jakobsberg i alla år, fast det räknas inte som arbetsskada. Ingen tvingade mig ju att böja mig ner för att hjälpa eleverna."

Han lutade sig mot den öppna spisen som inte såg ut att vara använd på länge.

"Och den där Ramón som hon åkte iväg med", sa Helene, "Ramón Maguid, vet du något om honom?"

"Nej, men om han återvände hit så måste han ha gjort det under falskt namn, han hade ju redan flytt en gång."

Fabbe såg upp i taket. Det bars upp av väldiga träbjälkar som såg ut att kunna hålla i tvåhundra år till.

"När din syster hade rest så började jag undra om det verkligen var er mamma som Marisol berättade om, kanske var det fantasin som sprang iväg med mig …"

"Marisol?"

"Min väninna alltså, en gammal bekant. Det är hon som säger att hon skulle ha mött den här svenska kvinnan på ESMA. Hon ville inte prata om det alls först, har tigit i alla år."

Han gjorde en grimas och drog med handen över ansiktet.

"Och så blev jag en av dem som plågade henne. Jag frågade henne om det mest intima som ingen vill prata om, för att jag tänkte att det var nödvändigt. Sanningen måste fram, hennes vittnesmål var viktigt, jag ville bidra till rättvisan, förstår du? Hon är dessutom en av de få som kan placera en man vid namn Squatina på ESMA vid en bestämd tidpunkt, men hon vill inte vittna. Hon klarar inte att gå ner i en källare säger hon, och det är där rättegångarna i den federala domstolen brukar hållas, det är som en fobi för slutna lokaler som ekar …"

"Squatina?"

Helene sökte något hon inte fick tag i, namnet verkade bekant.

"Känner du till honom?"

"Nej … det var nog inget."

Fabricio Varela hade kommit av sig. Han stod tyst och betraktade henne ingående en lång stund, tills hon började känna sig besvärad.

"Vad är det?" sa Helene.

"Jag tänker bara på att … om hon fick se dig. Det där ljusa håret du har, och ansiktet!"

Han började stoppa in skjortan innanför byxorna och slätade till håret med handen. Såg på sitt armbandsur.

"Jag tog med din syster dit, men den dagen dök Marisol inte upp. Vi gick och drack några öl istället. Och nästa dag var en sådan dag då hon inte ville tala, inte med mig eller någon främling. Jag sa vem Charlie var dotter till, men hon trodde mig inte. Hon säger att Vera inte hade några barn. Jag vet aldrig vad det är för slags dag, hon verkar lyssna mer till fåglarna, ibland vet jag inte om hon äter alls."

Fabbe hade fått ett glitter i ögonen som motsade det dystra i hans berättelse och hon såg färg på kinderna, hela hans kropp verkade plötsligt rakare på något sätt.

"Marisol" sa Helene, "vilket vackert namn."

Han log.

"Fast på den tiden kallade hon sig Ana."

Det fanns ännu ingen anledning att bli rädd. Tio minuter var inte mycket i en jättestad som den här, bussar kunde vara överfulla, någon vägspärr upprättad som tvingade henne att ta omvägar, det kunde finnas hundra anledningar till att Ana hade blivit lite sen.

Ing-Marie stod på trappan till en katolsk kyrka i San Telmo och väntade. Hon hörde barnsång från skolan på andra sidan gatan, såg genom porten att barnen lekte något slags sånglek på skolgården, kastade en boll mellan varandra.

Hon tittade på klockan, snart hade hon stått där en kvart. Platsen gjorde henne obekväm, detta kyrkliga. Att stå där som om hon väntade på frälsning. Hon föredrog att träffas på kaféerna, men det hade varit för många razzior nu, bara idioter och turister gick till exempel fortfarande på La Paz, militären hade gjort en razzia där till sin dagliga rutin.

Ana hade aldrig varit sen förut.

Ing-Marie gick fram till en minnestavla bredvid kyrkporten och läste för sjunde gången den korta texten som hedrade offren för gula febern året 1871. Epidemin hade så gott som utrotat den svarta befolkningen, de var frisläppta slavar men ännu tjänare som lämnades kvar för att vakta husen när överklassen flydde från farsoten. Det var därför man aldrig såg några svarta människor i Buenos Aires. En sådan liten plakett räckte för att väcka hennes vrede, hur kunde någon låta bli att se hur världen var funtad?

Nu var Ana tjugo minuter försenad.

Det fanns en absolut tidsgräns för hur länge man kunde stå ensam på en allmän plats utan att dra till sig intresse eller frågor. En präst hade redan passerat två gånger och nickat fromt åt henne, en kvinna hade undrat om hon sökte någon.

Ing-Marie gick sakta in i kyrkan. Hon gjorde en diffus gest över bröstet, som kunde betyda korstecknet eller att hon viftade bort en mygga. Ljuset strömmade ner genom en kupol i taket, fick allt det prålliga guldet kring altaret att glänsa i ögonen, rikedomarna som kyrkan hade samlat på sig världen över. *Honor Soli Deo Gloria* stod det i guldskrift under taket, hedra endast Guds härlighet eller något i den stilen, hon kunde inte förstå det där med katolicismen i det här landet. Det fanns sådana som Ana som hade börjat i någon katolsk ungdomsrörelse och hittade sina motiv till revolutionen i Gud, det fanns till och med nunnor som hade fängslats och samtidigt hade juntan stöd av prästerna, de gav mördarna välsignelse, de tog deras bikt.

Ing-Marie satte sig längst ut i den bakre raden, så att Ana inte skulle missa henne om hon kom. Hon knäppte händerna för att se ut som om hon bad. Då kom rädslan. Den störtade över henne med ljuset från ovan, och alla partiklar av damm som virvlade runt i det där ljuset, och hon såg på den uppspikade Jesus där framme bakom altaret och det var tortyren hon såg, ingenting som hade med Gud att göra, bara döden och blodet och hans hängande huvud efteråt.

Hon kunde ju också ha tagit fel på tiden.

Ing-Marie blundade och hörde det svaga mumlet av en bön.

Det var fem dagar sedan de bestämde det här mötet. Ana skulle resa från stan några dagar för att hälsa på sin mormor som låg i sjuk i Mar del Plata. "Hon var som en mamma för mig", hade

hon sagt. När man hade mötts tillräckligt många gånger gick det
inte att hålla sådant borta. Små personliga saker, som ett skämt,
en sångtext, ett barndomsminne. Ana levde till exempel numera
i tron att den del av Tyskland som "Vera" officiellt kom ifrån,
var en trakt av sällsynt djupa skogar. Ing-Marie hade erkänt hur
svårt hon hade att orientera sig i storstaden medan hon aldrig
gick vilse i skogen och för Ana var det tvärtom, det man hade
lärt sig som barn fanns kvar i kroppen på något sätt. Det var små
saker utan betydelse, men något måste ju två människor prata
om när de skulle mötas i en park eller på ett kafé och se ut som
om de talade om ingenting.

När hon hade väntat i fyrtio minuter gav hon upp.

På väg därifrån, längs San Telmos trånga gator där allting
väsnades omkring henne, slog det henne att den där mormodern
kunde ha dött. Var det i så fall skäl att utebli från ett möte? Hon
trodde inte det. Att Ana, av alla människor, skulle hemfalla åt
individualism.

Det fanns straff för sådant. Ana hade berättat om en *jefe* som
hade gripits av militären på stranden i San Isidro när han var
ute och badade med sin fru och sina barn. Han hade anklagats
för extrem individualism, för att ha låtit sig gripas. Av gerillans
tribunal dömdes han i sin frånvaro till döden.

Familjen höll man utanför, allt annat var otänkbart.

Ing-Marie korsade den ofantliga 9:e juli-avenyn, över det ena
övergångsstället efter det andra. Kände hur något jagade henne
och fick henne att halvspringa när det blev grönt ljus, trots att
det inte fanns någon där.

Januari hade övergått i februari. Det var inte längre den he-
taste månaden, men tillräckligt varmt för att hon samma natt
skulle ligga bland svettblöta lakan och vrida sig i mardrömmar.
Det var en eldsvåda, det var människor som sprang. Barnen
fanns där, hon hade glömt dem därinne i branden, men hon

hittade inte tillbaka till huset. Hon hade glömt sitt pass också. Det fanns poliser som slet tag i henne. Hon sprang upp och ner för trapporna på pensionatet och letade efter Ramón, och det var där det brann.

Hon vågade inte sova mer. Satt invirad i lakanet och såg det ljusna, hörde det första slamret av en dag som tog sin början, en radio som slogs på någonstans. En sportsändning ljöd mellan husen, en radiopratare som smattrade ut regimens propaganda om den anti-argentinska kampanjen som pågick i Europa inför VM i fotboll. *Somos derechos y humanos* löd regeringens slogan, vi är rättfärdiga och humana, och om de satt i Europa och snackade om bojkott och mänskliga rättigheter så var det bara för att de fegisarna inte vågade möta Argentinas spelare på deras hemmaplan.

Ing-Marie steg upp, blaskade av sig. Klädde på sig och hämtade en yoghurt i köket som hon åt på rummet.

Det fanns ett sätt att kontakta Ana. I nödfall, hade hon sagt, om något händer och en av oss inte kan komma till ett möte.

Var detta ett nödfall?

Eller kunde någon av dem ha tagit fel på dag?

Kanske hade Ana sagt *miércoles* och inte *martes*, onsdag istället för tisdag, det var väl mänskligt att en enda gång minnas fel när man inte fick ha sådant nedskrivet på papper? Därför åkte Ing-Marie tillbaka till kyrkan i San Telmo. Hon väntade på trappan och läste skylten om offren för gula febern tills hon kunde den utantill, men gick inte in för att möta bilden av Jesus på korset igen.

Efter tjugo minuter var hon säker på att detta var ett nödfall.

Hon stoppade en taxi. Det var första gången hon hade slösat pesos på något så onödigt. Bad taxin stanna två kvarter bortom fakulteten *Filosofía y Letras* och gick den korta biten tillbaka till det gathörn där studentkaféet låg. Tiden hade stått stilla när hon steg in genom dörren. Träborden, den ljusa rektangeln där porträttet av Che hade hängt.

Kaféet där vi möttes första gången. Du kan fråga efter mig där.

De äldre mannen som ägde stället log så varmt mot henne. Hon kände sig nästan saknad.

"Jag söker Ana, jag träffade henne här en gång."

Han nickade och böjde sig ner för att sortera in bestick i en låda.

"*Du får inget svar*", hade Ana sagt, "*men då kommer jag att få veta att du söker mig.*"

Ing-Marie drack kaffet utan att sätta sig ner. Hon tog inte för en sekund blicken från gatan.

"*Hasta luego*", sa hon när hon gick, vi ses senare. Mannen nickade igen och av allvaret i hans blick trodde hon att han hade förstått.

Resten av dagen, ett töcken, en dimma.

Att gång på gång treva i postfacket. Hon visste exakt hur tomheten kändes där inne, varje ojämnhet i plåten.

Fuktfläckarna i taket ovanför sängen. En av dem sträckte sig över ena hörnet och försvann in i tapeten, om hon tittade på den tillräckligt länge antog den formen av en gris. Tapeten var bortriven i ett stort stycke intill hennes säng. Hon hade börjat pilla på en lös kant en kväll och sedan hade hon bara fortsatt. Det gick inte att sluta. Hålet växte, det var en meter brett nu och lika högt, hon skulle få betala för det där om hon flyttade ut.

Borde hon flytta nu, vad sa *antiseguimiento* om en sådan här situation?

Hon gick fram och tillbaka i rummet, tre steg, två steg, tre steg, två steg. Av någon idiotisk anledning fick det henne att tänka på isbjörnen på Skansen som hade blivit galen av att gå fram och tillbaka, fram och tillbaka.

Hon hade inte pengar till förskottshyra för ett nytt rum. Om hon flyttade skulle Ramón inte kunna hitta henne.

Snart var hon tillbaka ute på gatorna. Det gick mot kväll. Hon satt en stund i parken, i ombúträdets skugga och försökte begripa vad hon borde göra nu. Dante hade hon inte träffat sedan dagen då de möttes här, den dagen hon blev godkänd. Hon hade tänkt en del på hans val av kodnamn, Dante, som om han ville utmana helvetets kretsar. Var det där han hade hamnat? Hon mindes svagt från litteraturkursen att i den första kretsen i helvetet skulle de likgiltiga straffas med svärmar av getingar, men Dante hade inte hört till de likgiltiga, han hade gjort motstånd. Ing-Marie kom på sig själv med att tänka på honom i imperfekt, som om han inte längre fanns, och det slog henne att hon nu tänkte på spanska och att verbformen var korrekt men ändå fel.

Kanske hade han bara gått under jorden.

Hon gick längs gator utan betydelse. De var bara namn, inte riktningar. Ändå gick hon, kvarter efter kvarter. Fanns det någon annan hon kunde hitta, någon hon borde varna? Vänner, kamrater? Ibland hade Ana pratat med kompisar och bekanta på olika kaféer, de hade suttit ner och babblat som vanliga människor. En gång följde Ing-Marie med till en lägenhet där någon gömde sig, en annan gång till en källare där flygblad trycktes upp, men det var i andra stadsdelar, hon skulle inte hitta tillbaka dit.

Hon gick från kafé till kafé, tog en stående kopp kaffe eller bara ett glas mineralvatten, sökte efter ansikten som sa henne något och gick därifrån lika fort igen.

På det tredje kaféet, som snarare var en bar, inrökt och mörk, en sådan som verkade ha funnits i alla tider och hade gästernas namn inristade i bordskivorna, hörde hon just när hon skulle gå en röst bakom ryggen.

"Hola, Vera!"

Först reagerade hon inte, som om namnet tillhörde någon annan.

Under de få sekunder det tog att vända sig om hann hon före-
ställa sig uniformer av alla slag hon numera kände till och därför
blev hon förvirrad när hon såg en smal kille som knappt var över
tjugo, en mörk lugg som hängde ner i pannan.

"Känner du inte igen mig? Vi sågs här för någon månad se-
dan, i julas var det!"

Just det, det var den baren. De var de dagarna, runt jul.

Hon hade suttit ensam med en köttbit och en öl, en kväll när
väggarna på pensionatet kvävde henne och hon måste äta något
annat än frukt och yoghurt och mackor på rummet, måste bli
sedd av någon, få vara en människa bland människor.

Var det inte Hugo han hette, killen som stod där och log?

"Ja hej, jo, det är klart jag minns", sa Ing-Marie.

"Är det okej om jag …" Han gjorde en gest som betydde att
flytta närmare. "Så vad har du haft för dig sedan sist?"

Ing-Marie hickade till och fick mineralvatten i näsan, det var
ju också en fråga.

"Inget särskilt", sa hon. "Studerat mest."

"Får jag bjuda på en öl? Har du ätit?"

"Nej tack, jag ska gå."

"Inte än, sitt en stund. Jag kan väl få bjuda dig på en *milanesa*."

Kanske blev hon smickrad av glansen i hans ögon när han såg
på henne, så där intensivt och beundrande som om hon nästan
vore en gudinna nedstigen från himmelen, eller så var det för
att hon fasade för nattens drömmar, kanske bara för att hon var
så fruktansvärt hungrig som hon nickade till slut.

"Tack. En *milanesa* blir bra."

"Och en öl? Dricker du öl Vera? En *Quilmes*?"

Hugo vinkade ivrigt till kyparen.

Varför hade hon sagt att hon hette Vera och inte Claudia? Hon
hade blivit förvirrad när han frågade vad hon hette. Glömde vem
hon borde vara. Hon hade suttit vid ett hörnbord den gången

och han hade fångat hennes blick och sedan vågat sig fram och frågat om han fick slå sig ner, hon mindes att det hade varit skönt att prata med någon som faktiskt sa sitt riktiga namn. Han var judisk, de hade pratat om det. Om nazisterna som flydde till Argentina efter kriget, men det var faktiskt fler judar som flydde dit innan, förklarade Hugo, hade hon inte varit i Once, de judiska kvarteren? Det var inte långt härifrån, men han föredrog att gå ut där ingen visste vem han var, han bodde fortfarande hemma hos mamma.

"Hur gammal är du egentligen?" frågade hon nu.

"Tjugo."

"Jag är tjugosju."

"Ålder är inte viktigt för mig", sa han. "Jag tycker om vuxna kvinnor, flickorna i min ålder är så barnsliga. Jag har suttit här ibland och hoppats att du skulle komma förbi igen. Det är så där, man känner ibland att det uppstår något."

"Och vad säger din mamma om att du äter fläsk?"

"För att inte tala om vad hon skulle säga om att jag träffar en tysk flicka."

"Vi träffas inte."

"Nej, visst nej. Det gör vi ju inte."

Hon måste le åt hans leende.

Att han var så ung, eller just därför. Hans oskuld. Hon kände sig beskyddad av den, som om den lade en hinna runt dem, en barriär av oskuld som gjorde att inget ont kunde tränga in.

Att få vara vanlig en kort liten stund.

"Men försök inte få mig att prata tyska", sa hon för säkerhets skull. "Min lärare säger att jag bara får tala spanska, särskilt på kvällarna."

"Ingen fara, min tyska är lika usel som min hebreiska."

"Ska vi ta en till?"

Han skrattade och höjde sitt glas och klirrade det mot hennes, vinkade till bartendern att ta in ännu en av de stora literflaskorna med öl att dela. Ing-Marie vände sig bort, hon ville gråta för att det var så länge sedan hon kände för att skratta. Det var mörkt ute, så hon kunde inte urskilja bilarna på håll, bara deras strålkastare som närmade sig och drog förbi. Till slut upphörde hon med att titta ut. Hon tänkte att Ana kanske hade brutit foten. Sådant måste väl hända även här. I morgon skulle hon få veta, i morgon var i morgon, *mañana mañana*. Hon började bli berusad, Hugos prat böljade igenom henne, det var ingenting hon behövde lyssna på eller bry sig om, ingenting hon måste memorera i minsta detalj, för det handlade inte om liv eller död, det vara bara en ung killes eviga drömmar om att upptäcka världen och imponera på en tjej han möjligen ville få omkull.

"En dag tar jag tåget till Tigre och sedan hyr jag en båt och försvinner från alltihop, traditioner, föräldrar ... ut i deltat, har du varit där? Du skulle följa med. Det ligger norr om stan, och där finns inga gator, bara floder. Vi brukade åka dit om somrarna när jag var liten, det finns små hus på öarna, och så en stege rakt ner i vattnet, det finns ingen elektricitet och om nätterna är det helt svart i hela Paraná-deltat, det är då fiskegubbarna går ut i sina båtar, ingen skulle veta vart jag tog vägen. Sedan skulle jag lifta genom Uruguay, upp genom Brasilien, eller kanske köpa en motorcykel, *on the road*, du vet."

"Och supa dig full och längta hem till mamma."

Hon kände för att vara elak. Det var sådana naiva drömmar. De handlade bara om honom själv och hans egen frihet, köra motorcykel, det hade för all del Che också gjort, men han hade haft större planer än så. Hugo såg lite sårad ut.

"Men visst, *on the road*", sa Ing-Marie och vinglade till när hon reste sig.

Hon lät honom följa henne till pensionatet. Han är inte gerilla, tänkte hon, bara en vanlig pojke som gör en vanlig flicka sällskap hem. Hon vågade inte gå i mörkret ensam. För varje strålkastare som närmade sig tryckte hon sig en aning närmare Hugo. Han ville kyssa henne utanför porten.

Hon mumlade mot hans öra.

"Du är fin."

Sedan klappade hon honom på kinden och sade åt honom att gå.

Tomheten föll över henne igen. Postfacket. Rummet. Luften som inte hade rört sig där inne sedan hon lämnade det sist. Hon hade nästan inte tänkt på Ramón på hela kvällen. Ångesten över att hon hade suttit på krogen, som om ingenting hade hänt.

Hon sprang genom natten.

Rusade i drömmarna, vaknade av ett skrik. Var det hon som hade skrikit, någon därute?

Nästa morgon gick hon tillbaka till studentkaféet där hon hade frågat efter Ana.

Den gamle mannen skakade på huvudet när han såg henne och hällde upp en kopp kaffe. Böjde sig fram och viskade, trots att det inte fanns någon mer därinne.

"De tog henne på gatan där hon bor."

"När då?"

"Sex dagar sedan. I fredags." Han sneglade ut. Det brukade han inte göra. Ing-Marie hade aldrig sett den gamle mannen titta på något annat än sina gäster och det han hade för händer. Det hade funnits ett slags lugn över honom, som om hotet inte riktigt nådde in hit, eller om han hade fogat sig i det. Han hade grävt ner sina farliga böcker och en tavla i jorden, städade efter varje razzia och öppnade nästa dag igen. Nu bultade hans oro också i henne, hon såg sig om, såg gatan därutanför och visste att hon måste skynda sig. Kaffet steg i halsen. Hon borde ha förstått när Ana inte kom till kyrkan, det var i förrgår, hon borde inte ha tvekat så länge.

Framför allt borde hon inte ha druckit öl kvällen innan.

Hon mumlade fram en ursäkt och gick till toaletten. Lät iskallt vatten rinna över handlederna för att illamåendet skulle ta slut.

Det tog inte slut.

Ana hade blivit gripen på en gata. Där hon bor, sa han, var bodde hon?

Darrande återvände hon.

"Vet du vad hon heter på riktigt?"

"Marisol."

"Och var hon bor?"

"Jag känner hennes far. Vi pratar inte mer om det nu."

I fredags, tänkte Ing-Marie när hon gick därifrån, och nu var det torsdag. Dagarna hade gått utan att hon visste att katastrofen hade skett. Ramón hade inte heller hört av sig på hela den här tiden, inte rapporterat från mötet han skulle ha med *el jefe* i Wilde. Det fanns inget sätt att få tag i honom, inget nödfall. Det enda hon kunde göra var att ännu en gång ta bussen till stationen där tågen mot de södra förstäderna gick.

Hon hade fått tag i säckigare byxor nu och en grövre skjorta, det solblekta håret var uppsatt så att det inte lyste om henne. Inte skynda, bara gå i en takt som kunde tas för den normala, inte titta åt något håll eller tänka så kallade subversiva tankar, vilket var det svåraste eftersom tankarna drog iväg i sina egna vilda banor. Därför hade hon utvecklat en metod att rabbla barnramsor i huvudet när hon rörde sig på farliga platser: *Pelle plutt plutt plutt tog ett skutt skutt skutt …*

Köpte biljett och log rentav mot kassörskan innan hon släntrade till perrongen och steg på tåget till Wilde. *In i kammarn efter hammarn …* Och huvudstaden löstes upp utanför fönstren, industrier och hamnkranar tog över när tåget dundrade över den stinkande floden Riachuelo och ut i provinsens förstäder.

De hade mötts på samma bar varje gång. Hon hade tänkt på det, att säkerheten verkade mindre rigorös där ute, Julio som lugnt brukade sitta där vid ett bord och läsa sportresultaten.

Hon såg genast att hans plats var tom. Bara de vanliga äldre farbröderna med sina ölglas och cigaretter, röken som steg mot taket.

Bartendern fick syn på henne och hon förstod redan av hans reaktion att det var något som var fel. Han mötte inte hennes blick och hälsade inte, blev plötsligt strängt upptagen med att torka bort osynliga fläckar från bardisken.

"Julio *presente*", väste han när hon kom fram.

Det var som om någon hade slagit av en strömbrytare, alla ljud försvann. Radions fotbollsreferat och trafiken därute, hostningarna från en av de gamla männen i hörnet, hon hörde det inte längre.

"När då?"

"I fredags." Bartendern låtsades gnida bort något smutsigt invid hennes hand, han lutade sig närmare och viskade. "De kom och gjorde en razzia här, de tog honom. Han hade en handgranat, smällde den ute på gatan, booom!"

Ing-Marie såg sig om när hon kom ut, syntes det spår? Det hade varit samma dag som Ana greps, då kunde det inte vara hon som angav Julio, så fort gick det inte, Ana hade inte svikit, och Julio hade gjort vad en sann *montonero* skulle göra, dragit sprinten ur en handgranat.

Hon fortsatte gå, längre och längre bort från stationen. Människor passerade, hon tyckte att de stirrade på henne men hon brydde sig inte om det, stadsgatorna med affärer och fyrkantiga huslängor i sten och betong ersattes av träd och villagator, hon gick åt det håll där hon hade sett en motorväg på kartan och ljuden var tillbaka, hon hörde den jämna trafikströmmen på håll, blundade och lyssnade efter riktningen. Hon hade alltid haft ögonen förbundna den sista biten, men innan dess hade hon genom det lilla fönstret bak i Julios skåpbil sett enstaka hus och stolpar, uppfattat svängarna som för varje resa hade blivit något färre när han inte längre ansträngde sig så för att förvilla henne. Det fanns något välbekant med förstaden som gjorde det lättare att orientera sig där än inne i stadskärnan, det var öppenheten, väderstrecken som blev tydligare och alla växter som vände sig mot solen, det fanns ett centrum och villagator. På något avlägset sätt kunde hon tycka att det påminde om Jakobsberg.

Landskapet öppnades upp i ett fält och en fotbollsplan, längre bort skymtade hon kåkstaden som hon hade sett den första gången.

Hon började springa åt andra hållet, tvärs över fältet tills hon nådde området med villor i tegel, eller det var snarare radhus, tätt hopbyggda fast alla var olika, hon hörde hundarna som skällde. Höger, höger, vänster, eller var det tvärtom? Hon gick gata efter gata och såg hus där tvätten hängde kors och tvärs bland elledningar och skrot, andra där prydligt beskurna buskar prunkade i små trädgårdar.

Sedan kände hon igen sig. Bara en glimt hade hon sett av huset, under några få sekunder när hon leddes ut till fruktbilen. Den vita fasaden, tegelhuset intill. Hon visste det genast, trots att det inte längre var sig likt. På marken låg krossat glas och omkullvälta krukor, ett fönster i bottenvåningen var sönderslaget. Några väskor låg slängda på uppfarten, en trasig stol.

Hon tyckte sig uppfatta att dörren stod på glänt, som om ingenting mer fanns därinne att hämta. Sedan sprang hon.

Sprang tills hon nästan inte kunde andas mer och hon måste gå den sista kilometern till stationen.

På tåget hängde hon jackan över huvudet och låtsades sova, gömde sig i sitt eget mörker. Det dunkade mot rälsen, i takt med rösten i hennes huvud.

... över ån ån ån tappa tån tån tån in i kammarn efter ham-
marn spika fast den lilla tån.

Hon mindes inte hur hon tog sig tillbaka till pensionatet. Bara det ögonblick när hon stack in handen i postfacket och kände lappen mellan sina fingrar.

Hon vecklade ut den redan där, ute på gatan som hon aldrig gjorde annars.

Där stod en adress som hon kände igen, det var deras första *hotel alojamiento* i San Telmo, han ville att de skulle träffas i morgon!

I morgon! Hur skulle hon överleva tills i morgon, vart skulle hon ta vägen?

Hans raka handstil. Den stagade upp henne inombords. Längst ner hade han skrivit mer än han brukade. *Abrazos, cariños* ... kramar, tillgivenhet. Han skulle säga åt henne vad hon borde göra och hålla om henne och allt skulle ordna sig, de skulle fly tillsammans och ta hand om varandra nu, för det var ändå över.

Ing-Marie gömde lappen i handen, kände den värma. Han levde. Kanske åkte han aldrig till det där mötet, på något sätt hade han räddat sig undan och hon struntade i hur.

Hon kämpade med det tröga portlåset, man måste knuffa till dörren med axeln samtidigt som man vred om. Det krävdes beslut. Gömma sig uppe i rummet tills i morgon, eller hämta det nödvändigaste och flytta in på det där *hotel alojamiento* i San Telmo redan nu? Hon kände att det måste bli det senare alternativet, hellre ville hon ligga i det där sunkiga rummet och vänta på honom än att ...

Det var något med motorljudet bakom henne. Kraftigare än andra motorljud. Att bilen så hastigt bromsade in. I speglingen i portens skitiga fönsterglas såg hon en bit av den långa motor-huven, det aningen sluttande taket och den mörka färgen som kunde vara svart men troligare, nästan alldeles säkert, var mörkt grön. Hon knuffade på dörren och slet allt vad hon kunde i nyckeln. Hörde bildörren slå igen, hon hörde deras röster nu. En vetskap om att ingen fanns där som skulle bevittna, människor hade på en sekund dragit sig undan och skingrades. Pillret, *la pastilla*! Det låg i väskan, hon stack ner högerhanden och grävde försiktigt runt efter necessären, hon hade aldrig på allvar lyckats föreställa sig det ögonblick då hon skulle svälja det. Sedan blev hon återigen medveten om lappen i sin andra hand. Adressen till en plats där Ramón skulle befinna sig vid en tidpunkt nästa dag. *Abrazos, cariños* … Hon bestämde sig under de korta sekunder som det tog för männen att gå över trottoaren. Lyfte handen till munnen och stoppade in lappen, tuggade den, vätte den med sin saliv och kände den krympa fortare än man kunde tro till en klump som inte var mycket större än ett dubbelt tuggummi och sedan började klumpen sönderdelas och när de grep tag om hennes armar och sa att hon skulle följa med dem så var detta det enda hon fokuserade på: de resterande bitarna av lappen i hennes mun. I baksätet, med huvudet nedtryckt mot golvet, svalde hon dem en efter en.

Buenos Aires
2014

Trädkronorna var gröna trots att det gick mot vinter och i solen kändes det varmare än de fjorton grader som det påstods vara.

"*Y también es morirse de amor, un otoño en el Parque Lezama.*"

Fabricio citerade när de gick genom grindarna, en dikt av något slag. Det var bara enstaka ord som *amor* som hon var säker på, gymnasiespanskan var begravd långt bak i minnet.

Han stannade upp och översatte medan blicken försvann iväg mellan träden, mot en rad med bänkar i en allé längre bort.

"Det är också att dö av kärlek, en höst i Lezama-parken."

Där halvlåg två studenter över sina böcker och varandra och bortom dem satt en gammal kvinna med en sjal virad runt håret. Bänken saknade ryggstöd och kvinnan satt spikrak med händerna i knäet. Tittade rakt fram och lyfte inte ansiktet mot solen som de flesta andra i parken.

Fabbe sträckte på sig och rättade till sidenscarfen som han hade knutit i halsen, skorna var putsade och blanka.

"Det är nog bäst att du väntar här", sa han.

Helene stod kvar och låtsades intresserad av en skulptur. Hon såg Fabbe slå sig ner bredvid kvinnan. Han tog fram en termos och en svart liten mugg med silverfärgade beslag som han hällde upp vatten i medan han pratade. Fåglarna väsnades ovanför, en kakofoni av visslingar och kvitter.

Efter en stund vinkade han diskret till Helene att komma.

På närmare håll såg kvinnan inte lika gammal ut. Det var något i hållningen och sjaletten om håret, en alldeles för stor rock och byxor i något brunt material, kanske var det också ensamheten på en parkbänk som gjorde att man misstog henne för en gumma.

Kvinnan skälvde till och stirrade på Helene. Började mumla och vred sina händer så hårt att det såg ut som om hon skulle knäcka de tunna benen som var synliga under huden, *señor mi dios y la virgen María …*, herre min Gud och jungfru Maria.

Fabbe pratade på spanska intill henne, det lät lugnande och sakligt, han lade en hand på hennes arm. Ana ryckte till som om han hade slagit henne och fortsatte rabbla *Padre nuestro que estás en los cielos, santificado sea tu nombre …*

Han räckte henne muggen och fortsatte prata som till ett barn som ska förmås att sluta skrika. Helene hörde sitt namn nämnas, och Veras. Ana blev äntligen tyst. Hon tog den runda muggen mellan händerna och sög i sig lite av drycken genom ett sugrör i metall. Fabbe skickade den vidare till Helene. "Det är *mate*, vi dricker det för vänskap. Drick." Hon drack ur samma sugrör, det fanns inget annat. Det liknade te och var olidligt beskt, hon fick små flagor på tungan och försökte torka bort dem.

Ana sa något. Hon pratade lågt och snabbt och intensivt.

"Hon säger att hon inte visste att Vera hade en dotter", tolkade Fabbe. "Det var ingenting de pratade om."

Han nickade försiktigt mot den tomma platsen på bänken.

"Två döttrar", sa Helene.

Hon satte sig ner.

"Vi skulle inte veta sådana saker om varandra", fortsatte Ana. "Det var *antiseguimiento*, för att de inte skulle kunna spåra oss. Ju mindre vi visste, desto mindre skulle vi avslöja om vi misslyckades med att uthärda eller dö."

Fabbe översatte. Av mängden ord förstod Helene att han lade

till en del, förklaringar och kanske sådant hon hade berättat förut. Det var en plikt för Montoneros att inte låta sig fångas, sa han. Det fanns ett piller man skulle ta, ropa "ni kan inte ta mig levande" och sedan svälja. Alternativet var att fly och låta sig skjutas, eller uthärda tortyr och tiga in i döden.

"Jag hade inte pillret i den väskan, vilken idiot jag var, *que boluda* som fick för mig att byta väska dagen innan. Annars hade jag varit död redan där på gatan den där eftermiddagen."

Ana tittade tomt rakt framför sig, tycktes inte se dem som gick förbi eller strosade över gräsmattorna. Helene tänkte på henne som Ana nu, trots att Fabbe då och då kallade henne Marisol.

"De hämtade henne utanför hennes hem", sa han och knöt händerna i knäet. "Hon slängdes in i baksätet av en Ford Falcon. Sedan tog de henne till ESMA. Jag vet inte hur mycket du egentligen vet om det stället."

"Marinens tekniska högskola", sa Helene som hade läst på. Det hade varit det största av över trehundra hemliga fångläger.

"Då visste hon inte vart de förde henne", sa han. "Man tappar orienteringen när man ligger nedtryckt på golvet i en bil med en gummimatta mot ansiktet och ögonen förbundna, med två par stövlar på sin rygg. Ingen visste. De trodde att de skulle fängslas, kanske torteras för information och sedan släppas eller tas inför en domstol, men inte att det fanns ett svart hål bortom lagen där människor kastades in för att försvinna. Under sju månader såg hon ingenting alls."

"Och ändå är hon säker på att det var den här Vera hon såg?"

"Inte såg, hörde."

"Men hur kan hon veta så säkert?"

Ana ryckte till när en lös hund sprang förbi. Hon följde den med blicken när den nosade runt bland rötterna till ett uråldrigt träd. Lite längre bort kröp en mörkhyad kvinna med indianska drag ut ur ett provisoriskt läger, några tygsjok och kartongbitar som hade stagats upp mot ett staket. Hon hade en kastrull i handen.

Ana började prata igen, hetsigare nu. Helene väntade på översättningen. Hon tittade in i en knotig trädstam och tyckte sig urskilja ansikten i barken. Flera minuter gick.

"Vad säger hon?"

"Det är inte lätt att …"

"Jag hör ju namnet, jag förstår att hon pratar om Vera."

"Men också en massa annat", sa Fabbe, "du måste förstå att det är lite förvirrat det hon berättar, förlåt om min svenska är lite långsam …"

Ana högg tag i hans arm. "Varför säger du det inte? Säg det nu!"

Det var så enkla ord att till och med Helene kunde förstå.

Fabbe suckade. Han tittade ner i *maten* och sörplade i sig lite trots att vattnet i koppen var nästan slut och bara de fuktiga bladen återstod.

"En människa kan inte rå för hur hon reagerar under de omständigheterna", sa han till slut. "Jag ska inte redogöra för vad de gjorde mot henne för det tjänar ingenting till. Du kan ändå inte föreställa dig smärtan. Jag pratar inte om tortyr som ett begrepp utan om detaljerna. Du kanske tror dig förstå vad det innebär när de kopplar elektriska kablar till ditt kön, när de skär skinnet av dina fotsulor som när man hyvlar en ost, men det kommer alltid till en punkt när fantasin inte räcker till. Jag säger det inte för att plåga dig utan för att du inte ska döma."

Det hade blivit tyst omkring dem, Helene hörde inte fåglarna längre.

"Hon säger att hon hatade henne, hatade den där kvinnan som kallade sig Vera."

Det var på det sjunde dygnet. Ana hade räknat varje morgon och varje natt för att inte förlora sig helt i tiden, rabblade i huvudet: onsdagen den tolfte februari, torsdagen den trettonde.

Tiden var det enda som var konstant i det absoluta mörkret. Detta att ingen visste var hon var. Att hon ingenting såg. Inne i huvan var det svart och stanken var outhärdlig, huvan hade nog aldrig tvättats. Där fanns skrik av ångest och smärta. Hon såg ingenting och pratade med ingen, ensamheten i en sådan huva hade inga gränser.

Men den natten hade hon hört en röst hon kände igen. De låg fastkedjade på vinden, i hettan under taket. En kvinna mumlade för sig själv alldeles i närheten. Hon måste vara nyanländ, för efter den andra eller tredje natten blev de flesta tysta. Ana hörde orden mellan stönanden och gråt.

Det var en röst som var så ljus och lätt, den förde henne ut därifrån igen, hon var tillbaka på kaféerna i San Cristóbal. En liten heshet bak i strupen, hon kunde inte ta fel på den rösten. En lång stund låg hon och lyssnade medan andra väste åt kvinnan att hålla käften så de fick sova. Och Ana hade insett att det var svenska hon talade. Hon hade tänkt att det inte stämde, men blivit säker ändå. Kanske hade Vera haft skäl att säga att hon var tyska. Sådant spelade inte längre någon roll.

"Har du klippt av dig ditt blonda hår än?" hade hon viskat till slut, "har du färgat det svart?"

Det var en ofarlig sak att säga om någon vakt hörde, men ändå en kod som Vera skulle förstå. De hade pratat om det. Vera hade varit rädd för att hon syntes för mycket i det där blonda håret, hon ägnade sig för mycket åt att grubbla på sitt utseende.

Ana fick inget svar. Ett gnyende bara och jämmer. Hon försökte ett par, tre gånger till men det var tyst. Vera hade slutat med sitt mummel. Timmarna gick. Ensamheten var väldigare än förut. Ana viskade något om att de måste förlåta varandra. Det fanns någon här inne som visste vem hon var. Det gjorde dem till människor och inte nummer. Hon hatade Vera för att hon teg. De hade kunnat uthärda tillsammans.

Tre gånger till hörde hon Veras röst, men hon brydde sig inte längre om den. Och när Ana släpptes långt senare, när de hämtade henne en kväll och knuffade in henne i en bil och hon trodde att det var nu hon skulle dö, tills de slängde av henne på en mörk gata i Buenos Aires och hon förstod att hon var två kvarter hemifrån, då hade hon redan bestämt sig för att hon hade hört fel. Det hade aldrig funnits någon svensk kvinna som kallade sig Vera på ESMA. Hennes pappa öppnade dörren och släppte in henne. Dagen efter hade han sagt att de nu skulle glömma allt som hade hänt.

Det hade blivit kyligare, solen sjönk bakom hustaken i sydväst. På bänken mittemot sträckte en hemlös man ut sig och drog jackan över huvudet.

"Kan jag fråga en sak", sa Helene lågt.

Fabbe nickade.

"Hur kan hon vara så säker på att det var just svenska hon hörde?"

När han hade översatt vände Ana sakta på huvudet. Den tunna huden stramade över kindknotorna.

"Muerte", sa hon och såg rakt på Helene medan hon fortsatte prata och samma ord upprepades gång på gång. Hennes ögon var mörkt blå.

"Döden", översatte Fabbe. "Hon pratade om döden och det är ett ord hon känner igen, om något av alla svenska ord."

Han log. Det verkade märkligt att le åt detta.

"Jag är Döden!" fortsatte han. "Från Sjunde inseglet av Ingmar Bergman! Max von Sydows karaktär som spelar schack med döden, *El séptimo sello*, vi såg den tillsammans så många gånger på Corrientes, vi kunde de där första replikerna utantill på svenska." Han drog in luft och deklamerade: "Är du beredd? Min kropp är beredd, inte jag själv."

Ana log också, för första gången. Några tänder var borta.

Känslan av den unga kvinnan skymtade förbi, lika lätt som doften av parfym hos någon som hastigt passerar.

"Det var hans uppfattning om en romantisk kväll", sa hon.

"På Lorraine-biografen!" fortsatte Fabbe entusiastiskt. Ägaren var helt besatt av europeiska, arty filmer, han visade dem gång på gång och avgudade Bergman, visst kommer du ihåg honom? Vad sjutton hette han nu igen?" Fabbe var så ivrig att han blandade spanska och svenska i en enda röra. "Du älskade ju Smultronstället, det minns du väl?"

Men ögonblicket var över och leendet dog ut.

"Det var döden", upprepade Ana.

Hon började skaka.

"Vi visste inte då vad det betydde när de ropade ett nummer på en onsdag, varför vi aldrig såg dem mer. Jag höll räkningen på tiden, jag visste vilken onsdag det var."

Det rann ur henne, tonlöst som i en stilla ström, rännilar av ord som inte nådde fram till Helene eftersom Fabbe gick tillbaka till att nästan enbart prata spanska. Kanske ville han lugna Ana, få henne att sluta skaka och spärra upp ögonen så vilt, men Helene fick för sig att han försökte tysta henne också. Bara en och annan mening slapp ur honom.

"Hon hörde inte Veras röst någon mer gång efter det."

"De krävde att deras medlemmar skulle stå emot tortyr, men nästan ingen människa klarar det, det var omänskligt att begära."

"De var så unga, de var studenter bara."

Han fumlade i sin väska och fick fram en smörgås som han gav till Ana. Hon slog bort hans hand så att smörgåsen trillade ner. Den hamnade i en geggig liten pöl av regn och skräp. Ana rabblade kristna fraser igen, … förlåt min gud … herre Jesus Kristus …

"Det blir så här ibland", sa Fabbe, "du måste förstå."

"Vad är det hon pratar om?"

"Jag kan inte …"

Ana hade rest sig. Fabbe talade tyst med henne, han lyfte armarna som om han ville hålla om henne men gjorde det inte och när hon gick såg han länge efter den bylsiga ryggen som blev allt mindre och försvann längs gångstigarna i riktning mot den ruffigare bebyggelsen i söder. Hans armar föll ner igen.

"Det är där hon bor, i La Boca", sa han. "Hon låter mig inte veta var, men jag följde efter henne en gång. Hon gick in på ett *conventillo*, det är som en *pensión* fast för de ännu fattigare."

Han plockade ihop sina saker. Skakade ur de fuktiga bladen ur muggen.

"Det var jag som gjorde slut med henne", sa han. "Det är fyrtio år sedan. Jag kan ju inte ångra det nu, med barnen som jag fick och allt, och ändå tänker jag hela tiden på det."

En hund skällde till när de var på väg därifrån och Helene vände sig om. Därför råkade hon se när den indianska kvinnan sprang fram till bänken där de hade suttit. Hon tog upp smörgåsen från marken och skyndade tillbaka, in bland tyg och kartongbitar igen.

Helene vaknade med hjärtklappning mitt i natten, svettig ur en dröm hon först inte kom ihåg. Det tog en sekund att begripa var hon befann sig. Rummet var litet, ett skrivbord, en tv i taket. Ett par som dansade tango på en inramad affisch. Hon hade inte ens orkat dra för gardinerna innan hon stupade i säng, såg ut i mörker och en husvägg. En gammal klockradio visade 04.37. Hon gick upp och kissade och sedan var hon klarvaken.

Den där drömmen. Hon mindes den sakta, den rullades upp scen för scen. Den hade handlat om Uffe Rainer. Känslan av honom fanns kvar i kroppen som en gungande mjuk bränning. Hon ville inte tänka på det som något erotiskt, en förvirrande dröm bara, av fragment som hennes hjärna hade totat ihop. Hon hade stämt träff med honom någonstans i Buenos Aires, men virrade runt på okända gator och hittade inte dit. Sedan hade de ändå varit tillsammans, i parken. Hade han kysst henne? När hon lade sig i sängen för att försöka somna om var det bara det hon ville tänka på, för en kort och obetydlig stund, den där kvällen då han hade varit något av en livvakt i baren där hon träffade tangokillen Mats.

Hon hade sagt adjö till Mats utanför. Sedan hade hon gått tillbaka in till Uffe i baren. De hade tagit en öl ihop medan Helene berättade en del av vad hon hade fått veta, det kändes som ett slags betalning för hans hjälp, men det var också skönt att kunna prata med någon. När de sa hej då och han skulle gå mot pendeltåget och hon promenera hem, så hade han kramat om henne. Helene visste inte var det kom ifrån men plötsligt fångade hon in hans läppar med sina, de var mjuka, hon blev rädd och backade, eller om det var han som drog sig undan. Hon var lite full förstås. Det måste ha varit därför det hände. Han såg förvånad ut. "Hej då 'rå", sa han och tvekade någon sekund till, innan han vände sig om och gick.

Helene gav upp om att somna och sträckte sig efter mobilen. Den stod på ljudlöst för att ingen skulle väcka henne mitt i natten. I Stockholm var folk redan på jobbet, barnen i skolan, vid den här tiden var hennes kropp beredd på att rusa och prestera som bäst.

Hon hade ett missat samtal. Det var från Mats. Hans namn väckte ett obehag i magen som hon inte blev av med.

Hon väntade tills efter frukosten. Åt en fruktsallad och ägg-röra, en croissant som här hette *medialuna*, halvmåne, och drack två koppar svart kaffe. Sedan ringde hon upp honom.

"Förlåt att jag ringde", sa han, "men jag känner mig lite orolig för hur du mår med din syster och allt. Jag vill bara säga att jag finns här. Om du vill prata."

Helene stönade inombords. Hon borde aldrig ha gett honom sitt nummer. Det var tredje gången han hörde av sig. Varje gång hade hon trott att det var något viktigt som gällde Charlie, men det handlade bara om honom.

Jag finns här om du vill prata. Tror inte det.

"Jag är i Buenos Aires", sa hon och försökte låta oberörd. "Och så tänkte jag att jag skulle kolla det där huset du pratade om. Kommer du ihåg mer exakt var det låg?"

"Nej, det vet jag inte ..." Han lät besviken. "Jaha så du är där nu."

"Tänk efter."

"Jaa ... jag följde ju med på kartan och så ... Belgrano heter det och så ännu lite längre upp."

"Vad hette gatan?"

"Det var ju taxichauffören som hade koll, jag vet inte. Jag läste på gatuskyltarna, men sådant kommer man väl aldrig ihåg, en bred gata med stora träd … Den där glassbaren låg lite längre ner, Fragole eller Frambuesa, det började på F i alla fall. Det var där jag blev överfallen … Vad gör du i Buenos Aires om jag får fråga?"

"Hej och tack", sa Helene och lade på.

Hon satte sig vid den stationära datorn utanför matsalen som hade bättre uppkoppling. Det var tre timmar tills hon skulle möta Fabbe igen. Han hade ursäktat sig när de gick från parken kvällen innan och sagt att han inte orkade mer nu, han kände sig ledsen och ryggen värkte, men det fanns andra som han ville att hon skulle träffa.

Helene skrev in sökorden, glass hette *helado*. Språket hade börjat leva i henne, ord och formuleringar som plöppade upp till ytan. Det visade sig finnas oanade mängder av glassbarer i Buenos Aires, men av alla dem som började på F låg bara en enda i stadsdelen Belgrano R, strax norr om själva Belgrano.

Klockan var ännu inte åtta på morgonen när hon satte sig i en taxi.

Längre norrut blev avenyerna pampigare och staden började likna Paris. Om hon verkligen hade varit på en arkitektur-konferens skulle hon ha stannat till vid art déco-husen som skymtade längs paradgatan Avenida de Mayo, hon skulle strosa där och granska hur detaljerna i det tidiga 1900-talets jazziga lyx skiftade i uttryck jämfört med New York och Paris, men nu svepte de bara förbi.

Taxin svängde runt en boulevard med sexton filer som skar rakt igenom staden, kryssade vidare mellan mörka tvärgator och stökiga affärskvarter. Helene försökte föreställa sig hur det kunde ha sett ut för trettiofem år sedan, vad hade Ing-Marie från Sverige sett? Det kaotiska och skitiga, känslan av något farligt? Eller att det verkade så välbekant, som en europeisk stad fast på andra sidan ekvatorn?

Chauffören svor, antog hon av tonfallet och handen som dunkade irriterat mot ratten när trafiken fastnade, *qué quilombo*!

Hon tänkte: staden märker inte om en människa försvinner. Någon tar platsen som blir tom.

Så enkelt att glömma en främling.

Trafiken lättade.

När hon efter femtio minuters resa steg ur bilen utanför glassbaren Frapole tycktes storstaden långt borta. Hon befann sig fortfarande i det inre av Buenos Aires, i det som hette Capital Federal, men här var pulsen lägre.

Hon gick in och köpte en kaffe att ta med sig i handen. Sedan stod hon i korsningen utanför glassbaren en stund, drack av kaffet och försökte återkalla vad Mats hade beskrivit. De stora stenvillorna, murarna och staketen. Ljuset nådde knappt ner under trädkronorna, filtrerades genom det gröna och gav en känsla av något trolskt och exklusivt. Helene nickade åt en kvinna som var på väg ut genom en grind med två skolbarn i uniformer. Vid nästa hus var det något som klickade. Högst upp på muren fanns en rad vassa stålpiggar. Mats hade pratat om dem, men hon hade tänkt på spjutspetsar som stack rakt upp, de här var svängda kring varandra så att de bildade formen av spiror. Effekten var ändå densamma, avskräckande och hotfull, en signal om att hålla sig borta.

Ovanför muren kunde hon se murgrönan som slingrade sig tjock över fasaden på ett stenhus. Taket stack upp och några fönster var synliga i övervåningen, men annars var det helt övervuxet. Han hade pratat om murgröna också.

Helene fortsatte ändå gå tills gatan tog slut. Det fanns inga fler hus med liknande mur. För säkerhets skull gick hon ner till korsningen vid glassbaren och fortsatte gatan ner. Ytterligare två hus hade ilskna taggar på murarna, men inget av dem var täckt med murgröna..

Hon gick tillbaka. Gatan var stilla men inte helt öde, där fanns en man som klippte gräs i små parkytor längs de breda trottoarerna, en kvinna i dräkt hoppade in en silverfärgad liten bil. Det fanns ingen anledning att vara rädd, sa hon sig, men ändå började hjärtat slå hårt i bröstet när hon såg upp mot huset. Det såg ut att befinna sig bortom tiden. Kanske var det inte murgröna, den verkade blankare och mer intensivt grön, tycktes växa inför hennes ögon.

Det fanns en porttelefon, men inget namn. När hon kikade uppåt såg hon en liten kamera invid grindstolpen. Hon noterade numret på huset. Hon kunde ju alltid googla adressen och se om det skulle ge något. Det kunde handla om något så trivialt som en älskare som Charlie hade raggat upp. Att Mats hade blivit nedslagen längre ner på gatan kunde vara en ren slump. Var han inte just den typen som blev rånad i städer som den här, en blek man som stod i ett gathörn och såg rik och bortkommen ut?

Helene tittade upp mot huset en sista gång. Var det en rörelse där, innanför fönstret på övervåningen? En skiftning i ljuset kanske, när ett moln skymde solen för ett ögonblick.

"Söker du någon?" frågade en man bakom henne. Helene snodde snabbt runt. Där stod en lång trädgårdsarbetare i grön väst och någon form av kratta i näven.

"Nej, jag bara … det är ett intressant hus", sa Helene och tvingade fram ett leende. Något mer intelligent lyckades hon inte formulera på spanska så hon sa *buenos días*, och började gå därifrån, i riktning mot korsningen där en och annan gulsvart taxi passerade.

"Det är en pakt av tystnad som nästan ingen har brutit", sa juristen, "och det börjar bli bråttom nu, de dör."

Han hette Guillermo och hade gått med på att träffas utanför en rättegångssal i den federala domstolsbyggnaden. När dörrarna öppnades skymtade Helene tre domare längst fram och en gammal man i vittnesbåset. Guillermo själv var några år över trettio och förmodligen inte ens född när brotten begicks.

"Fyra års arbete", sa han och klappade på luntan. "Men jag behövs inte därinne just nu, de kallar in mig om de behöver mer fakta."

Han slog sig ner i en låg soffa av imiterat skinn i hallen utanför rättssalen. Just den här rättegången handlade om mord som hade anknytning till Operation Cóndor. Det var ett hemligt nätverk under juntatiden, berättade han, där underrättelsetjänster i sex latinamerikanska länder hade gått samman för att spåra upp och mörda sina fiender var helst i världen de befann sig. Ingen chilenare skulle kunna känna sig trygg i Argentina och tvärtom. Genom Operation Cóndor hade diktaturerna även samordnat sitt spionage bland flyktingar i Madrid och Paris, beordrat mord på chilenska politiker på öppen gata i Washington och Rom ...

Guillermo satte upp handen som för att stoppa sig själv.

"Förlåt, det är inte därför du är här." Han log ett charmerande leende och drog upp en tunn mapp ur portföljen.

Fabbe sjönk ner på Helenes andra sida. Hon var glad att hon inte behövde hans hjälp för att begripa vad juristen sa, Guillermo pratade en perfekt, akademisk engelska.

"Det gäller alltså den här kvinnan som gick under kodnamnet Vera. Nummer 676, som vi kallar henne för enkelhetens skull."

"Vad står det", sa Helene och for med blicken över pappret han höll i handen, ett slags rapport i PowerPoint som var daterad samma år. Hon urskilde de där siffrorna och namnet Vera. Intill hade han skrivit för hand: "Ing-Marie Sahlin – *Sueca*?"

Hennes omedelbara reaktion var eufori. Den här juristen hade skapat ett slags papper, ett dokument över hennes mamma, och därmed existerade hon. I Helenes värld tydde det på en högre sanning, till skillnad från förvirrade utsagor på en parkbänk. Om den här intelligente juristen trodde att Vera var hennes mamma, ja, även om han hade placerat ett frågetecken efter hennes namn och uppgiften om att hon var svensk, då kunde hon kanske sluta tvivla på det.

Han var snygg också, vilket möjligen bidrog till slutsatsen.

"Det här är alltid komplicerat", sa han. "Vi arbetar dagligen med att identifiera förövarna, men de flyttades runt mellan läger, såg till att inte ha något nedtecknat på papper och själva tiger de, som sagt. En enda militär har frivilligt brutit pakten under alla dessa år, han dömdes slutligen för trettio mord till fängelse i 640 år."

Guillermos svada var snabb och flödande i sin saklighet. Efter att juntan hade fallit på 1980-talet kom stora delar av sanningen fram, men militärerna lyckades pressa politikerna att anta en lag om amnesti. Därför gick många av dem länge fria för brotten under *la guerra sucia*, det smutsiga kriget, vilket Guillermo betonade var militärens term. Orden var förledande. Själv kallade han det för statsterrorism när staten mördar sina egna medborgare, det var en lögn att det hade utspelats ett krig. Lagen om amnesti hävdes inte förrän 2003. Sedan dess hade många militärer dömts, men långtifrån alla. Dessutom återstod många andra som hade varit inblandade, ledare för internationella företag till exempel, som överlämnade listor till militären på fackföreningsmän de ville bli av med. Ford hade till och med haft ett läger på sin bakgård.

I slutändan handlade allt om bevisning, som skulle hålla hela vägen i en rättssal.

"Och i det här fallet ...", Guillermo bredde ut de sidor som fanns i rapporten om fånge nummer 676, "... så har vi inte ens kunnat identifiera offret. Ingen tycks veta vem hon egentligen var och när det inte finns några kvarlevor ..."

"Det var Ing-Marie", sa Helene. "Det måste det ha varit. Den här kvinnan Ana … Marisol, hon började skaka när hon såg mig."

Fabbe klappade henne farbroderligt på axeln.

"Helene är en avbild av sin mamma."

"Okej, låt oss utgå ifrån att det är hon. Det här vittnet, vi kallar henne 'Ana', hon möter alltså sin vän på ESMA vid den här tidpunkten."

Guillermo pekade på sin skiss och fyllde i med penna. En ruta som skulle föreställa det hemliga fånglägret. Numret 676 i en ring, som sedan förflyttades steg för steg med hjälp av pilar. Tekniskt och överskådligt. Helen fick återigen den där känslan av att dunkla aningar blev till sanning när hans penna for över pappret, bildade streck och fyrkanter i en begriplig och bärande konstruktion.

Det var i februari 1978. Tidpunkten stämde med vad de visste om numreringen på ESMA – andra fångar med intilliggande nummer hade bevisligen varit där vid samma tid. Av numret kunde de också sluta sig till att "Vera" hade fängslats två veckor tidigare.

En onsdag klockan fem på eftermiddagen hade Ana hört hennes nummer ropas upp.

Det var alltid vid den tiden, följde samma rutin.

Tolv personer hade hämtats för "transport" den dagen. De hade fått handbojor och förts nedför trapporna till källarvåningen. Där injicerades de med pentothal, ett narkosmedel som inte sövde dem helt men fick dem att låta sig ledas viljelöst till bilarna som väntade på baksidan.

"Vänta bara en stund." Helene visste inte om hon avbröt för att hon måste veta, eller om hon värjde sig för det hon var rädd skulle komma.

"Jag vet att du nog inte kan svara på det, men rent hypotetiskt, hade hon hamnat där om hon var oskyldig, eller vad tror du att hon kan ha gjort?"

"Vi pratar inte om skyldiga och oskyldiga", sa Guillermo. "Det fanns alla sorter, studenter som hade käftat emot en lärare, fackföreningsledare som slogs för högre löner, folk som var engagerade i sociala projekt i slummen och beväpnade *guerrilleros* som hade sprängt en militärförläggning eller något i luften. Oavsett vilket så var det ingen av dem som förtjänade att torteras och slängas levande ut från ett flygplan."

Helene svalde.

Guillermo pekade på datumet, den där onsdagen i februari.

Samma kväll, fem timmar senare, hade ett flygplan lyft från den närmaste militära flygplatsen. Det var belagt. Av loggböckerna hade de kunnat slå fast flygtid och ungefärlig destination. Uppdraget var noterat som "övningar i luften". Det var troligt, rentav sannolikt, att det planet hade flugits ut över Atlanten, släppt sin last och sedan återvänt till basen. Lade man sedan till andra uppgifter, framför allt fynd av två kroppar som senare hade flutit i land, så var just den dödsflygningen bevisad så långt det var möjligt. Piloten stod faktiskt inför åtal för sin medverkan, men förnekade att han hade förstått vad flygturen handlade om. Han gjorde bara sitt jobb.

"Vi har rekonstruerat situationen så långt det är möjligt, med samma typ av plan, och det är osannolikt att en pilot inte skulle ha sett eller märkt att elva människor leddes ombord och slängdes ut över havet."

Allt detta följde rutinerna. Dödslägren var organiserade systematiskt och hierarkiskt, det hade inte handlat om enskilda mäns övergrepp. De lydde order. Omfattningen gjorde att ett stort antal militärer på alla nivåer var inblandade, även värnpliktiga.

"På senare tid har vi drivit kampanjer för att få de värnpliktiga att träda fram och vittna. Vädja till deras samveten, de var ju så unga. Många av dem återgick till det civila, de har vanliga jobb idag, lever vanliga liv. Deras familjer vet inte om vad de gjorde."

Helene hade svårt att koncentrera sig på vad han sa, hon såg bara det där flygplanet, de tolv som leddes ombord. Eller hade han sagt elva?

Till slut hade några få värnpliktiga trätt fram, den senaste för bara några månader sedan. Guillermo markerade honom på skissen som Mr X. Fabbe lutade sig närmare, hon kände hans varma andedräkt mot sitt öra. Det här var tydligen nytt för honom också.

Idag var den värnpliktige soldaten femtiosex år gammal och civilingenjör vid en biltillverkare i Buenos Aires. Hans hustru hade nyligen gått bort i cancer. Han tyckte sig inte ha något mer att förlora.

Det intressanta var att han i början av 1978 hade varit i marinkåren, som fordonsmekaniker stationerad på ESMA.

"Jag har utdrag ur hans vittnesmål här", sa Guillermo och tog fram ett nytt papper, läste innantill lite hastigt så att han hoppade mellan raderna och översatte ett brottstycke här och var.

Det var en onsdag, det vet jag säkert, för det var då båda bilarna skulle köras fram till transport. Det var min tredje vecka där så det där datumet du säger stämmer ... Jag hade kvällsskiftet och det ingick inte att jag skulle lasta ... ja, de leddes ju in i bilarna. Men den här officeren beordrade mig att hjälpa till för det var någon som inte kunde gå. Annars gick de ju fast de var liksom helt borta ... som zombier ... Nej, jag visste inte vid den tidpunkten vart de skulle köras, jag var inte chaufför ... jag körde bara inom området och såg till att bilarna var tankade och i skick ... De var tolv stycken när de tog ut dem ... Ja jag är säker på att de var tolv. Jag har gott sifferminne, jag utbildade mig till ingenjör sedan, jag hade högsta betyg i matematik, jag ser siffrorna framför mig och sedan glömmer jag dem aldrig ... Fast jag kan inte säga vilka de andra numren var för jag hörde

inte alla ropas ut … det var det där med 676, att jag beordrades
bära den … henne, menar jag … Han sa åt mig att bära henne
in i bilen. Hon var avtuppad, sov alltså eller något. Det var det
som fick mig att … ja en sådan sak som man inte glömmer …
att kroppen var så tung. Nej … jag kan inte säga något om
utseendet. Vi fick inte tända strålkastarna. Kanske ljust hår
tror jag, men det var ju mörkt ute så jag kan inte säga det så
säkert. Hon hade väl sår också … här och här …

(Vittnet pekar mot halsen och ansiktet, fötterna och ar-
marna.)

Guillermo såg upp från vittnesmålet.

"Nu kommer det märkliga. Jag sa ju förut att allt följde ru-
tinerna och så är det i nittionio fall av hundra. Det är det som gör
att vi med säkerhet vet att allt var planerat och styrdes uppifrån.
Men så inträffar något."

Jag skulle lyfta upp den där … nummer 676 … i bilen, och
plötsligt var hon så tung. Jag minns att jag hörde någon skrika
och gorma bakom mig. Det är svårt att lyfta en människa på
det sättet och jag visste inte om jag skulle lägga henne på golvet
bak i bilen, det var ju täckta jeepar som användes och de andra
satt längs kanterna, men hon kunde ju inte sitta upp och på
golvet fanns det ingen plats … och så skrek någon åt mig att
nummer 676 inte skulle dit. Jag förstod inte, skulle hon till den
andra bilen? Den var ju redan lastad, vakten hade hoppat upp
och stod bakpå … Det kom någon, ett befäl, men jag vet inte
vilken grad han hade och sa att det var ett fel i sorteringen. 676
skulle inte med. Han sa åt mig att bära henne … det verkade
inte som att han själv visste vart … Ja, men lägg henne där så
länge sa han och jag lade henne i gräset bredvid infarten och
sedan fick jag order om att återgå till logementet. Jag hörde

bilarna när de kördes ut från området och grindarna gick igen
och jag visste ingenting. Snälla, ni måste tro mig när jag säger
att jag inte visste vart de fördes …

"Och sedan då?" sa Helene.

"Sedan?"

"Vad gjorde de med henne?"

Guillermo lade tillbaka pappret i den minutiöst ordnade mappen.

"Jag vet inte vad som händer sedan", sa han. "Det fanns inga vittnen kvar på platsen. De som fördes bort i bilarna är döda. Inga andra fångar var närvarande, och militärer pratar inte som du vet. Jag är ledsen."

Dörren till rättssalen öppnades och en kvinna i stram dräkt kom ut. Guillermo ursäktade sig och reste sig för att prata med henne. Tydligen var vittnesmålet avslutat, båset var tomt. Helene passade på att gå på toaletten. Hon passerade en vakt som log mot henne. Väggar och golv var slitna och inredningen gick i nyanser av brunt som förde tankarna till det forna Östeuropa. Det gick inte att låsa på toaletten. Det fanns inget papper heller. Helene höll i handtaget och letade upp näsdukar ur väskan medan bilden etsade sig in: en naken medvetslös kvinna som hade lämnats på en gräsmatta. Och sedan? Ing-Marie hade inte kastats ut från ett flygplan. Det var goda nyheter. Var hon förresten naken? Guillermo hade inte sagt något om det. Helene hade läst någonstans att de var nakna, de som hade flutit iland och hittats, men när klädde de av dem egentligen? I planet, i bilarna, innan?

Tankarna irrade runt utan styrsel.

När hon kom tillbaka var de två männen inbegripna i en hetsig diskussion på spanska. Guillermo vände sig mot henne.

"Det är så här vi håller på, lämnar ingen ifred", sa han och log. "Jag försöker få Fabricio att övertala sin väninna att vittna."

"Vad ska jag säga, jag har försökt …" Fabbe suckade och bytte fot, det var tydligt att han våndades.

"Han lever", sa Guillermo och sänkte rösten. "Det är därför jag ringer dig och insisterar, det är inte för mitt eget nöjes skull. Vi vet att Squatina lever och befinner sig här i Buenos Aires."

"Kan vi gå ut en stund?" sa Fabbe. "Jag tror jag behöver lite luft."

Guillermo nickade och slank in i rättssalen, böjde sig över sina medarbetare och viskade något, sedan hämtade han sin kavaj och gick före uppför trappan, genom den väldiga entréhallen där människor tycktes krympa till myror som ilade åt olika håll i rättssystemets vindlingar.

"Det var en tidigare fånge som kände igen honom", sa Guillermo medan de gick, "en optiker i Barrio Norte."

De kom ut på trappan till domstolsbyggnaden. Den låg precis vid en trafikerad genomfartsled, men luften var lika påfallande frisk som överallt i mångmiljonstaden. Det var vindarnas förtjänst, som ständigt låg på från Atlanten och Río de la Plata och sedan svepte fritt över det platta landet där Buenos Aires övergick i Pampas slätter.

Det var inte mer än två veckor sedan som optikern Oscar Varatsky hade mördats på en gata i centrala Buenos Aires. Polisen hade konstaterat rånmord, men änkan hade hört av sig till Guillermos organisation redan dagen efter. Hennes make hade ringt hem vid lunchtid den dagen. "Jag har sett honom", hade Varatsky sagt gång på gång, "kan du tänka dig att han kom in för att göra en synundersökning?" Hustrun hade förstått direkt vem han menade för det fanns en man som oftare än andra återkom i hans mardrömmar. Hon hade vaknat många nätter av sin makes skrik. Det handlade om hajar, hajar som skulle skicka elektrisk ström genom hans kropp och äta honom levande.

"*Angel Shark!*" sa Helene. "Det är vad Squatina betyder, eller hur? Det är därför jag känner igen det, jag såg hans namn bland Charlies anteckningar."

Fabbe tittade på henne.

"På svenska kallas den för havsängel", sa han. "Det låter ju lite trevligare, men det är likafullt ett otrevligt djur. Gömmer sig i bottenslammet och inväntar sina offer."

Helene erinrade sig att hon kanske hade sett en sådan när hon var på Skansenakvariet med barnen. Något platt som låg i sanden, med fenorna utbredda likt vingar.

"Polisen förhörde över femtio vittnen på gatan, men trots att det var mitt i rusningstid så hade ingen sett något. Eller rättare sagt så hade alla sett olika saker, människor som de av en eller annan anledning tyckte såg skumma ut. Någon pratade om ett gäng peruaner med knivar, de brukar ju få skulden för det mesta, men Varatsky blev skjuten, inte knivhuggen."

"Men om han gjorde en synundersökning", sa Fabbe och sköt upp sina egna glasögon på näsan, "då måste det finnas ett recept, en tidsbokning … Det borde gå att få fram hans namn och adress."

"Visst", sa Guillermo, "om det inte hade varit inbrott i butiken samma kväll. Det upptäcktes inte förrän dagen efter, polisen var väl upptagen med att jaga peruaner. Datorn var stulen. Kan vara ett helt vanligt inbrott, säger de till änkan, men vilka vanliga tjuvar låter ett tjugotal solglasögon av märket Ray-Ban hänga kvar på väggarna?"

Fabbe sjönk ner på ett trappsteg och gned sig i ryggslutet. Helene såg ut mot en ofantlig koloss till hus av betong på andra sidan vägen. Någonstans där bortom fanns den mäktiga floden med sina friska vindar. På vägen dit hade hon sett en skymt av Río de la Plata för första gången, den var annars skymd av höga hus, avspärrade industriområden och vilda ängsmarker som hade sått sig själva, slagit rot i slam och dumpat byggavfall.

"Vad känner du till om den här Squatina?" frågade Guillermo.

"Ingenting, jag råkade se namnet bara."

"Han befann sig på ESMA vid den här tiden, men det finns vittnesmål som placerar honom i andra läger också, som Club Atlético i San Telmo. Vi tror att han kan ha tillhört underrättelsetjänsten. Han var närvarande under tortyr och ledde förhör. Några vittnar om att han beordrade upptrappning av tortyren, han var med inför transporter, kanske även under flygningar. Ingen vet hans grad eller riktiga namn men ju fler situationer vi kan placera honom i vid bestämda tidpunkter, desto större chans att jämföra med de tjänstgöringslistor vi har lyckats få fram, besökslistor ..."

"Så han kan ha varit där samtidigt som Vera?"

"Det är möjligt. Och vi behöver det här vittnesmålet." Guillermo gav henne en blick som gjorde klart att det inte bara var för hennes skull han hade tagit sig tid. Tjänster och gentjänster. Juristen ville ha hennes hjälp med övertalningen.

"Jag satte förresten en av våra volontärer på att köra igenom äldre material och se om de stötte på namnet Vera någonstans." Han balanserade portföljen mellan knäna och drog fram några papper. "Det här intresserar dig nog. Det är en kopia, du kan behålla det."

Helene tog emot pappret. Det var daterat 1987.

"Hon var en av mödrarna vid Plaza de Mayo", fortsatte Guillermo. "Hennes son försvann, men veckorna innan hade han pratat om en tysk kvinna som hette Vera."

Helene läste namnet: Edith Alsmann.

"Tyvärr är hon dement och sitter på ett vårdboende i Once sedan flera år tillbaka. Hon minns inte längre att hennes son försvann. Kanske minns hon inte ens att hon hade en son. Det är svårt att veta vad som är det värsta ibland, minnet eller glömskan."

Guillermo kysste henne hastigt på kinden, han var tvungen att gå in igen.

"Var hon naken?" frågade Helene. "Jag menar Ing-Marie, eller Vera … när de lade henne på gräsmattan."

Han stannade upp och såg på henne.

"Jag förstår vad du menar", sa han. "Och nej, det var hon inte. Den ende som har vittnat om en sådan flygning är Scilingo, han som dömdes till 640 år. Enligt honom klädde de av dem i planen innan de lyfte."

"Tack", sa Helene.

En hög port i mässing och glas slog igen bakom honom. Fabricio Varela reste sig sakta från trappsteget och de började gå ner. Han dröjde på trottoaren nedanför trappan.

"Sa du att din syster hade skrivit ner namnet Squatina?"

"Ja, jag hittade det när jag städade efter …"

Fabbe avbröt henne.

"Men jag sa aldrig något om Squatina till henne. Jag visste inte att det var viktigt då."

Helene vek ner kopian med vittnesmålet i väskan.

"Charlie kanske hade läst det någonstans?" sa hon. "Det fanns andra sådana smeknamn, Ormen, Tigern … olika slags djur."

Fabricio Varela skakade på huvudet.

"Det har inte skrivits om Squatina. Han har aldrig varit före-mål för någon juridisk process eller figurerat i media."

Fabbe gjorde en gest över trappan upp mot domstolarna. En man i svart huvtröja stod några meter ifrån dem och nickade i takt med musiken, Helene hörde beatet som en enerverande diskant.

"Ibland kommer gamla militärer hit och stör så gott de kan, demonstrerar och skanderar mot att deras kollegor ska ruttna i fängelse. Det var några sådana här med banderoller och plakat den dagen när jag tog hit din syster. Hon skulle absolut fram och diskutera med dem, sa att hon ville se dem i ögonen för att se hur ondskan såg ut."

En buss bromsade in vid hållplatserna. Fabbe grävde fram några pesos ur fickan och betalade för Helene också.

"Det var nästan vad som skrämde mig mest när jag började gå in i det här. Jag väntade mig att få se ondskan personifierad, men så kommer det in en böjd gammal man i rättssalen, och jag inser att det hade kunnat vara min far. Eller jag själv för den delen."

Den väldiga domstolsbyggnaden krympte bakom dem och hans röst fick en ton av beundran.

"Hon var kaxig, din syster, det var hon verkligen."

De gick bredvid varandra med en banderoll i händerna, sakta framåt runt torget Plaza de Mayo.

Helene stod vid ett staket och såg deras långsamma procession. Vita sjaletter knutna runt gråa hår.

Varje torsdagseftermiddag hade de gått där, i trettiosju år.

Edith Alsmann hade varit en av dem. En tysk judinna som hade flytt från Berlin 1939, just innan Hitlers trupper invaderade Polen. Hennes öde hade lagt sig i Helene som en dov och mycket sorgsen klang. Att ha lyckats undkomma utrotningslägren i Europa, för att sedan förlora sin son. Att inte ens veta vad som hände honom. Det var därför hon hade anslutit sig till dem som kallades de galna mödrarna på Plaza de Mayo.

Fabbe hade översatt vittnesmålet innan de skiljdes åt.

Kvinnans son, Hugo Alsmann, hade försvunnit i februari 1978. Två dagar tidigare hade han nämnt en kvinna som hette Vera. Han hade kommit hem och rivit runt i sitt rum och varit så förtvivlad att hon som mor kände sig tvungen att kräva att han för en gångs skull berättade något för henne.

Hon var tyska, så mycket talade han om för mig. Ni måste förstå att det gjorde mig upprörd. Att han var ute och sprang med en tysk kvinna …

Och så ville han att hon skulle hjälpa honom att gå runt och fråga efter denna Vera, söka upp polisstationen i de där kvarteren i San Cristóbal där hon bodde, han hade till och med gett Edith en adress till en *pensión* vid Avenida San Juan. Det var där hon hade gripits, en dag då Hugo hade gått dit i hopp om att få träffa henne igen.

Han sa att en Ford Falcon körde fram och den där Vera stod vid porten. Det såg ut som att hon kontrollerade sin post när bilen kom och han sa att han aldrig skulle glömma uttrycket i hennes ansikte ... och han kunde inte göra något, han grät min son ... Tre män steg ur bilen. Den hade inga nummerskyltar. De var civilklädda. Hugo sa att han backade in genom dörren till ett kafé och han grät för att han var så feg ... Han var ingen feg människa, men vad skulle han göra? Han såg genom fönstret när de drog in henne i bilen och tryckte ner hennes huvud och sedan såg han henne aldrig mer. Han blev rädd. Man kunde inte gå emot de där männen ... Han var ingen dålig människa.

Efteråt, när Hugo också var borta, hade Edith gått till Avenida San Juán en dag. Hon tänkte att Vera kanske var tillbaka, men kvinnan som öppnade på pensionatet kände inte till någon med det namnet.

Jag förbjöd Hugo att nämna Veras namn, men jag tror att han sprang runt och frågade efter henne ändå. Han var verkligen ingen sådan där subversivo *som de kallade det, han var bara en vanlig pojke.*

Vid den meningen hade Fabbe tittat upp.

”Som om vanliga pojkar någonsin har berättat för sina föräldrar vad de egentligen håller på med.”

Edith Alsmann hade gått runt till alla polisstationer, till myndigheterna, men ingen visste var Hugo fanns, de hade inte ens hört namnet. *Han kanske har rest utomlands sa de ... han kanske har träffat en flicka någonstans ...*

Och sedan hade hon anslutit sig till de andra mödrarna på

Plaza de Mayo. Det hade börjat som ett protestmöte på torget i april 1977, men eftersom det var förbjudet att anordna folksamling hade polisen manat på dem att röra på sig och då hade de börjat gå istället, för det fanns inget förbud mot att promenera. De gick två och två i armkrok, för mer än två personer var en folksamling. Runt, runt, varje torsdag klockan tre. För några år sedan hade de tänkt sluta eftersom regeringen numera var på deras sida och det fanns ingen anledning att protestera längre, men ändå hade de tagit upp det igen. Genom åren hade de splittrats och därför var det två grupper av gamla kvinnor som nu gick runt, runt. Några i fortsatt tystnad med barnens namn på sjaletterna och andra som tillät sig att sjunga. Hon visste inte riktigt vad splittringen gällde, även om Fabbe hade försökt förklara, det var något om att finna svaret på sitt eget barns öde, eller alla de försvunnas öde, för att alla barn var allas barn, eller något sådant. Det fanns organisationer för mormödrar också, som sökte sina barnbarn, de hundratals som hade stulits från de fängslade och skänkts bort till militärtrogna familjer.

Marschen började ta slut och löstes upp i en folksamling. Det fanns vita sjaletter målade i stenläggningen också. Helene tänkte att allt handlade om hur många varv en mamma var beredd att gå för att återfinna sina barn. Edith Alsmann som hade glidit in i dimman utan att någonsin få veta. Det fanns ingenting i hennes berättelse som antydde att Vera själv hade varit mor. Det hade hon nog inte berättat för Hugo.

Någon talade i en mikrofon, de sjöng igen. Där fanns ett tält där organisationen sålde souvenirer. Helene fick se en man som tittade intensivt åt hennes håll, han stod i utkanten av folksamlingen kring mödrarna. För en sekund möttes deras blickar. Hon tyckte att det var något bekant över honom, men inte påtagligt, han såg väl ut som de flesta andra, ganska lång och mörk med ljus hy. Hon tyckte sig uppfatta ett leende. Han var minst tio år yngre, klädd i huvtröja och jeans. Helene kände sig besvärad och vände sig bort, trodde han att hon var smickrad för uppmärksamheten?

Hon gick därifrån och ljudet av mödrarnas repetitiva sång dog bort.

Kvinnan satt på samma bänk, som om hon aldrig hade lämnat den. Halva bänken låg i sol och halva skuggades av träden.

Helene bad sin tolk att vänta medan hon gick fram. Han hette Javier och var bror till hotellets receptionist, hade en masters i engelska och sålde sina tjänster till halva priset om hon betalade kontant i dollar.

Ana såg inte förvånad ut.

"*Buenas tardes*", sa hon. "Jag trodde nog att du skulle komma tillbaka."

Det var i alla fall vad Helene uppfattade att hon sa. Det fanns inget avvisande eller fientligt i hennes hållning, snarare en stillsamhet som nästan kändes fridfull.

Helene frågade på stapplande spanska om det var okej att hennes tolk också satte sig ned. Ana betraktade Javier när han närmade sig.

"Så Fabricio är inte med dig idag", sa hon när tolken hade presenterat sig utan att pussa på kind. Helene hade avrått honom från att röra vid henne.

"Nej, han har annat för sig."

Ana log svagt.

"Han vet inte om att du är här, eller hur? Då hade han följt med. Han vill skydda mig."

Helene satte sig bredvid henne, med Javier på sin andra sida.

"Är det därför han inte översätter allt du säger?"

"Så vad är det du vill veta?" Ana tittade upp på Helene helt kort. "Du kan inte ha varit så gammal då."

"Tre år. Min syster var fem."

"Och nu undrar du varför hon lämnade er för att resa till den värsta tänkbara platsen på jorden?"

Helene nickade tyst.

"Det var en märklig tid för vänskap", sa Ana och snurrade ett armband i läder mellan fingrarna. "Jag kan inte säga att vi var vänner, för det hade varit förbjudet. Vi var inte särskilt lika, jag som kom ur den katolska peronismen och hon var en tysk marxist och *foquista* … Ja, det var medan jag ännu trodde att hon var tyska."

Helene förstod bara hälften av de där beteckningarna och ännu mindre deras innehåll.

"Det där säger dig väl inte så mycket", sa Ana, "och strunt i det. Det skulle ta för lång tid att förklara för en europé att begreppen alltid har varit annorlunda här, vår marxism är inte densamma som er, ni ser våra paradgator och tror att vi vill vara européer, men alla våra revolter har i praktiken handlat om att bli av med er."

Hon log igen och Helene tyckte sig återigen uppfatta den unga kvinnan som i en glimt, ett minne av den hon hade varit.

"Vera var väl som alla andra vänstereuropéer när de kommer hit, såg fattigdomen och ville sona den koloniala skulden. Och så var det den där killen förstås."

"Menar du Ramón? Träffade du honom?"

"Jag visste inte ens att han hette Ramón."

Ana fingrade på sitt armband igen och blev tyst.

"Jag var tjugofem år", sa hon till slut. "Växte upp i ett katolskt hem, jag var katolik, det var så jag kom med i Montoneros till en början, för att vi var säkra på att orättvisorna inte var skapade av Gud utan av människor."

Fåglarna fyllde tystnaden med kvitter och tjut, som om de också hade något att säga om Gud. Kvinnan verkade mycket lugnare än förra gången.

"Vad var hennes riktiga namn?" frågade Ana.

"Ing-Marie."

"Tror du att det är Guds vilja att jag sitter här, medan hon är borta?"

"Nej, det tror jag inte", sa Helene.

"Det har du rätt i", sa Ana. "Gud hade ingenting med det att göra. Det var jag som var Döden."

Den tillfällige tolken tvekade för första gången inför översättningen, som om han inte riktigt förstod vilken grammatik som gällde kring Döden.

"Vad menar du?" sa Helene.

"Nu pratar jag inte om den där gamla filmen", sa Ana. "Jag pratar om mardrömmar och verklighet och hur de glider ihop i en och samma smärta tills man inte vet vad man säger, tills man skriker vad de vill att man ska skrika, tills man ger dem en adress och ett namn."

Det borde ha tystnat där. Helene önskade att fåglarna inte väsnades så förbannat och att parkarbetarna kunde stänga av sina maskiner och hundarna sluta skälla. Det var något med orden, eller tonfallet.

Hon anade att det var just det här som Fabbe hade låtit bli att översätta.

"Fabricio tror att det handlar om tortyren", fortsatte Ana, "men den fysiska smärtan glömmer man rätt fort. Kroppen har inget sådant minne. Det är borta. Om jag skulle vittna skulle jag kanske kunna återskapa det i mitt huvud, men jag kan inte minnas."

En adress, ett namn. Det var det som hängde kvar i luften. Sakta tyckte sig Helene förstå vad det var hon försökte säga.

"Var det du som angav henne?"

"Liksom jag angav tre människor till. De är också borta."

Helene visste inte vad hon skulle säga eller känna. Det var

tomt i henne. Hon tittade rakt fram och såg ingenting, något grönt bara, och grått.

"Du kanske undrar varför jag inte bryter samman idag", sa Ana. "Det är medicinen. Jag har tagit den de sista dagarna. Den tar bort ångesten, men också sådant som förnimmelser av hösten och närvaron av den plats där jag befinner mig. Jag sitter i Lezama-parken nu, det vet jag, men jag förmår inte känna det oändliga med himlen eller detta att träden fanns här före mig och kommer att finnas efter. Jag tänker att det ändå finns en möjlighet att känna glädje. Därför slutar jag ta medicinen ibland."

En ung mamma med barnvagn satte sig på bänken mittemot. Hon vickade vagnen med foten så barnet vaggades medan hon plockade fram en termos, muggen till sin *mate* och en bok som om hon förberedde sig på att sitta länge. Helene fick svårt att titta åt det hållet.

Ana fortsatte tonlöst.

"De körde runt mig i en bil. Jag skulle peka ut adresser. Jag kände till pensionatet där Vera bodde. Jag skulle inte veta men hon råkade säga det en gång, det var sådant som hände. De såg det på mig när vi passerade. Jag tittade. Det var allt jag gjorde. Jag lyfte inte handen, jag pekade inte. De fick det ur mig ändå."

"Det fanns en pojke som hette Hugo."

"Det vet jag inte vem det var."

Helene sneglade på tolken, men såg ingen reaktion. Orden rann igenom honom och transformerades. Han var djupt koncentrerad.

"Kanske visste Vera vem som angav henne", fortsatte Ana. "De brukade berätta sådant. Det kanske var därför hon inte ville prata med mig."

"Är det på grund av det här som du inte vill vittna?"

Ana skakade sakta på huvudet.

"Det spelar ingen roll. De vet att nästan alla faller därinne, det finns inga gudar och hjältar på en sådan plats."

"Så varför vittnar du inte då? Varför hjälper du inte till att sätta dit dem?"

Helene började bli arg, det stockade sig inom henne, men hon kunde inte skälla ut den här kvinnan. Hade hon inte rätt att vara arg? Hon ville resa sig och gå ett varv kring bänken, få utlopp för någonting, men hon tvingade sig att sitta stilla. Det gnisslade när mamman gungade sin barnvagn.

"Vet du att han kommer hit nästan varje dag?" sa Ana.

"Fabricio?"

"Vi var så unga då, jag hade väl inte ens fyllt tjugo. Det var före diktaturen, Perón var tillbaka, vi promenerade och drömde. Vi låg med varandra en gång." Hon strök bak lite hår och snurrade en slinga mellan fingrarna. "Ibland kan jag se i hans ögon att det är henne han ser, den flickan som jag var. Hon finns inte längre. Hon dog och ändå kan han se henne. Är inte det märkvärdigt?"

"Jag behöver inte berätta för honom att jag har varit här", sa Helene.

En kort tystnad. Ana stack in sina händer under jackan och höll om sin egen kropp. Hon såg ut att ha samma kläder på sig som förra gången.

"Han vet att jag blev våldtagen därinne. Det blev jag förstås, alla blev det, men det var inte bara det."

Hennes tal blev långsammare som om hon hade munnen full av gröt eller något som smakade mycket illa.

"Det var en officer, jag tänker inte säga hans namn. Han valde ut mig. Lät hämta mig. Först är det bara en del av samma rutin, man lägger sig ner, han gör vad han ska. Sedan fortsätter det, dag efter dag. Då måste du börja anstränga sig. Du vet att du inte betyder något, du är bara en kropp och ännu mindre än så, du är ett djur nästan, en marxisthora, men även den man som har fri tillgång till alla dessa kvinnokroppar som ligger i kedjor, även han kan behöva känna att han är något mer än ett vilddjur. Kanske just han. Kanske är det vägen ut, det som kan rädda dig. Så du börjar ge honom av dig själv för att han inte ska byta ut dig mot någon annan. Du försöker förstå hans önskningar, du gör allt du har sett i din brorsas förbjudna tidningar ..."

Hon tryckte handen mot munnen, men fortsatte ändå prata, så lågt att tolken försiktigt måste luta sig lite närmare bakom Helenes rygg för att höra.

"För Fabricio kan jag ljuga. Han hör vad han vill höra. Men de där juristerna, de vet. De har vänt och vridit på varenda sten i helvetet. De skulle dra ur mig alltihop."

Den sista strimman av sol försvann och bänken låg helt i skugga. Helene var iskall om händerna.

"De skulle förstå", sa hon.

"Ja", sa Ana. "Och Fabricio skulle aldrig se på mig med den där blicken igen."

Hon flyttade sin hand och nuddade Helenes. Helene ryckte till, beröringen var så oväntad.

"Jag tänkte att du kanske skulle komma tillbaka", sa Ana. "Det var därför jag tog med mig det här."

Hon vände upp Helenes handflata. Lade ner armbandet av läder som hon hade suttit och fingrat på och knöt hennes hand omkring det. Anas händer var varmare, men smala som om de bara var hud och ben.

"Hon fick ett liknande indianskt av mig, från Tucumán."

Helene öppnade sakta handen igen och såg ner på armbandet. Det var av mörkt läder, nästan helt svart och stelt. På ena sidan var en fläta broderad i silvertråd. Hon kände igen mönstret. Det var sameslöjd.

Ana drog undan sin hand.

"Jag hade det inte på mig den där dagen då de kom."

I skymningen började det röra sig i skuggorna mellan gator och trottoarer. Snabba skepnader klättrade upp i sopcontainrarna och vräkte ut avfallet, *cartoneros* som strömmade in från förstäderna för att sortera ut stadsinnevånarnas avfall av kartong och plast och metall och sälja det till fabrikerna för några pesos kilot.

Helene skyndade förbi med en känsla av att vara iakttagen från alla håll.

Hon hade stämt träff med Fabbe nere vid hamnen. Hamnkvarteren hade rustats upp och var tummelplats för de nyrika, skyskraporna reste sig mot kvällshimlen.

"Ibland tänker jag att militärerna borde erbjudas strafflindring", sa Fabbe när de satt och väntade på maten. "Då skulle några av dem kanske börja prata. Sanningen skulle komma fram till slut, innan alla är döda."

Han insisterade på att få bjuda henne på en äkta argentinsk *asado*, en grillmåltid av kött och korvar. Hon misstänkte att han också ville visa henne det Buenos Aires som sträckte sig mot framtiden, med inglasade bostadsområden och hippa restauranger som kunde ha legat var som helst i världen.

"Men kan landet gå vidare om vi inte utmäter straffen", fortsatte han, "och kan vi välja bort rättvisan för sanningen, är det möjligt att göra ett sådant val?"

Helene skar små bitar för att försöka få i sig åtminstone hälften av det som hade burits in. Själv gick han på diet och åt bara en sallad.

Utanför restaurangens öppna fönster hade en kvinna stannat till för att sjunga, tonerna av en tango flöt ut över kajen.

"Det är sådana vi är", sa han och nickade ut mot kvinnan. "Åk till Rio och det är salsa du hör, här denna eviga tango. Vi tycker om att gräva ner oss i svårmod och melankoli."

Han log lite och torkade sig i mungiporna med servetten.

"Vet du vad jag gjorde efter skilsmässan, när min fru hade gift om sig? Jag började googla på begravningsbyråer. Tänkte att jag måste veta vad det skulle kosta, döden var den enda framtid jag såg. Jag tänkte bara på en argentinare som hade hittats som en mumie i en lägenhet i Sollentuna, han hade legat död i två år. Och så började mina svenska kompisar, som också hade skilt sig, att träffa sina gamla tonårsromanser från gymnasiet. Det hände överallt omkring mig. De möttes på stan och blev förälskade igen, såg varandra som unga i de gamla ansiktena och mindes känslan som den var då."

Han såg ut genom fönstret, glittret av lampor i kanalens vatten.

"Men i mig såg de bara en gammal man."

Helene kände försiktigt på armbandet som satt runt handleden, i läder och silvertråd. Hon hade tvekat om hon skulle ta det på sig, rädd att förlora det, men hon kunde inte heller förmå sig att lämna det på hotellrummet.

Fabbe sneglade på resterna av hennes biff.

"Är det okej om jag …? Det är ju synd att lämna."

Han drog till sig tallriken.

"Jag saknar mina barn och barnbarn förstås, men vad var jag för en farfar, en som satt och väntade på döden? Och det var inte bara det", fortsatte han mellan tuggorna, "jag ser på min son som är född i Jakan, utbildad socionom. Han skrev något på den där Facebook-gruppen Vi som är uppvuxna i Jakan."

"Jag har sett den."

"Han gick in i en diskussion när bilarna brann i förorten häromåret, försökte ta in det sociala perspektivet, men den enda frågan de tyckte att han skulle svara på var: 'Är du svensk i hjärtat eller bara på pappret?' Vad svarar man på en sådan sak? Vad är det att vara svensk i hjärtat? 'Jag tror du har svarat på frågan', skrev de, 'för vore du svensk skulle du veta." Fabbe skakade på huvudet. "Vi mötte ingenting sådant när vi kom, *nada, nunca,* aldrig, nej!"

"Jag trodde du gick ur Facebook för att slippa bli övervakad av CIA", sa Helene.

"Och Coca-Cola och Viagra och Match.com och alla andra som vill lägga sig i mitt liv. CIA också. De visste vad som pågick här på sjuttiotalet, fick till och med direktrapporter från förhören i lägren när de fann dem särskilt intressanta."

Kvinnan utanför hade avslutat sin sång och gick runt på kajen med en mugg i handen för att få betalt. Helene hajade till när hon såg en man i svart huvjacka som gav henne en slant, men tänkte inte mer på det.

"Kalla mig gammalmodig", sa Fabbe och reste sig, "men jag vill helt enkelt inte att någon ska övervaka mina åsikter eller vad jag äter till frukost."

Helene rotade fram tjugo pesos ur plånboken och gav till tangosångerskan när de gick.

"*Dollar, please?*" hörde hon bakom ryggen när de promenerade därifrån.

När de kom till San Telmo och hans förfallna hus sa de adjö.

Hon var inte rädd för staden och mörkret längre. Barer och kaféer var fullsatta, det var demokrati och öppenhet och det rörde sig folk på gatorna. Hon bestämde sig för att gå en omväg förbi det gamla torget eftersom det var hennes sista kväll. På Plaza Dorrego satt en liten tangoorkester och spelade. Några bord hade infravärme och människor satt med filtar omkring sig och lyssnade, ett par dansade tango på en utrullad matta mellan borden, grupper av yngre män samlades under träden, tog en öl och hängde.

Helene satte sig ner, beställde också en öl och brydde sig inte om att hon var ensam. Tänkte på vad hon skulle köpa i present till barnen nästa dag och att hon måste hitta en vinbutik och få med sig några flaskor årgångs-Malbec från Mendoza hem till Jocke.

Hon försökte hålla sig kvar i tanken på honom, vad hon egentligen kände och ville, men det var som om den delen av henne hade stängts av. Det hörde inte hemma i samma liv. Orkestern bytte låt. Hon undrade om Charlie hade varit här, om de hade spelat då också. Var inte den unge bandoneonisten med sina tatuerade armar och cigg i mungipan hennes typ? Det hade varit varmare då, det hade varit sommar, det måste ha varit fullt med folk på torget. Hon tänkte på Ing-Marie också och rörde vid armbandet kring handleden, en känsla av cirklar som gick i varandra och slöts.

"Kan jag slå mig ner?"

Mannen tilltalade henne på engelska. Helene såg upp och bländades av en strålkastare som var riktad mot tangodansarna, hon såg bara hans silhuett. Därför tog det några sekunder innan hon insåg att han var klädd i en svart huvjacka.

"Jag ska just gå", sa hon och reste sig. Nu såg hon honom ordentligt och det skälvde till i henne, benen blev svaga. Hon hade sett honom förut. Det var samme man som hade stått på Plaza de Mayo dagen innan. Han hade tittat på henne, hon var helt säker på att det var han. Var det till och med samme man som hon nyss hade sett i hamnkvarteren, var det möjligt? Det var platser där folk rörde sig, turister, försäljare, det kunde vara en slump.

Mannen log, men det fanns inget flörtigt i hans leende.

"Det finns en trevlig bar runt hörnet om du vill", sa han på engelska, hur kunde han veta så säkert att hon var turist?

"Nej tack, jag måste gå."

Helene reste sig och grävde i väskan, fick tag en peso-sedel, strunt samma om det var en hundring eller en femtiolapp, ingen visste ändå vad de var värda i morgon. Hon tryckte in den under ölglaset och undvek att vända sig om när hon gick.

Kvarteren hade förlorat lite av sin charm. Hon ökade takten och vinkade till en taxi, men skylten var släckt och den körde förbi henne. I mörkret blev hon osäker på vägen och tog diskret upp sin mobil trots att hon hade blivit varnad för det. Stränga importregler gjorde iPhones svindyra och extremt stöldbegärliga, men för ögonblicket kändes det värre att bli irrande på fel gator. Hon slog igång mobilens gps-funktion. Bara två kvarter till hennes gata och sedan åt höger. Mötte ett omslingrat par och kände doften av marijuana när hon passerade några ryggsäcks-luffare som satt i fönsternischen till en butik.

Det var bara ett försök att ragga, tänkte hon. Han kände igen mig och ville bara vara trevlig. Jag överreagerar.

Helene svängde in på gatan där hon bodde. Den sista biten var den mörkaste. Där fanns några sopcontainrar, men ingenting som rörde sig i dem nu, *cartoneros* hade slutat för natten.

Från gatan såg hon in genom glasdörrarna till receptionen, men det satt ingen där. Hon ringde på porttelefonen. Klockan var bara lite över tolv, portieren borde inte ha somnat, det räknades som tidigt på kvällen i det här landet.

En bil körde in vid trottoaren på andra sidan den smala gatan och stannade, ljusen slogs av.

Helene ringde på klockan igen och hörde bildörren som öppnades och stängdes. Det var nästan mörkt på den sidan gatan, men när hon kastade en blick dithät såg hon att en man hade stigit ur. Han hade en huva uppdragen. Det satt någon mer på förarplatsen, det syntes bara en svart skepnad där, och ett ljusare fält som var någons ansikte.

Hon pressade in dörrklockan igen. Genom glasdörren uppfattade hon en rörelse längst in i lobbyn, portieren kom ut från toaletten. Hon lyfte armen för att banka på glasdörren så att han skulle se henne, men då var det redan för sent. En hand slöt sig kring hennes överarm. Hon drogs bort från dörren och fick en annan hand över munnen, det hördes bara ett kvävt ljud när hon skrek och hon förnam ett starkt ljus när strålkastare slogs på och ljudet från motorn när bilen körde upp bredvid henne, dörren som öppnades. Hennes huvud trycktes ner när hon knuffades in i baksätet och mannen följde efter, hon hörde hur det rasslade när dörren till hotellet öppnades, men i nästa ögonblick slogs bildörren igen och ansiktet pressades ner mot sätet som var klätt i skinn och bilen var redan i rörelse.

Han hade kunnat lämna Buenos Aires.

Många gånger under de år som gått hade han haft tankar om att bosätta sig i Paraguay eller Santiago de Chile, eller varför inte Valparaiso som var Stilla Havets juvel och där han hade kunnat invänta ålderdomen med utsikt från en fiskrestaurang.

Han behövde inte ens lämna Argentina. Det var ett stort land med avlägsna platser där ingen någonsin skulle bekymra sig om vem han var, som Bariloche, en liten håla vid foten av Anderna dit generaler och kaptener i SS och Luftwaffe hade flytt och bosatt sig efter kriget. Det fanns rentav rykten om att Hitler och Eva Braun skulle ha tagit sig till Bariloche och sedan levt ett stilla pensionärsliv tills de dog där nedanför Andernas snötäckta berg.

Problemet var att han inte önskade sig något stilla liv. Ett stilla liv var som att lägga sig ner på rygg och låta cancern sakta äta honom.

Bara de fega flydde, och de tvivlande.

Det här var hans land, det var hans stad, och han fann ingen heder i att fly därifrån som en råtta.

Råtta var förresten en dålig liknelse. Råttor flydde inte, de invaderade, förökade sig och spred sina smittor, tog sig in överallt genom underjordens kloaker. Han visste en hel del om råttor, han hade räddat Argentina från dem en gång.

Och nu ville de ställa honom till svars. Släpa honom i bojor inför självrättfärdiga domare som vore han en brottsling.

Han hade vetat att han skulle reagera med raseri när det hände. Han hade rentav längtat efter att vreden skulle komma och slita sönder den här skuggtillvaron som de redan hade dömt honom till.

Pensionärsvandringarna runt kvarteren bland skolungar och hembiträden, en gubbe som satt med sin tidning på en glass-bar och förmodades vara nöjd med det. En utdragen väntan på ingenting, detta samspråk med döden medan dagarna sakta räknades ner mot noll.

Natten kylde hans hud där han stod vid fönstret i sitt arbets-rum och förberedde sig för det som skulle göras. Vinternatt i Buenos Aires, kanske kröp det ner mot tio grader, månen var så gott som full.

Det hade varit begynnande höst den där eftermiddagen i slutet av mars när det började, när namnen efter alla år steg fram ur glömskan.

Som om luften hade klarnat, nedräkningen stannade upp.

Han hade stämt möte med sin gamle befälhavare i parken som böljade likt vida kjolar på Belgranos kullar i den annars så flacka staden. De var inte vänner, för i marinen fanns ingenting sådant som vänner, bara män med högre eller lägre rang. *El Coronel* var en av dem som inte hade låtit sig fångas in och förnedras. Inte heller hade han lämnat landet med svansen mellan benen utan bodde kvar i samma våning i Belgrano. Han hade kvar kontakter i de inre kretsarna, de som fortfarande hade poster i statens tjänst, personer som kunde rapportera från rättegångar och annan förföljelse som pågick.

"Jag har hört att de frågar efter dig", sa El Coronel. "Någon har börjat ställa frågor om en man, vars namn ingen borde känna till."

Överstens röst hade blivit hesare och mindre kraftfull av åren och omständigheterna, men blicken ägde samma hårda skärpa som när de möttes inne på marinens tekniska högskola för fyrtio år sedan.

Den där eftermiddagen hade de som vanligt slagit sig ner på

varsin sida av stenbordet med infällt schackbräde, i den eviga skuggan under parkens kraftigaste ombúträd.

Förr hade de brukat ta med schackpjäser för att spela ett parti medan de utbytte information, men på senare år hade det börjat skrivas i guideböckerna att "under det stora ombúträdet i Las Barrancas de Belgrano kan man se de äldre männen sitta böjda över schackspelen". Turisterna började trängas omkring dem, kikade över axeln och försökte förutse nästa drag, det hände till och med att någon skäggig ryggsäcksluffare kom med små tips om att flytta en häst eller passa sig för löparen.

Så de hade slutat spela. Nu satt de bara vid stenbordet där de vita och svarta rutorna hade börjat lossna och suddas ut av väder och vind, och allt turisterna såg var ett par dystra skepnader av män som inte längre hade bråttom någonstans.

De kunde återigen prata ifred.

"Vad vet de om mig?"

"Inte mycket efter vad jag har hört, men det är någon som pratar och ställer frågor vid domstolarna. Det tyder på att de lägger sina pussel. De där människorna arbetar så. Har de väl börjat ställa frågor kryper det också fram vittnen, rotas fram bevis som inte borde existera."

El Coronel lade en anteckning på stenbordet. De där namnen. Så mycket tid som hade förflutit. Det påstods att blodet stannade vid chock, men det motsatta inträffade, en propp som lossnade, en flod som gjorde sig fri inuti honom.

"När de har burat in alla dem som var högst i befälsordningen och specialstyrkorna, *patotas*, som gjorde det smutsiga jobbet, så fortsätter de med mellanleden. Sådana som du och jag."

Översten lutade sig fram över det trasiga schackbordet. På löparens plats hade någon klottrat ett par namn och ett hjärta.

"Om du frågar efter mitt råd skulle jag säga att det är nu det är dags att försvinna, att gå upp i rök."

Han hade betraktat den lummiga parken, tegelstenar som brutits upp ur markbeläggningen, husen som omgav dem. Borta vid fontänen hade en mörkhyad byggjobbare tagit av sig tröjan och blaskade sig ren. Staden hade verkligen plats för alla sorters människor.

"Men du och jag", sa översten, "vi var aldrig sådana som lade oss ner eller vände ryggen till, eller hur *Squatina*?"

Sedan hade det där med optikern inträffat. Det var en sak att hans namn nämndes, en annan att någon trodde sig kunna koppla det till ansiktet som det såg ut idag. Han hade agerat. I ett slag hade hans liv fått tillbaka sina konturer, skuggorna drog bort.

Han hade varit förberedd på vreden som hade rasat i honom under månaderna som hade gått sedan dess. Möjligen hade han också väntat sig fruktan, men detta hade han inte förutsett.

Att han skulle känna sig så levande igen.

Bultande puls och kön. En flödande känsla när blodet strömmade genom ådrorna som om det hade fått fart efter åratal av stiltje i en uppdämd pöl.

Han stängde fönstret mot vinterkylan därute och låste noggrant fönsterluckorna.

Sedan gick han sakta nedför trapporna. Det var tyst nu, det var natt. Hans anställda var lediga till morgonen, vilket innebar att Segundo sov på soffan i vardagsrummet och Abel hade lämnat huset för en natts permission.

Inga ljud, förutom hans egna steg och andningen som var lite för tung.

Han gick igenom köket, mot dörren till rummet innanför. Nyckeln satt i låset, han vred om den och sköt försiktigt upp dörren. Förnam en rörelse därinne. Det var inte troligt att hon sov. De gjorde sällan det den första natten. Han kunde minnas sådana nätter för mycket länge sedan, när nyanlända fångar jämrade sig och störde med alla sina frågor, var är vi, vad vill de, vad ska hända med mig? Det brukade ta två nätter, eller högst tre, för dem att tystna och finna sig i situationen, om inte annat för att de andra fångarna sa åt dem att hålla käften. Även i fångenskap kom de flesta människor fram till att de ville sova.

Rummet vette mot bakgården och fönsterluckorna gick inte att öppna. Bara det svaga ljuset från en nattlampa i köket gjorde att han kunde urskilja linjerna av kvinnans kropp.

Hennes ögon var förbundna. Små ryckningar med huvudet, händerna som sökte något hon kunde identifiera. Det var samma rörelser som han hade sett förut, hos den som stängts in i mörkret och därför måste skärpa sina andra sinnen, hur de vittrar som djur för att känna dammets lukt och dofterna av andra människor som vistats i rummet, skurmedel och rester av mat, tobaksrök, eller vad det nu var hon uppfattade.

Kanske hörde hon det dova mullret från kylskåpet, en gren som rasslade mot något fönster på övervåningen. Tickandet från den gamla klockan i vardagsrummet.

Abel och Segundo hade bundit för hennes ögon i bilen och burit in henne i hans hus efter midnatt. Han hade undvikit att titta då, bara sagt åt dem att låsa in henne i det här rummet.

Natten skulle få göra jobbet med att mjuka upp henne. Han ville vara ensam när han granskade sin fånge.

Ögonen vande sig vid dunklet. Nu såg han nyanserna. Det ljusa håret. Huden som verkade onaturligt blek. Fullmånen steg in genom köksfönstret bakom honom och åstadkom ett sken som var nästan spöklikt.

Han hade sett henne första gången i kameran när hon stod och spanade utanför hans hus. Det fanns en återuppspelnings-funktion i dataprogrammet som var kopplad till kameran, han hade rullat bilden av hennes ansikte, igen och igen.

Och nu satt hon där framför honom. Åsynen av henne, hop-kurad på sängen som en katt, ja hon påminde om en katt som spärrade upp sig och kröp ihop på samma gång, det gjorde något med honom. En rent fysisk känsla av att kroppen expanderade innanför huden, det var något han kände igen och hade lidit brist på alltför länge, som alkoholisten blir hel först när han fylls med alkohol, men detta var maktens berusning och när han en gång hade erfarit den visste han att han måste återvända till den, den var sig själv nog men låg samtidigt farligt nära lusten, som om drifterna var förbundna i samma våg som drog genom kroppen.

Han stod där och lyssnade efter om Segundo rörde på sig i vardagsrummet och önskade att få vara ifred i den här stunden, han var på samma gång ung som då och en gammal gubbe som njöt och vämjdes av det som väcktes i honom.

Det var ett tag sedan.

Han hade haft en hustru här i huset för länge sedan, men efter militärregeringens reträtt hade hon valt att tro på lögner och vänsterpropaganda. Det var då hon hade flyttat ut ur sovrummet och tagit det här extra rummet innanför köket till sitt.

Vad gjorde du under de där åren? Har du gjort något av det där fruktansvärda som de säger att ni gjorde med människor?

De var terrorister, Graciela. Jag kan inte prata om vad jag gjorde, det vet du. Det är militära hemligheter.

Kan du se mig i ögonen och säga till mig att du inte gjorde något sådant?

Vi var i krig, Graciela.

Gud hjälpe oss, heliga Guds moder, varför följer du inte med mig till kyrkan längre?

Och så gick det på tills hon tog barnen och flyttade hem till sin mamma i Misiones.

Han hade tröttnat på hororna också.

Bordellerna i Buenos Aires hade egna webbsidor numera, man kunde välja flicka och boka tid för att sedan ta en taxi till någon våning i Palermo eller Barrio Norte. Så enkelt, och ändå fann han det på något sätt ansträngande. Förr hade det också roat honom att besöka den eleganta strippklubben som låg intill Recoleta-kyrkogården, men på väg därifrån hade han med åren allt oftare kommit att tänka på döden. Alla de där korsen och änglarna som stack upp från hundratals praktfulla mausoleer och avtecknade sig mot himlen.

Han tog ett steg in i rummet.

Kvinnan spratt till som en fågelunge man kastar ur boet.

"Hallå? Är det någon där?"

Hon satte sig rakt upp. Hon hade barn, det visste han. Med Abels tekniska hjälp hade han tagit reda på vad som fanns att veta om henne. Säkert tänkte hon på de där två små barnen nyss, i mörkret och tystnaden, men nu existerade bara hennes egen skräck och vilja att överleva, det var han säker på.

"Vad vet du om Squatina?" sa han sakta.

Det ryckte i henne, hon pressade sig mot väggen.

"Vem är du?"

Det spände i hans hud, som om makten han kände i det här ögonblicket var för stor för den åldrande kroppen att härbärgera. Det gjorde honom rasande, detta förfall.

"Svara på frågan."

"Jag vet ingenting. Vad vill ni mig?"

Han svarade henne inte.

"Jag vet ingenting", fortsatte hon ömka sig. "Jag har bara hört det där namnet. Snälla, låt mig få gå."

Han tog ett steg ut ur rummet igen.

Natten fick fortsätta att göra jobbet åt honom, förnedringen och mörkret och ovissheten. Han var ingen ung man, behövde sina timmars sömn även om han allt oftare vaknade var och varannan timme och inte kunde somna om, särskilt när det var fullmåne som nu.

"Kan jag få gå på toaletten?" bad kvinnan ynkligt när han

helt stilla stängde om henne. Han väntade en kort stund utanför dörren.

"Snälla ni, kan jag bara få gå på toaletten?"

Och det blev tyst. Skuggorna i huset. Klockans tickande. Den där klockan. Den hade hängt i huset när han tog över det, ett otidsenligt men regelbundet tickande som alltid fanns där till tecken på att tiden rörde sig i samma takt som förr.

Ändå tycktes den ha stannat när han såg på henne.

Buenos Aires
1978

Hon vandrade genom dimmorna, i ljusa ridåer av vit rök som svepte över Frykens stränder. Det var tungt att andas. Huvudet värkte. Morgondimman drog undan och försvann, hon såg att det ljusnade. Hon fick upp ena handen till ansiktet och kände att något var fel. Det fanns ingen bindel där och ingen huva, och det krävdes en ansträngning för att öppna ögonen, hon hade hållit dem slutna så länge.

Hon låg i en säng. I ett rum. Där fanns en liten lampa på en byrå. Den var tänd. En skärm av färgat glas, rött och blått och grönt i små infattade glasbitar. Den gav tillräckligt med ljus för att hon skulle urskilja väggarna och rummets storlek, men inte som i det fria där hon nyss hade varit i dvalan, svävat mellan de verkliga och de döda som i ett dovt rus, en snedtändning där man famlade efter något att gripa tag i men det fanns inga väggar och inga golv. Hon visste inte hur länge det hade varat. En känsla av att hon hade klättrat upp ur ett djupt hål, genom kretsar av mörker och vatten.

Hon såg en bild av Jungfru Maria på väggen och mindes plötsligt med all tydlighet att hon hade dött. Ett nålstick och hur allting domnade i henne, hon hade inte kunnat röra sig.

En lukt av urin? Den var borta nu.

Det doftade av tvättmedel om lakanen i sängen, hon låg i en riktig säng.

Försiktigt rörde hon på sin andra hand. Den kändes svullen och bedövad, men hon kunde lyfta på fingrarna. Ett efter ett. Hon kunde gripa tag om kanten av sängen och långsamt häva sig upp. Det sprängdes lös en tornado av smärta i huvudet, som vältrade och hamrade mot insidan av skallbenen. Sedan satt hon på sängkanten. Rummet gungade en stund. Hon mådde fruktansvärt illa. Dörren till rummet var stängd. Det var ett litet rum. Hon var så torr i munnen att luften gjorde ont när hon andades in. Hur var hon klädd egentligen? Hon måste lyfta på lakanet. T-tröja och byxor, det kunde vara samma kläder som hon haft därinne, eller andra, hon var inte säker på hur hon hade varit klädd.

De hade ropat upp hennes nummer och fört henne ner i källaren, det var det sista. Hade hon känt ännu ett nålstick?

Hon fokuserade på dörren. Det handlade om några meter, tre kanske fyra. Benen var mjuka och darriga och hon gick för första gången på många veckor fritt och utan kedjor som skramlade och släpade efter henne, fem, sex, sju steg och tryckte ner handtaget. Dörren var låst. Hon sjönk ner på golvet. Var befann hon sig? Lyssna, lyssna. I det slags fängelse där hon hade varit hade hon hört enstaka fordon passera om nätterna, och tidigt om morgnarna hade hon uppfattat tågen längre bort, där fanns vakter som tog en runda och människor som andades och kved och bad sina böner ibland, men här var det tyst.

Var det natt?

Hon tog sikte mot fönstret i andra änden av rummet, men orkade inte resa sig igen utan kröp dit. Kom på fötter och vred på handtaget, glasfönstret öppnades inåt, men sedan var det stopp. Fönsterluckorna var låsta. Genom springorna kunde hon se en trädkrona och en skymt av en vitkalkad mur. Hon kände ingenting, kroppen var stum. Hon hade dött en gång och vaknat igen. Allt som skrämde henne hade de redan gjort.

Därför kröp hon tillbaka mot dörren och satte igång att banka och ropa.

Hon hörde snart steg därute, en nyckel som vreds om. Kravlade sig snabbt mot väggen och kröp ihop.

Ljuset föll in, från en lampa, hon kikade upp och såg en bit av en köksbänk och kanske ett kylskåp. Av mannen som stod i dörröppningen urskilde hon bara den mörka silhuetten. Hon sa ingenting. Hade lärt sig att inte fråga, att tyst invänta det som skulle komma. Hon var beredd på sparkar och slag, att släpas ut någonstans, att tryckas ner under vatten eller få elektriciteten kopplad till sin kropp igen.

Därför begrep hon först inte vad hon hörde. Hon begrep inte hans röst och inte heller språket.

"Så du har vaknat nu?"

Hans röst. Den var så mjuk. Hon hade hört den i dvalan också, men då hade han låtit hård. Hon förstod inte vem han var. Hon ville säga något, men det gick inte. Munnen hade fastnat i sin torka. Det blev ett gnyende av något slag, och sedan var Ramón framme vid henne och sjönk ner på huk och strök henne över håret på det där sättet.

"Ing-Marie, Ing-Marie, var inte rädd. Det är över. Du är fri."

Bar han henne ut i vardagsrummet? Hon var inte säker. Det var som om hon hade klippts ut ur den hon var därinne i rummet och till kvinnan som satt i hörnet av en hårt stoppad soffa med en kopp te och oändligt mycket kallt vatten att dricka, med kex och bröd och korvar framför sig, i en sträv morgonrock som måste vara hans.

Någonstans däremellan hade hon duschat, hett vatten hade spolat henne ren.

"Du måste förlåta mig för att jag låste in dig", sa Ramón. "Jag var tvungen att gå ut. Jag var rädd att du skulle vakna och inte veta var du var."

Han satt två meter ifrån henne, i en fåtölj. Avståndet noterade hon, att han inte satte sig bredvid i soffan.

"Jag trodde du var död", sa hon, "det var som om jag hörde din röst."

"Så fort jag fick veta var du fanns så började jag jobba för få ut dig därifrån."

Ing-Marie tittade rakt fram, det gick inte att se på honom mer än korta ögonblick.

"Hur kom jag hit?"

"I min bil", sa han. "Jag är ledsen för att det tog sådan tid."

"Jag visste inte att du hade bil."

En klocka på väggen, den visade kvart över tolv. Hon undrade vilken natt det var, hur länge den där dvalan hade varat, men kom sig inte för med att fråga, det spelade ändå ingen roll. En liten pendel som gungade fram och tillbaka, ett envetet tickande.

"Bor du här?"

"Nej, inte direkt. Det är ett hus bara."

"Men hur kunde du få ut mig? Hur visste du var jag fanns?"

"Mutor", sa han. "Du kanske inte ska fråga mer om det."

Ing-Marie förnam den lätta luftförändringen när han lutade sig fram och sträckte sig efter ett kex, och där var också doften av honom, samma rakvatten.

"Men varför grep de dig inte? Du kunde väl inte bara gå in där och … Vad var det för en plats förresten? Jag hörde tåg, bilar, barn som gick till skolan …"

Hon blundade och tryckte händerna mot ansiktet och där var mörkret igen men nu hade det ljusprickar och fläckar som for runt i ett slags dans.

"Det var en militärförläggning", sa han. "Det är inte viktigt nu. Nu är du här."

Ramón lade en hand på hennes knä. Ing-Marie drog sig

längre bak i soffan som var hård och hade någon fjäder som stack upp och skavde mot rumpan. Den där känslan av att vara smutsig.

"Det finns saker du inte vet", fortsatte han. "Min familj … jag har kontakter. Det är bäst att du inte frågar mer om det. Jag kommer att ordna det här."

Han klappade henne på knäet och reste sig och gick bort till en byrå vid dörröppningen, drog ut en låda.

"Det viktigaste nu, det är att vi får ut dig ur landet."

Han tog upp några buntar och hon såg att det var sedlar, en massa pesos, de var alltid skrynkligare än andra pengar. En liten bok som han höll upp, ett pass. Hon kände igen det så väl, det var det tyska.

"Är det mitt, jag menar Claudias?" Varenda morgon hade hon kontrollerat att det säkert låg i väskan innan hon gick ut, det där efternamnet hon hade haft lite svårt att lära sig med alla dess h:n. "Hur fick du tag i det?"

"Som jag sa, mutor. De hade inget intresse av att behålla det. Jag fick dem att förstå att de skulle tjäna på att släppa dig."

Han fingrade på bunten med sedlar.

"Här finns pengar så du klarar dig. Jag kommer att ordna en flygbiljett till Stockholm, över London eller Paris. Det tar några dagar, men du är säker här så länge. Det är inte ett hus som någon känner till."

Ing-Marie kunde se hur hennes egna händer började skaka innan hon kände det, som om hon inte riktigt hade kontakt med sin egen kropp. Kexet som hon höll i handen trillade ner på golvet.

"Vad hände med de andra? Jag tror att de greps, allihop. Ana och Julio och de andra i Wilde … Jag var där. Jag gick till huset. Alla var borta."

"Tänk inte på det nu." Ramón lade ifrån sig pengarna och

passet på byrån och kom fram till henne, satte sig på bordskanten och tog tag i hennes händer, försökte nog se henne i ögonen, men hon tittade ner på händerna som han höll och undrade om hon skulle våga dra bort sina utan att han skulle förstå att något var fel.

"Du måste försöka få ut dem också", sa hon. "Om du kunde få ut mig så …"

"Det är en annan sak."

Det hade blivit en vana att titta ner, som om nacken var för evigt böjd. Ing-Marie såg på hans skor, som var välputsade och blanka, medan hon hörde honom prata och informationen nådde henne liksom i vågor.

Att det var för att hon var utlänning. VM i fotboll som närmade sig. All kritik från utlandet om brott mot de mänskliga rättigheterna. Någon internationell kommission som tryckte på för att komma in i Argentina och inspektera fängelserna. Det såg inte bra ut om det hölls en utländsk medborgare utan formella anklagelser, vare sig hon var tysk eller svensk. Året innan hade ju den där svenska flickan Dagmar Hagelin gripits, och det blev ett väldigt liv om det, de hade inte råd med sådana skandaler nu inför VM.

Han höll fortfarande hennes händer, höll dem alldeles för hårt. Hon ville inte att han skulle hålla fast henne så där.

"Du måste tänka på dig själv nu, hör du det? Du ska resa hem till dina barn och sedan ska du aldrig mer prata om det här. Aldrig. Ingen skulle förstå. Om du kommer hem och snackar om hur du hjälpte gerillan och satt fängslad och sedan tog dig ut därifrån … De kommer att veta att du förrådde kamraterna och de kommer att döma dig hårt, du skulle inte vara säker."

"Men jag förrådde dem inte. De var redan gripna. Jag hörde hennes röst …"

Den korta vägen från en tanke till en annan. Hon behövde

inte ens blunda. Kunde känna mörkret slutas omkring sig ändå, som om en del av henne hade lämnats kvar där.

Hon reste sig upp.

"Förlåt, men jag behöver gå till badrummet."

"Visst, det är i hallen, till vänster vid köket."

På vägen noterade hon att ytterdörren var massiv och hade dubbla nyckelhål. En kapphängare där det hängde en svart rock och en kavaj med metallknappar som såg malplacerad ut. Ramón hade alltid gått i jeans och tröja och när det gick mot vinter i Jakan hade han haft en sliten parkas från någon klädinsamling.

Dörren till badrummet gick att låsa, och för första gången sedan hon vaknade erfor hon känslan av frihet i detta att själv kunna låsa om sig. Ingen vakt som iakttog henne när hon satte sig ner. En gång om dagen hade hon fått gå på toa, hade lärt sig att hålla sig onormalt länge och alltid pressa ut det sista. Man blev medveten om den exakta mängden som rymdes i blåsan. Att döma av det knappa flödet som nu strilade ur henne måste hon ha kissat på sig i medvetslösheten. Hade Ramón tvättat henne efteråt? Hon ville inte tänka på att han hade varit där nere och grejat i hennes underliv. Inte så mycket för att det var skamligt som för att hon plötsligt inte stod ut med vetskapen om att han hade rört vid henne. Så många gånger som han hade gjort det. Och hon hade litat på honom, givit allt vad hon hade och förlorat det för honom.

Det fanns ett litet fönster högt upp ovanför badkaret. Inga fönsterluckor. Ing-Marie klev upp på badkarskanten och öppnade det, det gick att öppna! Hon kunde få luft och hon såg himlen, urskilde molnen, en svart rymd.

Hon hade intalat sig att det måste vara hallucinationer, kanske hade hon haft feber den dagen. I alla fall var hon illa slagen och hade förlorat begreppet om tid och rum, hoppet om att någonsin ta sig ut därifrån.

Det var när de ledde henne uppför trapporna i den där byggnaden, via de ekande salarna som hon uppfattade utgjorde bottenplanet. Där hade pågått något slags verksamhet. Hon hade hört skrivmaskiner knattra och fragment av meningsutbyten: ... *meddela El Coronel att han kommer till hans kontor klockan fyra och trettio på tisdag* ... *Kallar de verkligen den där smörjan för kokta grönsaker, jag ska ta några ord med kocken* ...

Märkliga, vardagliga kommentarer mitt i denna mardröm, denna icke-värld, och sedan, mitt i allt det: Ramóns röst. Hon kunde inte ta fel på den rösten, aldrig någonsin. Den gick rakt in i hennes kropp, det hade den alltid gjort, fick hjärtat att slå fortare av sig självt och hela hennes inre att bölja. Hon tvärstannade i trappan. Någon ryckte i kedjorna, hon var nära att ramla.

Den första tanken var att de hade gripit honom. Hon ville ropa, ville slita sig lös ur ledet, men något hindrade henne. Handbojorna, naturligtvis, kedjorna kring fotlederna, och att hon hade lärt sig tiga, men det var något mer.

Hans sätt att prata, som om han deltog i det där samtalet, om grönsakerna eller officeren eller vad det var, lågmält och liksom myndigt, nästan som om han gav order, det lät så olikt honom och ändå var det han.

Sedan knuffades hon vidare uppför trapporna.

Det hade hänt en gång till. En dag när tortyren för tillfället tycktes vara över och musiken äntligen slogs av men ännu ekade mellan väggarna i cellerna därnere i källaren. *You're in the mood for dance...* Ibland spelade de motståndsrörelsens musik, de radikala folksångarna från Uruguay och Argentina liksom för att jäklas, och ibland var det Abba av en hemsk slump som hon inte förstod, men det hade gjort henne svagare och kanske hade hon pratat mer av den anledningen, för hon kunde samtidigt höra de låtarna i en radio i Jakobsberg, och där fanns hennes barn, hennes två flickor som satt på golvet och var så små, de hade inte vuxit alls och hon kunde inte nå dem.

Det var när de ledde henne upp ur den källaren, i den första korta stentrappan med elva steg, som hon hörde hans röst igen. Hon kände det där med hjärtat och blodet, och kroppen blev varm trots att den var så illagjord.

Sedan insikten: att han inte skrek eller bad några böner eller gjorde något av det andra hon hade hört de andra fångarna göra. Han ställde frågor, helt lugnt, och hon kände så väl igen den typen av frågor: Vem var din kontakt? Vem umgicks du med från universitetet? Vilka adresser besökte du? Var gömde ni vapnen?

Sedan hörde hon bara kedjorna rassla genom korridoren, och vakternas vanliga förolämpningar, och nästa trappa, hon kunde det exakta antalet steg tills hon kröp ihop på sin plats på vinden igen och tänkte att hon nu hade blivit galen. Och senare, när hon hörde Anas röst, så ville hon att den skulle vara en del av samma vansinne, för då var ingenting sant, det var bara det slutgiltiga beviset för vad mörkret och tortyren gör med en människa.

Hon spolade varmt vatten över sina händer. Tog tvål och tvättade sig långt upp på armarna och i underlivet, under armarna, i ansiktet, överallt där hon kunde komma åt utan att klä av sig helt naken. Även tvålen luktade av honom.

Ramón satt i soffan när hon kom ut från badrummet.

Ing-Marie stannade i dörröppningen.

"Träffade du dem någon gång? frågade hon.

"Vilka då?"

"De i Wilde."

"Nej", sa han. "Jag träffade dem inte."

"Men ni skulle ha ett möte …"

"Jag vet inte vad som hände", sa han och började plocka undan resten av brödet och korvarna. "De måste ha gripits innan vi hann etablera kontakt, och sedan försvann ju du, så vem skulle ha gått med meddelandet, det där är över. Glöm det. Jag vet inte ens vilka de var."

Han reste sig och bar ut maten i köket.

Ing-Marie satte sig ner i fåtöljen där han hade suttit förut. Det var bättre, då kunde han inte sätta sig bredvid henne.

Hon mindes så väl vad det hade stått i det där brevet. Ett möte den fredagen, samma dag som Ana hade gripits, och Julio och kretsen i Wilde. Och hon hade hoppats så att Ramón inte skulle ha hunnit dit, eller fått förhinder …

Klockan slog. Ett på natten. Han var inne i vardagsrummet igen, torkade bordet rent från smulor som han noggrant samlade upp i en kupad hand. Hon hade slagits ibland av hur ordentlig han var. I ettan i Jakobsberg hade det varit undandiskat vilken tid på dygnet hon än kom till honom. Hon hade retat honom för att han vek sina strumpor.

"Nu ska du bara sova ut", sa han. "Du har gått igenom mycket."

Ing-Marie höjde sakta huvudet en aning och lät blicken stanna när den nådde nedre delen av hans överkropp. Noterade materialet i hans byxor, någon form av mörk syntet, skjortan som var ljust blå.

"Ja", sa hon, "jag är väldigt trött."

"Jag sover däruppe, på övervåningen. Du kanske vill …"

Hon sneglade mot trappan ute i hallen. Det fanns inte många möbler i huset, något opersonligt över allthop.

"Jag tror jag måste vara ensam", sa hon. "Jag kanske kan sova i vardagsrummet. Det känns inte så instängt."

Hon hörde klockan ticka i hans tvekan.

"Jag förstår", sa han. "Självklart. Du gör som du vill."

Ramón hämtade filten från rummet innanför köket, rena lakan och en kudde åt henne. Hon hörde honom spola vatten och sedan kom han med ett glas och sträckte fram handen där det låg två piller. Ing-Marie kom att tänka på cyanid. Hon hade rest sig och var i färd med att breda ut ett lakan och filten på soffan.

"Du ska ta de här", sa Ramón, "så att du kan sova. Du skrek i sömnen förut. Det är inte konstigt om du har mardrömmar."

Hon var torr i munnen igen.

"Tack." Hon tog hans hand och välte ner pillren i sin egen, och lutade sig i samma rörelse mot hans axel, nosade sig fram till hans hals i en gest som nog verkade tillgiven och förtroendefull. Han lade armen om henne, kramade henne helt lätt. Försiktigt stoppade hon tabletterna i morgonrockens ficka medan hon fumlade med en kyss mot hans kind.

Han sköt henne ifrån sig.

"I morgon ska jag ordna med flygbiljetten", sa han.

Ing-Marie vände sig halvt bort och lyfte handen till munnen som om hon slängde in pillren och drack sedan glaset med vatten tills det var slut.

"God natt", sa hon och satte sig på soffan. Försökte äntligen le mot honom där han stod i öppningen som saknade dörr och därmed inte gick att låsa. "Vi ses imorgon."

"Ska jag låta lampan vara tänd?" sa han.

"Ja, gärna."

"Det ligger förresten kläder åt dig på en stol därinne, det glömde jag att säga."

"Tack."

Ing-Marie lade sig ner och drog filten över sig. Ramón gick långsamt uppför trappan och hon hörde hans steg ännu en stund i våningen ovanför.

Sedan bara klockan, och ett dovt entonigt brummande ljud från något i köket.

En timme, två timmar.

Hon låg helt stilla med ögonen öppna. Förr hade hon inte kunnat låta tiden gå på det sättet, men det var annorlunda nu.

Klockan hade slagit både tre och halv fyra när hon vågade stiga upp igen. Då hade hon inte hört något från övervåningen på nästan två timmar, sedan han vände sig i sängen däruppe och åstadkom en gnissling och ett svagt knakande i trägolvet.

Så ljudlöst det var möjligt för en människa att röra sig gick hon till rummet innanför köket.

Där låg mycket riktigt en hög med prydligt hopvikta kläder på en stol.

Hon hade hunnit tänka ut varje steg, och varje ursäkt om han skulle komma nerför trapporna igen.

Jag frös, skulle hon säga, som förklaring till varför hon tog på sig byxor och blus och den tjocka tröjan, och dessutom jackan utanpå. Det var skötsamma kläder, sådana en medelklasskvinna i Buenos Aires skulle bära på jobbet, hon undrade varifrån de kom. Där fanns till och med en tunn scarf hon kunde knyta som en sjalett runt håret.

De extra trosorna och strumporna stoppade hon på sig.

Smög ut i hallen och kände på ytterdörren. Den var låst på ett sätt som gjorde att den inte gick att öppna inifrån. Nycklar kunde hon inte leta efter, det skulle skramla och orsaka ljud. Hon trodde inte heller att hon skulle hitta några.

Att gå på toaletten var något naturligt mitt i natten. Jag ville inte väcka dig, skulle hon säga om han kom ner nu och undrade varför hon inte hade spolat.

Och om han frågade varför hon hade klättrat upp på badkarskanten för att öppna fönstret:

Jag behövde få luft. Jag har varit instängd så länge.

När hon sträckte på sig kunde hon se ovandelen av muren. Hon befann sig i ett villaområde. Såg taket på huset intill och trädkronorna som höjde sig över det som måste vara gatan. Försiktigt klev hon ner igen. I köket stoppade hon resten av brödet i jackfickan, en flaska vatten, några korvar.

Jag kände mig så hungrig, skulle hon säga om han vaknade nu, jag vet inte vad som flög i mig, jag fick svälta därinne och då lär man sig sådant som att stjäla mat.

Det var fortfarande tyst när hon hämtade sakerna från byrån. Det var det sista, för här saknade hon ursäkt. Hon stoppade passet innanför byxlinningen, pengarna. Där fanns en bunt med dollarsedlar också, hon tog allt som fanns och stoppade det i olika fickor och innanför strumporna.

Tillbaka till badrummet, låste dörren om sig.

Stod på kanten av badkaret igen och hävde sig upp mot fönstret, det gick om hon klättrade med ena foten upp på duschkranen och tog spjärn.

Hon pressade sig ut med huvudet före och höll sig fast i karmen när hon krånglade ut benen. Det var högst två meter mellan hennes fötter och marken när hon släppte taget och föll.

Känslan av gräs mot händerna. Lukten av jord. Det måste ha regnat. Hon mindes regnet nu, smattret mot plåttaket där hon hade legat fängslad.

Inga lampor hade tänts i huset, inga ljud från gårdarna runt omkring. Sommaren hade visst gått över, det var svalare nu. Hon reste sig och borstade försiktigt bort lite jord från de prydliga byxorna, smög längs husväggen till muren som vette ut mot gatan. Där fanns en över två meter hög grind i massiv svartmålad metall med vassa piggar högst upp, tjocka reglar, omöjlig att forcera, men bredvid en mindre dörr som var själva ingången. Den hade ett låsvred. En sista gång tittade hon bakåt, sedan vred hon om låset och sköt upp porten. Den åstadkom ett svagt gnissel och sedan låg gatan och världen helt stilla framför henne.

Bilar parkerade. Enstaka gatlyktor spred ljusfläckar genom nattmörkret. Det var verkligen ett välbärgat område, stora villor bakom murar och staket och träden som skyddade henne när hon gick allt fortare åt det håll som kändes bäst, men utan att springa, hon var nu en medelklasskvinna med tidiga vanor, ingenting annat.

Första gatan till höger, sedan vänster, sedan höger igen, i ett mönster som garanterade att hon inte gick i cirklar. Om hon bara fortsatte att kryssa sig fram så skulle hon förr eller senare komma till någon av de stora avenyerna vars namn hon kände igen. Sedan skulle hon hitta en buss eller ett tåg, något som kunde ta henne långt bort därifrån.

Villastäderna övergick i högre hus och av några skyltar förstod hon att hon befann sig i stadsdelen Belgrano. Sedan såg hon järnvägsspåren. För första gången sedan hon lämnade huset stannade hon upp. Morgonen var fortfarande bara en svag skiftning i mörkret.

Hon började följa spåren, visste inte hur långt det var till en station, men den kom fortare än hon trodde. Kullarna höjde sig i en park på andra sidan gatan, och där såg hon stationen längre fram. Stationsklockan visade på kvart över fem. I Belgrano stannade bara lokaltågen norrut, för att komma längre bort än så måste hon in till de stora järnvägsstationerna och dit ville hon aldrig mer. Vilken dag kunde det vara? Om det var vardag skulle tågen börja gå snart. Hon hade aldrig rest norrut, men hon kände till en del om tidtabeller.

En trött stationsföreståndare bakom en lucka.

05.41 skulle det första tåget avgå från Retiro-stationen för att drygt tjugo minuter senare stanna i Belgrano. Hon såg linjen med sina punkter, stationerna som fanns att välja på. Ett namn väckte något i henne. Tigre.

Vad var det med Tigre?

Hon hade hört någon prata om det. Hon fick en bild av floder och mörker, av en plats där man kunde försvinna.

Först när det tidiga morgontåget hade anlänt och hon hade satt sig vid en fönsterplats åt det håll som vette bort från staden, och kände rörelsen, det där rycket i vagnarna när tåget börjar rulla, så mindes hon att det var pojken som hette Hugo som hade pratat om deltat den där kvällen i baren, om drömmen att dra iväg ifrån allt.

Några tidiga morgonpendlare, stationer som passerade. I fångenskapen hade hon hört tåg på avstånd, kanske var det ett av dem hon satt i nu, medan andra hörde det passera. Det verkade så underligt att det här hade pågått hela tiden. Folk åkte till jobbet. Det ljusnade, det kom en dag. När tåget nådde den lilla staden Tigre hade solen gått upp helt. Inne i stationshuset såg hon kartor över deltat. Hon behövde inte söka efter flodens början, den låg alldeles framför henne när hon kom ut, här tog järnvägen och gatorna slut och bara vattnet återstod.

Där fanns inga gator och ingen elektricitet hade han sagt och då fanns det troligen inte så många poliser heller. Längs kajerna låg rader av båtar av olika slag, taxibåtar med uppspänt tak och platta passagerarbåtar som utgjorde flytande busstrafik, små fritidsbåtar och smala träbåtar på rad som såg ut att tillhöra en gammeldags roddarklubb, och där reste sig ett stålhårt skepp med texten *prefectura* och vid flodmynningen låg ett grått militärfartyg som fick henne att välja motsatt väg längs kajen, längre bort såg hon vita småbåtar där fiskare höll på att lasta ur av nattens fångst.

Hon gick nerför trapporna till avsatsen där båtarna låg förtöjda. Vattnet var brunt som järn och mjukt som silke. Floden hade ingen doft.

I handen kramade hon en bunt med sedlar.

"Vad skulle det kosta att ta mig ut i deltat?"

Fiskaren hejdade sig med en hink i händerna, han höll på att spola av däcket.

"Passagerarbåtarna ligger där borta", sa han och nickade mot de långa farkosterna där några människor var på väg att klättra ner med väskor i händerna.

"Jag kan betala", sa Ing-Marie och visade sedlarna i sin hand. "Jag har dollar också."

Mannen gned sig i nacken och såg sig om. Han var inte ung, säkert över sextio, och ganska kort. En av hans kollegor gick bort längs kajen med en låda fisk och försvann uppför trapporna. Solen stod ännu lågt i öster.

"Vart ska du?" sa han. "Deltat är stort."

Ing-Marie granskade fiskaren, försökte se vad han var för en sort, en sådan som skvallrade eller teg, blundade eller vågade se världen som den var. Hon visste att sådant inte syntes på en människa, men det var i alla fall tydligt att han inte var rik, kläderna var enkla och skägget ojämnt, hans händer var fulla av valkar och ärr och båten ganska ynklig.

"Över gränsen", sa hon lågt. "Jag vill att du tar mig ut ur Argentina." Och hon fick upp några av dollarsedlarna ur fickan också, höll dem i handen så att han skulle se.

Fiskaren torkade händerna mot byxorna.

"Jag har inte så mycket plats …"

"Det gör ingenting."

"Jag kan inte gå ut förrän det bli mörkt."

"Då väntar jag."

Mannen såg ner på pengarna, och sedan upp mot kajen igen. Ingenting rörde sig där, det var ännu tidigt på morgonen, bara tåget hördes när det återvände söderut. En passagerarbåt som gled ut på vattnet.

"Gå dit ner", sa han, "och göm dig i kajutan."

Han höll henne hårt i armen när hon klev i. Båten krängde till. På golvet inne i den trånga hytten drog hon en tung presenning över sig och somnade i stanken av fisk.

BUENOS AIRES
2014

Helene beräknade rummet där hon befann sig till åtta gånger tio meter, med en takhöjd på strax under fyra. Ljudet var allt hon hade att gå efter, hur det lät omkring dem när den okände mannen ställde sina frågor. Han hade upprepat dem gång på gång, tills hon inte längre behövde bry sig om att förstå vad han menade utan helt kunde koncentrera sig på husets konstruktion och dimensioner. Det borde vara ett vardagsrum, öppet ut mot en hall. I ena änden av hallen fanns en ytterdörr, där hade hon tidigt på morgonen hört ännu en man komma. I hallen fanns också en trappa upp till en övervåning, det var hon säker på. Kanske var det ljudet, som inte studsade utan försvann upp, eller instinkt. Erfarenheten, det man kallade praktiskt yrkeskunnande, att hon omedelbart kunna känna av en byggnad, visste dess material.

Stenhus. Panel i taket som dämpade. Golv i ett mörkt träslag, lagt i parkett. Det senare kunde hon förstås inte höra, men hade sett genom en glipa när hon leddes in.

Sedan knöt de sjalen hårdare runt ögonen och hon såg ingenting alls längre.

"Säg vad du har hört om Squatina, så kanske vi kan få ett slut på det här."

"De tror att han lever, jag sa ju det."

"Vad är hans riktiga namn?"

"De säger att han kanske var i underrättelsetjänsten. Jag vet ingenting mer. Varför tror ni mig inte?"

Helene kramade sina egna händer.

Det var den äldre mannen som frågade. Hon förstod det av rösten som på något sätt var mer ansträngd, och av att han ibland tog en paus mitt i en fråga som bara för att andas. Det var han som hade kommit in i rummet under natten också. Helene hade hört hans andning långt efter att han hade gått.

Mannen talade en lite stakig, men korrekt engelska.

"Du snokade runt ett hus häromdagen, vad sökte du efter då? Vem har berättat för dig om det huset?"

"En man i Stockholm", sa Helene, "jag känner honom inte. Han sa att min syster hade varit där."

I bilen, när de knöt sjalen om hennes ögon, hade hon försökt slå sig fri, men nu satt hon helt stilla. Det fanns ingen trötthet, bara en värk kring ögonen som sa henne att hon inte hade sovit mer än minuter i taget. En natt i ett beckmörkt rum, känslan av stenväggar och puts mot fingrarna när hon hade trevat sig omkring. Fönster som mätte två meter i höjd, hon hade fått klättra upp på ett bord för att känna var de slutade. De var låsta. Hon hade famlat i utkanten av sitt förstånd. Tanken på att barnen skulle förlora sin mamma, det var det värsta, hur förlusten skulle undergräva allt vad de var, hon skulle bli till ett diffust hål inom dem. Själv kunde hon dö, det var en märklig insikt, att det bekom henne så lite för egen del.

"Och vad sa din syster om det huset?" fortsatte han.

"Ingenting. Hon sa ingenting. Hon är död."

"Död?"

"Ja död, hon föll från en balkong."

"Det var ju olyckligt."

Klockan slog ett enda slag igen. Det betydde halvtimme. Förra gången slog den tio, så nu var klockan alltså halv elva på förmiddagen.

Helene hörde skrapet av en stol mot golvet och andhämtningen som kom närmare, knarret när mannen satte sig ner alldeles framför henne.

"Och vad sa hon innan hon dog?"

"Kan ni inte bara låta mig gå?"

"Nej, Helene Bergman, jag är rädd för att jag inte kan det."

Hans sätt att uttala hennes namn var underligt korrekt. Slutsatserna hon hade dragit under natten var att mannen i svart huvjacka hade följt efter henne, kanske redan från domstolarna eller det där huset. Högst troligt var det samma hus som hon befann sig i. Materialen, dimensionerna, det fanns i alla fall ingenting som motsade att det här var huset som låg begravt i murgröna, bakom en grind med vassa taggar i stadsdelen Belgrano R.

"Varför frågar ni om min syster?" sa hon. "Har ni träffat henne?"

"Varför bryr vi oss överhuvudtaget om människorna? De sviker oss. De dör och försvinner. Människor tror sig vara odödliga, men det finns ingenting så lätt som att ta den villfarelsen ur en människa och få henne att böja knä vid ens fötter och be för sitt liv."

Det svajade till i henne, och väggarna slant, hon visste inte längre var hon hade dem.

"Snälla, kan ni inte bara låta mig gå, jag har barn …"

Den äldre mannen lutade sig bakåt, det fick hon i alla fall för sig, att han nu satt bakåtlutad och glodde på henne och funderade på vad han skulle göra med henne, kanske var det ett svagt gnissel i fåtöljen eller en förändring i den något kvava luften där det hade rökts en hel del.

"Barnen, ja", sa han sakta, "sonen Malte och lilla Ariel. Hur gammal är flickan, åtta år?"

Det var inte möjligt. Tyget skavde mot ögonen, Helene ville slita bort det och se hur han såg ut, kramade händerna hårdare. De fick inte veta namnen på hennes barn.

"Min medhjälpare är bra på det där", fortsatte han, "att ta en bild från en övervakningskamera, av en kvinna som står och spanar in i en privat trädgård, och sedan skicka ut den på nätet och köra den i något slags jämförelseprogram och vips hittar man en annan bild, och ett namn, och sedan finns resten där någonstans, en adress, och namnen på föräldrarna och maken och barnen. Arkitekt var det visst, en fin prisnominering för något sporthallsbygge i … vad heter det nu igen, Borlänge?"

"Mitt plan går om fyra timmar", sa Helene och fingrade på bindeln, den kliade så förfärligt. "Jag lovar att inte berätta det här för någon om ni bara låter mig gå."

Hon hörde en utandning, eller om han fnös.

"Jag gjorde ett misstag vad gällde din syster. Jag lät henne gå och hon åkte hem. Det borde hon inte ha gjort."

Det fanns något hotfullt i rösten, något underförstått.

"Vad menar du?" sa Helene. "Vad borde hon inte ha gjort?"

En plötslig insikt om att Charlie hade suttit precis så här. Bindeln hade tänjts så att hon kunde se strimman av svagt dagsljus över golvet. Mannen hade blanka skor. Kanske var det rätt, helt följdriktigt. Ta sin systers plats och sona skulden, så gör vad ni vill med mig då, tänkte hon, gör vad fan ni vill.

"Spelar du schack?" sa han.

"Nej, jag spelar inte schack."

"Jag brukade göra det", sa han. "När spelet ser ut att vara över, det är då man måste stiga in i sin motståndares hjärna, hans sätt att tänka, bara så kan man överrumpla honom med något han aldrig hade förutsett."

"Jag tror inte att jag förstår."

"Jag måste säga att det kom som en chock, när min gamle *coronel* hörde av sig och berättade vad som ropades utanför domstolarna här i Buenos Aires, en kvinna som frågade efter människor som jag hade trott var glömda."

"Menar du Charlie?"

"Charlie ja, vad är det för ett namn på en kvinna? En av mina män bjöd ut henne på ett glas. Det var enkelt. De behövde inte ta till sådana åtgärder som med dig. Ibland är det bättre att samarbeta, Helene Bergman."

"Jag gör det. Jag samarbetar."

En plötslig rörelse alldeles vid hennes ansikte, Helene ryckte till, och kanske gav hon ifrån sig något ljud också. Han lyfte en slinga av hennes hår. Nu börjar det, tänkte hon, nu kommer de att göra mig illa.

Mannen skrattade, det var ett tomt skratt, helt utan glädje.

"Du är verkligen lik din mamma", sa han.

"Vad menar du? Vad vet du om min mamma?"

Helene kunde inte hejda sin hand som for upp till håret, måste försäkra sig om att hans hand hade dragits undan.

Mannen reste sig. Knarret av fåtöljen igen. Av rösten trodde hon att han nu stod ganska nära fönstren. Gardinerna måste vara fördragna, det var så lite ljus som läckte in. Hon var dold för omvärlden.

"Tror du, fru Bergman, att det finns något sådant som öde?"

"Nej, det tror jag inte."

"Och vad skulle ha fört dig hit om det inte var ödet, vad skulle ha fört din syster hit? Säg inte att det är Gud, för Gud är svag, kanske har han makt över människors inre, men inte över det som sker. Skulle jag förlita mig på Gud så skulle jag snart sitta inlåst i en cell."

"Varför skulle du det, vad menar du?"

Naturligtvis begrep hon att han kunde vara den de kallade Squatina, hajen som gömde sig i bottenslammet och var efterspanad för saker hon inte ville tänka på. Han hade frågat vad hon visste om honom, varför skulle hon annars sitta här? Logik, tänkte hon, han vinner inget på att göra mig illa, vill bara veta vad jag vet, men vad i helvete har min mamma med honom att göra, och vad hade Charlie trasslat in sig i, den idioten?

Helene hörde en tändare klicka till och kände lukten av cigarrök.

"Du frågar också efter en man som heter Ramón Maguid. Har du hittat honom?"

"Nej. Ingen tycks känna honom eller veta var han blev av."

"Kanske har han aldrig funnits."

Ett skratt igen, lika tonlöst som det förra.

"Jag tror ni har ett ordspråk på svenska … du får ursäkta om jag inte minns så mycket av språket, men det lyder väl ungefär 'en älskare har flera namn."

I tystnaden som följde for tankarna okontrollerat, likt fläckarna framför ögonen när hon försökte se och blundade igen. Han visste något om Sverige och han visste något om Ramón. Ramón Maguid som ingen kände och som kanske aldrig hade funnits, som dök upp på folkhögskolan i Jakobsberg och sedan gick upp i rök samtidigt som Ing-Marie.

Men han har ju fel, tänkte hon, det är inte en älskare som har många namn, det är ett barn, ett kärt barn har många namn.

Och hon hörde mannen dra ännu ett bloss.

"Det var verkligen häpnadsväckande", sa han och rörde sig runt henne i en cirkel som om han iakttog henne från olika vinklar, "att se dig genom kameran när du stod utanför huset, det ansiktet, håret … Det finns alltid sådant hos en kvinna som aldrig lämnar en, ett minne av en särskild del av hennes kropp som skiljer sig från alla andra kvinnors. Hos henne var det nacken, den här linjen … och så håret förstås."

Helene kände hans finger längs sin nacklinje och rös.

"Du är han", sa hon, "det är du som är Ramón. Och jag som trodde …"

"Vad trodde du? Att jag var det monster de kallar Squatina?"

Det knastrade när han tryckte ner cigarren i en askkopp, någonstans alldeles framför henne.

"Det är något jag vill att du ska se", sa han.

Ett slammer mot bordet, han tog tydligen askkoppen med sig när han gick. Hon kunde höra männen tala lågt med varandra på spanska längre bort, från köket eller något annat rum, jo köket, hon hörde vatten som hälldes upp, suget av ett kylskåp som öppnades. Sekunder i ensamhet när hon måste tänka, logiskt nu, vad hade hon hört, vad hade den där juristen Guillermo sagt? Squatina var i den militära underrättelsetjänsten, han hade varit på ESMA ibland och ibland inte, och det fanns agenter som infiltrerade också utomlands bland flyktingar, vad hette det, Operation Cóndor? Det var något om ett mord i Washington och spionage bland de latinamerikanska flyktingarna i Paris och Rom och Madrid. Det svindlade till i henne. Många hade flytt till Sverige, så varför inte där? Hon såg de där festerna framför sig, diskussionerna. En man som ingen kände, som hade kommit dit och kallade sig Ramón. Var det ens hans riktiga namn? En älskare har många namn, sa han, nästan som om det var ett skämt, och Ing-Marie som aningslöst blev förälskad och följde med ... Passion tänkte hon, en passion som är så stor att man kan överge sina barn.

Ramón, Squatina.

Han var tillbaka i rummet igen.

"Jag kommer att ta av dig ögonbindeln nu, men jag råder dig att inte vända dig om."

Helene hörde honom närma sig bakifrån, en liten duns på bordet framför henne. Sedan kände hon hans händer runt sitt huvud och rös. Det var inte handgripliga moment av tortyr som hon först tänkte på utan just de händerna på sin mammas kropp.

"Du vet säkert en del av det som står i Bibeln fast du är svensk", sa han medan han trevade vid hennes bakhuvud och lösgjorde sjalen. "Och då vet du också vad som händer med den som ser sig om när hon har blivit tillsagd att inte göra det."

Ögonbindeln drogs bort. Hon kunde se. Äntligen kunde hon

se. En begränsad del av ett vardagsrum. Ett fönster med för-dragna gardiner i något odefinierbart brunt tyg som kunde ha hängt där i ett sekel.

Och framför henne på ett bord, mindre än en meter bort, en liten laptop.

Ramón sträckte fram handen bakifrån och tryckte igång en film. Först tittade hon bara på handen. Den var aningen ryn-kig, ganska mager med ådrorna synliga under huden och några grånade hårstrån som skymtade under skjortärmen.

Sedan bilden som rörde sig. Helene noterade årtalet 2008 mellan hans fingrar, och att videon hade visats 38 473 gånger på Youtube.

Ett klick till och den fyllde hela skärmen.

En skog, och en tältduk som hade spänts upp som tak. Där rörde sig människor, sakta och lite skakigt. De bar svarta tröjor och kamouflagefärgade uniformer, i bakgrunden såg hon en mycket ung man med höjt vapen, en automatkarbin. Några av dem bar ganska slappa tyghattar, någon hade keps, en annan basker, där var både kvinnor och män och i mitten låg en man på en bår, nej i en kista, och hans kropp var svept i gult och blått och rött, en flagga.

En spansktalande speaker sa någonting om död, och om Colombia.

"Du känner kanske inte till *Tirofijo*, skarpskytten", sa Ramón alldeles nära hennes öra. "Det sägs att han var den äldste *guer-rilleron* i världen när han dog, 78 år gammal. Så länge lät vi dem aldrig leva."

Helene såg rörelserna på skärmen och väntade på en fort-sättning, något som skulle förklara varför hon tittade på det här. De uniformerade gerillamedlemmarna rörde sig sakta förbi, en i taget stannade de upp vid kistan, böjde sig fram och kysste den döde på kinden, en begravning utan vare sig kyrka eller präst.

"Det är Farc-gerillan själva som har filmat och lagt ut det här, men det visades på tv också, det var så jag först fick se det. Det var ju en stor nyhet, han var deras grundare och ledare i över fyrtio år, den siste legendariske *guerrilleron* i Latinamerika död i en hjärtattack …"

Han hade en ironisk ton i rösten, eller kanske nedlåtande. Colombia tänkte hon. Krig, kidnappningar, kokainsmuggling, sådana ord, det var något med fredsförhandlingar också, vad ville han med det här, göra en poäng av något slag?

Ramón böjde sig fram och slog till en tangent, och bilden frös framför henne.

"Jag vet inte vad det var som fick mig att ana det", sa han. Fingret rörde sig i ovandelen av hennes ögonvrå, pekade mot skärmen. "Du ser kanske en suddig bild av en *guerrillera,* där till vänster om den långe, kanske kan du urskilja att hon har ljusare hy än de andra, men vad jag såg var hennes hållning. Det var något med den där nacken. Så jag gick in på nätet och hittade det här klippet och jag körde det om och om igen. Hur hon rörde sig … Man kan färga håret svart, man kan dra en keps ganska långt ner över ansiktet, man kan åldras, men en människa ändrar sällan hur hon rör sig, kroppens linjer. Så jag satte några av mina gamla kontakter på att undersöka vem hon var."

Helene stirrade på bilden. Den blev allt suddigare tills hon bara såg ett gytter av grönt.

"Claudia Viehhauser", sa rösten bakom henne. "Det var hon. Hon hade behållit det jäkla namnet."

Han skrattade, och rosslade och fick en hostattack.

"Claudia … vad?"

"Jag ordnade själv passet åt henne, det var jag som skapade henne. Claudia Viehhauser. Ing-Marie Sahlin. Där har du din mamma."

Den eftermiddagen lyfte ett plan från Ezeiza-flygplatsen i Buenos Aires, med destination London och en bokad plats som var tom.

Ytterligare femton timmar efter det, på förmiddagen nästa dag om man talade europeisk tid, skulle ett annat flygplan ta kurs från Heathrow mot Stockholm Arlanda och samma passagerare skulle saknas även där.

Eftermiddagen hade kommit med regn över Buenos Aires. Helene kunde höra det smattra och forsa kring huset, ett nästan tropiskt regn som vräkte ner därute. De hade äntligen lämnat henne ifred en stund. Hon hade fått gå på toaletten igen, med bindeln på. En av de yngre männen ledde henne dit och stängde dörren utifrån.

För ett ögonblick vågade hon dra upp sjalen.

Där fanns verkligen ett litet fönster ovanför badkaret. Regnet rann över rutan. En natt för trettiosex år sedan. Om det som Ramón påstod var sant så hade Ing-Marie kravlat sig ut där och försvunnit.

Hur skulle hon kunna veta vad som var sant?

Att det var han som hade räddat henne ut från ESMA. Sett till att hon fått dubbla doser av narkosmedlet så att hon var medvetslös och kunde smugglas ut i hans egen bil.

Hon såg framför sig den där plätten av gräs där Ing-Marie hade legat sedan hon lyfts undan från bilarna, hur den här mannen lyfte upp henne igen när bilarna hade åkt, eller beordrade någon att göra det, hur en bil körde bort därifrån.

Det var inte av kärlek, det påstod han inte. Han hymlade inte heller med att han hade använt henne för att lokalisera en gerilla-grupp som ännu gömde sig i Buenos Aires, det var ett krig, sa han. Det var hans plikt mot landet.

De säger att det inte var något krig.

Jag tvingade henne inte att resa till Argentina. Hon följde med av fri vilja, det var hennes egen idé.

För att hon trodde att du var någon annan.

"Men det var ett misstag att hon greps", hade han sagt. "Om svenska staten eller hennes familj fick veta var hon befann sig så hade det blivit problem för militärregeringen, inför världsmästerskapet dessutom, och då hade det fallit på mig, hon var mitt ansvar, det var mitt huvud som skulle ryka. Så när jag upptäckte att hon fanns på ESMA, hennes pass landade helt enkelt på mitt bord en dag eftersom jag sysslade med utländsk underrättelse, så övertygade jag dem om att det var bäst för alla att jag fick ut henne. Hon skulle återuppstå i Sverige och aldrig säga ett ord, det gav jag min heder på."

Och sedan hade Ing-Marie krupit ut genom ett fönster.

För att hon äntligen kunde fly? Eller för att hon insåg vem han var?

Helene såg sitt eget ansikte i spegeln. Mascaran låg i mörka fält under ögonen, hon tvättade sig och åstadkom svarta fläckar på handduken.

Och nu då?

Klockan hade slagit tre och fyra och fem, den tickade närmare kvällen. Hon blev serverad rostat bröd och kaffe, han hade till och med frågat om hon föredrog ost eller skinka. Sjalen var tillbaka över ögonen igen. Hon erfor nästan en lättnad över att slippa se.

"De där så kallade juristerna kommer att hitta mig förr eller senare", hade Ramón sagt med en kyla som om det inte skrämde honom alls. "Om jag ville fly hade jag redan gjort det, men med åren har jag faktiskt börjat se fram emot att möta dem öga mot öga."

Helene hörde honom som genom en luftsluss, orden sögs liksom bort ifrån henne. Kanske var det bristen på sömn, och ansträngningen i att lyssna sig till konstruktionen av ett hus och en galen människas avsikter. Hon anade att den enorma tröttheten också kom sig av att något sakta släppte i henne. *Hon lever. Hon kanske faktiskt lever.*

Ramón gick fram och tillbaka i rummet, ett lätt hasande av skorna. Han talade om schack igen.

Det där sista draget, som skulle överraska alla, ett drag ingen hade kunnat förutse.

Något storslaget och tårdrypande som skulle vinna publikens hjärtan, argentinarna var nu en gång lagda åt det sentimentala.

Så tänk dig, sa han, en kvinna som återuppstår från de döda, eller i alla fall från de evigt försvunna, *los desaparecidos.*

En kvinna som han hade räddat! Han, en lojal officer i underrättelsetjänsten och en av dem som utmålades av vänsterpressen som mänsklighetens fiender bara för att de lydde order.

Men om han hade brutit mot ordern.

Om han var den ende, någonsin, som stod där innanför skranket och vittnade om att han till slut följde sitt hjärta. Trotsade order och räddade en kvinna som han trodde var oskyldig, med risk för sin egen karriär.

Och om alla sedan skulle få se den kvinnan stiga in salen, levande. En utländsk medborgare dessutom, skulle då inte världen också jubla?

Skulle de vilja döma honom då?

Han hade skrattat igen, och hon tyckte sig faktiskt höra glädje i hans skratt, nästan något pojkaktigt.

Ingen kunde med säkerhet förutspå den slutgiltiga domen, det medgav han, men han skulle i alla fall ge dem en ordentlig föreställning.

Om Helene hade kunnat stirra hade hon gjort det.

"Skulle Ing-Marie vara ditt vittne menar du?"

Kanske hade hon rentav kunnat skratta, om hon inte hade varit så rädd och förvirrad.

"Om det är som du säger", sa hon och försökte hitta sin vanliga röst, "om hon verkligen lever och har hållit sig undan i över trettio år, så varför i helvete skulle hon komma tillbaka för att hjälpa dig, efter det du gjorde?"

"För att du ber henne", sa Ramón.

Det var som om huset stillnade. Som om det hade andats fram tills nu, men upphörde mitt i ett andetag. Helene tyckte att klockan också borde stanna, men tiden fortsatte ticka. Regnet piskade oupphörligt.

"Vi har bokat en biljett med nattflyget till Bogotá i ditt namn. Det går om tre timmar. Jag borde ha gjort detsamma för din syster. Hon lyckades uppenbarligen inte ta sig dit på egen hand."

"Bogotá?"

"Huvudstaden i Colombia."

"Jag vet att det är huvudstaden i Colombia. Skulle Charlie ha åkt dit?"

"Vilken falsk liten råtta, en sådan *basura* hon var. Satt här och lovade att hon skulle flyga raka vägen till Bogotá och att hon inte önskade något högre än att träffa sin mamma, det hade hon väntat på i hela sitt liv. Jag gav henne till och med en mejladress som mina kontakter har fått fram, och sedan lurade hon mig, flög iväg till Stockholm istället."

Och Ing-Marie, Ing-Marie …

Helene blundade innanför sjalen, det var i alla fall ett mörker hon valde själv. Tänkte på Charlies sista nätter i Buenos Aires enligt den där Mats, när hon hade kommit in och verkat trasig och bett om pengar, hur mycket var det, tiotusen kronor? Tillräckligt för en flygbiljett till Bogotá, men Mats hade vägrat, och Charlie hade gett upp och åkt hem. Det var något som störde henne, Charlie som blev så besatt, hade hon verkligen bara gett upp? Tagit ett piller och somnat, supit sig full?

Ramón dunkade en hand i bordet.

"Och bry dig inte om att förmedla den här adressen till dina juristvänner. Jag har redan flyttat. De hittar ett tomt hus som en gång tillhörde en läkare som försvann och aldrig återfanns. Hans tillgångar konfiskerades eftersom han var en fiende till staten, mitt namn finns inte i de pappren."

"Jaha", sa Helene. "Men om jag nu åker till Bogotá och hittar henne någonstans i Colombias djungler …" Så absurt det var att ens prata hypotetiskt, som om det fanns en möjlighet att hon var en verklig person som levde.

Varför kom hon i så fall inte hem?

Hon svalde.

"Varför skulle hon i så fall lyssna på mig?"

"Kanske för att hon inte vill att något ska hända hennes dotter, för att du låter henne förstå att det är det enda hon kan göra."

"Ursäkta mig, men om hon lever, varför skulle hon bry sig nu, när hon inte brydde sig om oss då?"

"Jag gav ett foto till din syster", sa Ramón. "Två små flickor i fina små vita skor, hon bar med sig det, alltid, så jag tror att du har fel. Det låg i hennes plånbok när de grep henne, men hon hittade det inte den där natten när hon rymde, det blev kvar."

Helene lyfte huvudet bara en aning för att se hur han såg ut. Hon såg hans byxor, något tyg som liknade gabardin, en livrem, nederdelen av hans skjorta som var ljust blå. Det slog henne att han måste ha sett henne då, som treåring, som hon såg ut på det där kortet. Hon hade det själv i sin plånbok nu.

"Men djungeln ska du förresten inte ge dig för långt ut i", sa Ramón. "Det lär finnas fler minor per kvadratmeter i Colombias jordar än någon annanstans i världen."

"Och om jag inte vill …?"

"… inte vill träffa din mamma?" Hans röst var mjuk, det hade hon inte tänkt på tidigare, att det fanns en mjukhet till och med när han ställde sina frågor, eller hotade. "Det har jag svårt att tro, men då finns det ju heller inget som hindrar att jag låter döda henne."

Helene kramade sin handled där armbandet hade suttit, hon hade tagit av det under natten och stoppat det i fickan för att inte tappa det.

"Jag tror inte på att hon lever", sa hon. "Du kan påstå vad du vill, visa vilka suddiga videoklipp som helst, men hon är död. Jag har aldrig haft någon mamma."

"Jag förstår att du känner det så", sa han sakta. "Du om någon vet nog vad det betyder att vara mamma. Att älska sina barn och vara beredd på att göra vad som helst för att ingenting ont ska hända dem."

"Vad menar du?"

"Det är en liten värld vi lever i, fru Bergman. Du vill nog inte vara tvungen att vända dig om varenda gång du går ut i Stockholm, undra om barnen ska komma hem från skolan, fråga dig för resten av ditt liv vart de egentligen tog vägen."

Hon teg.

En förändring i luften, helt lätt. Det behövdes inte mer för att hon skulle rycka till. Kanske hade han bara vinkat. Hon hörde steg, en av de andra männen som kom in i rummet, en spänstigare gång. Någon tog tag i hennes hand och hon kände något hårt, en mobiltelefon, hennes egen?

Sedan fick hon uppge sin pinkod. Hörde hur han bläddrade fram namnet, de visste ju redan vad hennes man hette så det behövde de inte ens fråga om. Signalerna som gick fram. Var och en av dem skar så hårt i henne, för det ringde därhemma, eller på kontoret, eller var Jocke nu befann sig, kanske på väg därifrån. Sju signaler, men svara då, svara så att jag vet att du finns.

Och sedan hans röst i hennes öra, så vardaglig han lät, så där i farten som om han egentligen inte hade tid att svara.

"Hej det är jag", sa hon.

Ramón stod så nära henne att hon kunde känna hans ut-
andning i regelbundna pustar av mörk tobak och därför sa hon
exakt det hon var tillsagd att säga.

"Missat planet?" hojtade Jocke. "Det är inte sant, hur fan kan
man missa sitt plan?"

Och sedan tog de telefonen ifrån henne igen.

JAKOBSBERG
2014

Riddarn vände sig sällan om för att det kom folk förbi. De flesta kände han inte och andra var bekanta på ett vagt vis, från förr, en gammal skolkamrat eller jobbarkompis, en flirt från tidernas begynnelse, det var lögn att veta var i hela friden man hade sett ett ansikte.

Många tog små omvägar runt bänkarna där gänget satt med några förmiddagsöl och ett korvpaket. På det stora hela uppskattade han att folk inte klampade rakt igenom vardagsrummet och rastade hundarna och störde. Det blev så med åren, man fann sin plats och där var man hemma på sitt eget vis.

Molnen hade lättat. Bara vita penseldrag över himlen, försommarljusa vindar som smekte mot kinden. Han hade gårdagens DN under rumpan och skulle ta itu med den så fort bänken hade torkat upp efter morgonens lätta regn. På det hela taget en skaplig dag som inte gav någon anledning att hålla på och se sig omkring.

Därför lade han inte heller märke till killarna förrän de stod precis framför honom. Han hade blicken på en vattenpöl där han höll på att studera himlens spegling, hur molnen bildade figurer som svävade bort och följdes av nya, men så steg en lirare fram och ett ansikte skymde himlen i vattenytan, eller egentligen var det väl halva ansiktet, resten var en sörja av gamla fimpar och hopknycklat godispapper. Sedan fick han syn på jympadojorna också, de skinande dyra mot gruset, alldeles framför hans egna kängor som började bli för varma men som han ogärna ville bli av med.

"Så det är här du håller till farfar. Vi har kollat runt lite här och där efter dig."

Riddarn såg upp. Den där blanka röda jackan med vita ränder kände han igen, den nästan gnistrade i solen. Bakom killen med jackan stod det visst några fler. Riddarn såg dem inte så tydligt eftersom han hade solen i ögonen, men han var ganska säker på att det var samma lirare som han hade mött den där gången uppe vid Dackehallen.

"Ja, här sitter man och kan inget annat", sa han och garvade lite för att liksom lätta upp stämningen.

Han märkte att polarna, Kenta och Anja och Frallan, flyttade sig lite längre bort, medan Rickard den tredje reste sig och helt sonika gick, kanske för att han var lagd åt det rasistiska eller ville vara ifred. Ingen ville väl för övrigt ha bråk så här tidigt på dagen, frid och fred och sitta och snacka lite, det var allt man ville.

"Shit, du satte oss i skiten med det här, gamling", sa snubben i den röda jackan och halade upp något ur innerfickan. "Du skulle inte ha lurat oss att börja kolla på det där och fråga runt."

Riddarn kände igen den där tidningssidan, hopvikt och ganska nött vid det här laget, men det var ännu samma bild som vecklades ut. Oron rumsterade i magen, vad var nu det här? Den där grejen hade han ju liksom lagt bakom sig. Det var inte lätt att hitta ett gammalt Aftonbladet igen. Det som var tappat och förlorat, det var borta, så mycket hade han lärt sig av livet.

Snubben satte sig ner. Riddarn flyttade sig lite.

"Nähä nej", sa han för det var ju svårt att veta vad man skulle svara. Han tänkte att de inte hade presenterat sig, men kanske kunde han ändå inte uttala namnen och då skulle han sitta här och känna sig dum också.

Snubben knackade på fotot med knogarna.

"Kalla honom livvakt eller fixare eller kalla honom vad fan du vill, men håll det för dig själv. Mannen är en säkerhetskille, en sådan man ringer in för specialuppdrag om du fattar vad jag menar."

"Vad fasiken, Säpo?" Riddarn kände rysningar bak i nacken, att han hade haft rätt. Han såg upp, tittade åt alla håll och väntade sig att se agenter och fan och hans moster mellan buskarna. De satt ju i ett utsatt läge, en stor plan yta med lite bänkar och träd, en kulle där ungarna brukade åka pulka om vintern och dagiset längre bort där man kunde höra det tjoas och stojas, han gillade de där ljuden av små glada tjut, det hade han alltid gjort, att få busa och lattja med ungar, men det var ju inget han kunde ge sig på numera för då skulle det bli polishämtning och hela mide-vitten. Han tittade bort mot Tornérplatsen och åt andra hållet, där en allé sträckte sig in mellan husen på Magnusvägen, och han insåg att sådana människor kunde klä sig till vem som helst, en dagisfröken, en parkarbetare från kommunen ...

"Börja inte snacka om jävla Säpo igen va, fattar du inte vad jag säger?" Killen trampade med benet som en gammal alkis med delirium. "Den här killen är sin egen. De kallar honom JR för att han är från Dallas eller vad det nu var. Vår affärskontakt frågade sin affärskontakt och nästa dag dök det upp en snubbe här i Jakan och undrade varför vi frågade om honom."

Riddarn tyckte inte om att de här killarna var nervösa, något sa honom att det var illa. Killen bredvid satt liksom inte still någonstans i kroppen.

"Jag var ju fan tvungen att be om adressen, sa att vi kände en som snackade om att anlita honom. Swede Security AB heter det, Fabriksvägen Solna."

Killen reste sig upp och slöt sig till kamraterna, de liksom gled ihop till en enhet.

"Ta hand om dina egna grejer farfar, nu får du fan ta hand om din egen skit."

"Dallas", mumlade Riddarn, "de menade nog JR i Dallas, det var en tv-serie …"

Men de unga männen var redan på väg i riktning bort mot Söderhöjden, han såg bara deras ryggar som blev mindre och mindre.

Artikeln låg kvar bredvid honom på bänken.

Fabriksvägen Solna. Det borde väl vara i Hagalunds gamla industriområde? Dit hade han haft ärende några gånger.

En penna, tänkte han, det var nog bråttom med en penna. Han visste med sig att han glömde saker, det var stört omöjligt att bestämma sig för vad man skulle ha i huvudet, tankarna kom och for som de ville numera.

Frallan satt och blängde på bänken bredvid, men honom var det inte lönt att fråga, han såg ut som en smäll på käften.

Riddarn stoppade pappret i fickan och gick in mellan affärerna i centrum.

"Tjenare, tjenare", sa kvinnan i kjolar och sjalar som satt utanför Coop och sträckte fram muggen emot honom, "tjenare, tack så mycket."

"Tyvärr, tyvärr, det är lite knapert idag", sa Riddarn och spanade in genom fönstren. Han blev alltid lite glad över att hon trodde att han skulle ha något att ge.

Och se där, ut genom kassorna kom en gubbe han kände igen. Chrille kallades han av alla, en gammal socialarbetare i grått skägg som hade gått i pension för några år sedan och fortfarande frågade hur man mådde, fast han inte längre hade betalt för det.

"Tjena", sa Riddarn och kom till sitt ärende direkt. Chrille halade upp en penna och såg hur Riddarn försökte hålla tidningsklippet mot benet för att få stöd när han skrev, men det gick ju inte, det gick hål genom pappret och handen skakade ju något så förbannat.

"Hur är det med dig?" sa Chrille och räckte fram en tidning som blev ett prima underlag, det gick som en dans att minnas namnet, adressen, och var det något mer?

"Det är bra", sa Riddarn när han hade skrivit klart, "bara bra."

"Är det säkert det?"

"Ja, ja, lugna puckar, tack för lånet." Riddarn återlämnade pennan och sa hej och ha en bra dag som man säger. Han visste att Chrille tittade efter honom när han gick, kände de gamla soc-blickarna klia mot ryggen.

Ja, vart fan han nu skulle gå.

Vad han nu skulle göra med det här.

Polisen, tänkte han. Det här var nog första gången i livet som han fann det motiverat att gå några varv genom centrum och in i gallerian och ut igen för att faktiskt leta reda på en av de där lokala snutarna som mest hade till uppgift att visa att de fanns.

Han hittade en av dem borta vid pendeltågstunneln.

"Jag vet en kille som ni ska ni titta närmare på", sa Riddarn. "Det här, det är en riktigt ful en." Han viftade med artikeln under näsan på ordningsmakten och pekade mot porten till Riddar Jakob. "De kallar honom JR, du vet, som JR Ewing, och jag såg honom här, precis där vi står nu, så sant som att du och jag står här, och sedan händer det här med min dotter. Hajar du?"

"Var han inblandad i mordet på Olof Palme också?" Snuten log. "Eller förlåt, nej, det var ju inget mord."

Riddarn tog ett steg närmare och sänkte rösten, det här var inga grejer man skulle stå och skrika ut över torget.

"Jag säger inte att det var han som dödade henne, men det kan ha varit han som gjorde det, ni måste ta in den här jäveln, låsa in honom för gott alltså."

"Var snäll och flytta på dig nu."

"Men hör du inte vad jag säger?"

Riddarn tog tag i armen på snuten, som snabbt vred sig runt.

"Nu tar vi det lugnt, va?"

Hade snutjäveln puttat honom, eller snubblade han bara? Riddarn visste bara att han föll in i kaklet och dunkade till skallen, och han vrålade till.

"Vad i helvete …"

Och snuten stod böjd över honom och tog tag i hans hand. Riddarn fäktade och sparkade för att komma lös, det bara hände, det satt i kroppen att aldrig låta sig fångas. Sedan en röst någonstans från ovan.

"Det är lugnt, jag tar hand om honom."

Ett skäggigt nylle och där var Chrille igen och gick emellan, som om han fortfarande var i tjänst. Det nästa Riddarn visste var att polisen var borta, eller i alla fall på behagligt avstånd.

"Han lyssnar inte på mig, de skiter i det", kved han när Chrille tog tag under armarna och reste honom upp mot den kaklade väggen, han skakade av kramper och grät. "De tog henne, fattar du? De tog min lilla guldflicka, varför måste de ta henne, hon hade ju ingenting gjort …"

"Ta det lugnt nu, Riddarn, ta det lugnt bara. Du måste söka hjälp nu vet du, du börjar bli dålig igen. Jag känner igen det här, de där skakningarna, det är inte bra grabben."

Riddarn grät. Man måste väl för fan få gråta eller var det också förbjudet i det här landet? Chrille tog honom till en bänk i Vasaparken där de fick sitta ifred.

"Och sedan var jag inte där när de begravde henne. Farsan hennes var inte där." Han snöt sig i en pappersnäsduk som Chrille stack i näven. "Jag tog bussen ut till Görväln, och var på väg till kapellet när jag såg dem, du vet, minsta dottern och så Barbro som jag polade med ett tag, hon som tog hand om barnen … De såg så fina ut. I svarta kläder och allt, jag hade ju bara den här gamla jackan och …" Han såg ner på sina byxor, strök med handen över det smutsiga tyget. "Och så gick de in och ja … Jag tog väl bussen tillbaka hit. Man åker på samma biljett inom en timme. Det är bra. Jag menar att man inte måste lösa en ny biljett."

"Det är för djävligt när de dör", sa Chrille.

Riddarn fumlade med mackan och tappade ut grönsakerna på marken. Det var schysst av Chrille att bjuda på en macka, Det hade han inte behövt. De hade väl inte så fin pension från sociala heller.

"Du vet att ingen kommer att söka upp dig och tjata som på min tid", sa Chrille. "Du måste gå in själv och säga att du behöver hjälp, förstår du? Du måste be om det."

"Jag ber ingen om någonting", sa Riddarn. "Det har jag aldrig gjort."

Och så var det väl några timmar senare, när han hade lyckats få en kvarting Explorer utköpt och dragit i sig halva innehållet. Då klarnade skallen igen.

Då visste han vad som måste göras. Ingen annan skulle göra det. Den jäveln skulle inte komma undan, om han så själv skulle åka till Hagalund och se honom i vitögat.

Riddarn grävde igenom fickorna. Han hade ett litet förråd av SL-kort som folk hade tappat lite varstans. Små blå plastkort som ibland var tomma eller spärrade, men det hände att det fanns sjuttio eller trettiosex kronor kvar att resa för. Riddarn hade tjatat på spärrvakterna om att få ta ut de där pengarna i kontanter några gånger, men det var stört omöjligt och därför lagrade han dem i fickorna för eventuella resor han någon gång skulle behöva göra.

Folk vek undan för honom. Det kunde de gott göra. En gång i tiden hade han kommit trea i Järfällamästerskapen i boxning, lätt tungvikt. Det var inte kattskit. Det sa han också, till några av käringarna som snörpte på munnen och satte sig så långt bort i vagnen de kunde komma.

Han bytte tåg i Karlberg. Hade trots allt åkt den här vägen några gånger i sitt liv, framför allt för att se Gnagets hemma-matcher på gamla Råsunda.

Det sög till i magen när han gick förbi den gamla grillen vid Solna station, där hade man köpt sig en och annan wurre med mos, och framför honom reste sig de ljusblå fyrkanterna som var Blåkulla. Han ramlade nästan vid ett par tillfällen när han klättrade uppför en klippa mellan höghusen, hade visst missat trapporna. På andra sidan kullen, just där tågen körde ut ur tunneln, låg Hagalunds industriområde.

Där fanns firmor som de flesta aldrig hörde talas om, som krökte rör eller slog en plåt och importerade delar till båtmotorer. Riddarn hade kört leverans av bröd till någon lunchrestaurang där för länge sedan, och sedan hade en polare bott i en lya på bakgården till en lackeringsfirma att tag, ett skjul där det var kallt som satan. Han mindes att de hade pissat bakom containrarna, genom stängslet och försökt träffa järnvägsspåren. Han passade på att göra det nu också, och hällde samtidigt i sig det som var kvar av kvartingen.

Fabriksvägen var det. Skylten hängde på en stolpe som lutade rätt kraftigt. Ett tåg dundrade förbi. Något gatunummer hade den där liraren i röda jackan inte sagt, åtminstone inte vad han mindes, så han gick längs Fabriksvägen och läste skyltarna som stack ut.

Där var den, redan andra kåken.

Swede Security AB.

Ett tvåvåningshus i gul plåt. Persiennerna var nerdragna så det gick inte att kika in. På gården såg han några travar med SJ-pallar och två vita trädgårdsstolar i plast.

Ja, vad gjorde man nu?

När man en gång hade åkt så här långt.

"Vad vill du?"

Det var en röst bakom honom, någonstans från gården. Riddarn vände sig om. Där stod en bredaxlad snubbe med portfölj i hand.

"Jag söker någon", sa Riddarn, "Swede …" Han var tvungen att läsa på skylten, kom liksom av sig. "… Security."

"Söker vem?"

"Jag tror att han kallas för JR … som han i Dallas du vet." Riddarn kom av sig och sluddrade till det. Han hade övat upp en instinkt genom åren, för att läsa av hur en människa närmade sig. Det låg i själva stegen, om de var oförargliga och ute och strövade bara, eller hotande och gick rakt på. "Jag skulle snacka med honom bara …"

Mannen hade kommit väldigt nära. Det var inga vänliga steg.

"Fast det var väl inget viktigt", sa Riddarn och vände sig om, men snubben stod liksom i vägen.

"Hur känner du JR?"

"Jag känner honom inte, det är inte så att vi är polare direkt …"

"Du kanske ska förklara det där för honom själv."

Riddarn hörde dörren öppnas bakom sig, en annan röst.

"Vad är det om?"

Han kände sig som en korv som är inklämd mellan bröden. Snodde runt och stod öga mot öga med samme man för andra gången, två ögonblick som möttes i en explosion när spriten också nådde hjärnan.

"Vad fan", sa han, "det är du. Jag känner igen dig. Vad har du med min Charlie att göra, min lilla Camillaflicka, vad skulle du på henne för?" Och näven for upp, nu skulle den jäveln få, men han kände armen fastna på halva vägen och sedan vreds den om och han stod framåtböjd med ett knä mot ansiktet.

"Vem är du?" väste den där rösten precis ovanför, "vad vet du om någon Charlie?"

"Jag vet ingenting."

"Så varför kommer du hit?"

Armen vreds högre upp. Han skrek.

"Är det någon som vet att du är här?"

"Nej, nej, för sjutton gubbar, jag har inte sagt någonting …"

Och sedan knakade det i armen och han tänkte att vad skulle jag till Solna och göra, och benen slogs undan och det sista han märkte var att ansiktet störtade mot gruset.

CARACAS
1978

Ormarna krälade under sängen, det var där alla hålen och gångarna fanns, och de slingrade sig upp mot lakanet och sedan hade hon dem över hela kroppen, närmare och närmare ansiktet, och hon visste att det var de giftiga ormarna som spolades ner från bergen med regnet och tog sig in genom avlopp och råtthål, hon slog omkring sig och vaknade, och regnet vräkte fortfarande ner utanför.

Nattens korta, tropiska regn. Om morgnarna torkade det upp, men om natten rann det i floder nerför gatorna utanför hotellet, spolade med sig plåt och kartong och all möjlig bråte från kåkstäderna som klättrade längs bergssidorna kring Venezuelas huvudstad, det sades att man hade sett spädbarn flyta förbi, för att inte tala om giftormarna. Sådant hörde hon i febern, genom de papperstunna väggarna på hotellet där flyktingar trängdes i rummen och inte visste vart de var på väg.

Hon sträckte sig efter vattenflaskan på sängbordet och såg att den var tom. Föll tillbaka i sängen och febern, in i gränslanden igen. Vattnet som i verkligheten forsade längs rutorna blev till floderna i deltat och hon gungade återigen i en fiskebåt genom natten. Där var hon Ing-Marie igen, var fortfarande den de kallade Vera. Hon hade kräkts på däcket, hade upphört att finnas till, den hon var hade sjunkit mot botten. I helvetets sista krets stod förrädarna för evigt infrusna i floden, till knäna eller halsen beroende på vem de hade förrått.

Det skvalpade mot båten. När en motor hördes eller en lanterna blinkade till svängde fiskaren in i någon smal flodfåra där växtligheten var tät och dolde dem helt. Ibland skymtade hon svaga ljus från husen som fanns i mörkret längs stränderna, en svängande fotogenlampa, en cigarett som glödde till, och för en stund kom månen fram och lyste upp rangliga bryggor med stegar ner i vattnet. Det fanns ingen orientering i deltat, floderna korsade varandra i timme efter timme, tills fiskaren stängde av motorn och rodde den sista biten mot en strandremsa av Uruguay.

Mannen hade gjort korstecknet och skänkt henne det sista av sin matsäck, fyllt en flaska ur dunken med färskvatten. Sedan såg hon båten stakas ut i mörkret igen, och hennes namn skulle försvinna med den, hon önskade att det skulle sjunka och dö.

Det fanns bilar att lifta med, det fanns bussar där ingen frågade efter annat än kontanter. I en mindre stad växlade hon sina argentinska pesos, hon visste att det var bråttom att ta sig vidare in i Brasilien. I Uruguay samarbetade militärregeringen med den argentinska juntan och Tupamaros, som gerillan hette där, var oskadliggjord sedan flera år eller i alla fall i fängelse, men Brasilien var ett obegripligt stort land av djungler och floder och berg, och om hon korsade det från söder till norr så skulle ingen hitta henne, inte militären, inte ens Ramón. Fler bussar och slarviga hotell där hon uppfann sig själv gång på gång, allt medan damm och lera kröp in under kläderna tills det inte längre fanns skäl att försöka bli ren, och myggen stack, hon satt en kväll med tjugofyra stycken på armen och lät dem suga tills de gav sig av igen.

Kanske, när hon kom till slutet av Brasilien skulle hon ha hittat en väg ut, om hon bara inte blev gripen eller mördad längs vägen. Längs långa skakiga bussfärder och i lastbilarnas förarhytter undrade hon vem som då skulle förklaras död. Claudia

Viehhauser eller Ing-Marie Sahlin? En känsla av att Ing-Marie inte längre fanns, kanske fanns hon inte ens den där natten på floden. Hon var fast i ett hotellrum i La Boca, för evigt dömd att vända tillbaka till samma ögonblick, till stunden då hon visste att den jag älskar finns inte, han är inte den jag tror. En lögn, en känsla av att han drog henne i trådar, stunden som hon kallade för tvekan, men som var visshet, en känsla så stark bak i nacken och längs ryggraden: gå härifrån, rädda dem du kan, rädda dig själv. Men hon hade slagit bort den tanken, blundat och krupit in i hans famn för att hans armar omkring henne skulle säga något annat.

I höjd med huvudstaden Brasilia, som hon passerade i utkanterna av, fick hon slå sig fri från en man som körde sockerrör på en pick-up, och hon förvånades över att hon ännu hade viljan kvar att leva.

Och sedan Venezuela. Djungeln tycktes aldrig slut, den tätnade till ett mörker hon tyckte sig känna igen från sin barndom, skogar dit ljuset aldrig nådde hela vägen in.

När hon slutligen anlände med buss till Caracas en febrig eftermiddag fick hon hjälp av en prostituerad i närheten av stationen att ta sig till ett hotell och ersatte henne med några av sina sista dollar. Hon checkade in som Claudia Viehhauser och föll ner i en säng där hon blev liggande bland rösterna som vandrade genom väggar, och regnen som forsade genom nätterna. Hon hade försökt frammana bilden av barnen, fotografiet som hade gått förlorat någonstans längs vägen. Hon visste inte längre var, i fånglägret, på floden? Det där kortet, som naglade fast henne vid ett specifikt tillfälle när hon hade köpt vita sandaler åt dem, fast hon inte hade råd. Hur glada de hade varit. Sådana skor hade hon själv fått till Valborg en gång när hon var liten. Deras ansikten var samma ansikte. Det hände i feberyrandet att deras röster talade genom väggarna och kröp genom hålen under sängen, hur de kallade henne mamma och sprang bort mellan rummen och korridorerna, där hon själv hade irrat ett par nätter och letat efter en hel toalett.

På det tredje dygnet var hon feberfri.

Hon tog sig ut i staden för att köpa något att äta i närmaste affär, flaskor med vatten. Gatorna hade torkat upp i solen och det syntes ingenting av nattens översvämningar, som om också regnet bara fanns i hennes huvud. Hon flydde in på hotellet igen.

Det fanns ett sällskapsrum där man kunde värma sin mat och äta, där satt fyra män runt ett bord och spelade kort, en ensam kvinna i ett hörn och en äldre man som skakade förfärligt när han försökte läsa en tidning. Ingen verkade se henne.

Hon satte sig vid ett bord med ansiktet mot väggen. Som en osalig lyssnade hon till de levande som inte märkte hennes närvaro.

Män som visste vad de pratade om, accenter från kontinentens alla olyckliga hörn.

"... och lite längre söderut kan du gå över till Colombia utan risk och förena dig med gerillan, Farc håller områden på båda sidorna där, gränsvakterna ger sig inte ut ..."

"Jag tänker satsa på att ta mig in i USA via Costa Rica ..."

"CIA finns i Caracas också, de är mer innästlade än vad någon vet och presidenten tar hjälp för att slå ner vänsteroppositionen, mycket är bara snack från Pérez sida ..."

Fler röster kom in, genom väggarna eller om de fanns i rummet. Claudia åt små tuggor, sakta för att vänja kroppen vid mat igen.

"... städernas folk kommer aldrig att kunna enas i ett revolutionärt tänkande, de är till sin natur splittrade och gödda av egoismen, inte minst i Argentina ..."

"... med en båt till de karibiska öarna, ta ett år och bara vila på en strand."

"... men om inte medelklassen hade blundat ..."

Ingen märkte när kvinnan som kallade sig Claudia lämnade rummet, likt en vit skugga. Rösterna följde henne ut i korridoren.

"… i Colombia står gerillan på de fattigas sida, det är inte bara tom marxistretorik och Che-dyrkan …"

Nästa dag hade hon tillräckligt med ork för att köa till duschen. Hon såg sina revben sticka ut på ett sätt som nästan skänkte tillfredsställelse, att hon bar sitt straff. Det löpte ärr över bröstkorgen efter sådant de hade gjort mot henne. Fotsulorna hade läkt men genomkorsades av sina minnen. Som abstrakta linjer i ett konstverk, oregelbundna märken efter skåror. Hon kunde inte erinra sig smärtan längre, trots att hon ville känna den.

Där fanns en spegel också.

Hon såg sig själv på ytan, men inte det som fanns under. Det syntes inte. Någonstans i norra Uruguay hade hon färgat håret svart, och upprepat proceduren några veckor in i Brasilien, men nu hade det vuxit ut vid rötterna igen.

Hon gick ut på gatan med en tanke om frukost och hårfärg, men fortsatte bara gå. Vinden förde med sig dofter från Karibiska havet som fanns bakom bergen. Planlöst drev hon runt i Caracas tills hon kom till ett grönt och exklusivt område som hette Country club.

Där fick hon se den, mot himlen, den svenska flaggan vajande över ett hus.

Det låg en golfbana intill. Hon måste stanna upp och titta, såg människor klädda i vitt som långsamt rörde sig över det overkligt gröna fältet, en liten golfbil som gled förbi. Det var absurt, att se en golfbana i en stad där slummen klättrade allt högre upp på bergssidorna, men inte förvånande. De plötsliga rikedomarna från oljan syntes omkring henne, nya sportbilar som trängdes med gamla vrak från femtiotalet, lyftkranarna överallt som byggde det nya Caracas av olja och pengarnas berusning.

"Ursäkta, söker ni någon?" En vakt steg fram. Hon hade inte märkt hur nära hon hade gått den stora villan med svenska flaggan. Det fanns inget staket, men vakten bar vapen, hon backade instinktivt. Uniformen fick henne att darra. Hon rabblade inom sig att Venezuela var en demokrati, ingen diktatur, ingen skulle gripa henne på gatorna.

"Är det svenska ambassaden det här?" fick hon fram.

"Nej, det är herr ambassadörens residens, hans privatbostad. Kontoret ligger inne i centrum."

"Vet ni var?"

Han ryckte på axlarna.

Hon vände sig om för att gå när en bil körde upp och stannade bara ett tjugotal meter bort. En Volvo, hjärtat slog dubbelslag när hon såg att det var en Volvo!

Chauffören steg ur och höll upp bakdörren, hon såg en lång man böja sig därinne för att stiga ur. Han hade kostym och slips, en i högsta grad officiell person och hon anade också av sättet som vakten sträckte sig på att det kunde vara den svenska ambassadören, det fanns en flagga på bilen, det måste vara så.

Jag kan gå fram, tänkte hon, *jag kan tilltala honom på svenska, jag kan säga att jag är Ing-Marie Sahlin som behöver hjälp för att ta mig hem till Sverige och förenas med mina barn, att jag har varit fängslad i Argentina och flytt genom Brasilien, och då ska han fråga mig hur jag tog mig ut …*

Hon blev torr i munnen och var tvungen att böja ner huvudet och röra vid sitt hår, trampa på stället för att få något slags fäste i sig själv.

Ambassadören var ute ur bilen nu. Han bytte några ord med sin chaufför och såg henne inte. Svagt, som om han vore mycket längre bort, tyckte hon sig höra en språkmelodi sjunga av svenska toner.

Jag kan säga att jag är en turist som råkade ut för en man som svek mig, att vi skulle göra något gott för världen, men det blev inte

så och att jag är förtvivlat ledsen över det, och att jag hoppas att de
som jag dödade en gång kan förlåta ... men det går inte, eller hur?

Och sedan såg hon den svenske ambassadören gå mot dörren
och hon kunde inte göra något, inte ropa, inte röra sig. Gatorna
hade återigen torkat upp efter nattens regn, men känslan var att
hon stod i en flod upp till halsen, förstenad.

Och hon såg honom hälsas av en hund i porten och sedan
försvinna in.

"Var det något mer ni ville?" sa vakten.

Hon skakade på huvudet och gick därifrån.

Tre gånger tog hon fel gata när hon skulle tillbaka till hotellet.
Hon köpte med sig en *arepa* med ost och gick raka vägen in i
sällskapsrummet. Samma män som dagen innan satt bakåtlutade
och rökte runt bordet i mitten.

"Jag hörde att någon talade om ta sig in i Colombia", sa hon
och sakta vände de sig om.

Blickar som sökte sig nedifrån och upp över hennes magra
kropp. De såg henne, de såg henne faktiskt, och någon drog ut
en stol. Någon bjöd henne en öl.

"Jag heter Claudia", sa hon.

Det mumlades namn kring bordet. Och hon drack av ölen,
den beska smaken och var en del av något igen.

BOGOTÁ
2014

Så länge hon mindes hade hon sneglat på namnskyltarna som alltid hölls upp i ankomsthallen på en flygplats. Det fanns något glamouröst över det, en längtan att vara bland dem som blev hämtade med förbeställd bil. Den avunden var långt borta nu. Helene såg raden av chaufförer som väntade på flygplatsen i Bogotá och tyckte att de liknade fångvaktare, namnen på skyltarna var de dömda som skulle föras bort.

Hon fick syn på sitt eget namn längst ut i raden och den korta natten av frihet var över.

En av Ramóns män hade följt med ända till gaten. Han måste ha löst biljett någonstans, eller mutat någon för att försäkra sig om att Helene gick ombord på planet. Hon hade flugit högt över Amazonas och bort från soluppgången som därför hade varat ovanligt länge, och allt hon hade förmått kommunicera till flygvärdinnorna var "kan jag få ett glas vatten, tack".

Nu stod en chaufför och höll upp en handtextad skylt och hon visste att även han var betald av Ramón. Kunde nästan känna närvaron av hans andetag när hon gick fram.

Mannen var kortare än hon först hade trott, och äldre, strax över femtio. Håret var grått vid tinningarna och han hade stubb under näsan, början till en mustasch.

Benen var tunga när hon stannade.

"Det är jag", sa hon på engelska och pekade på skylten.

Han log, hade några trasiga tänder längst in.

"Välkommen till Colombia."

Mannen styrde mot utgången och gjorde ingen ansats att ta hennes väska, vilket bekräftade vad hon redan visste. Att han inte alls var någon chaufför.

Helene lade väskan bredvid sig i baksätet. Ramóns män hade låtit henne hämta den på hotellet, stått vid dörren när hon packade. Mobiltelefonen hade hon inte sett igen. Det var den hon tänkte på när de åkte alldeles för fort på motorvägarna in mot Bogotá, tvära kast genom trafiken, skyskrapor och ett hav av stad som vällde emot henne. Molnen hängde över bergen i öster och gled ihop med avgaserna från mångmiljonstaden i ett grått dis.

Ingen visste var hon befann sig. Hon hade inte kunnat meddela sin familj. Hur lång tid skulle det ta att få ut flygbolagens listor, att spåra henne om hon försvann? Rekord som Colombia innehade: flest mord och kidnappningar i Sydamerika, det längsta inbördeskriget i världen, den värst minerade marken, på topp tio bland världens farligaste länder, var det något mer hon borde veta?

"Du borde se Cartagena också, det är den vackraste platsen på jorden, det är paradiset, du måste uppleva lite mer av Colombia när du är här!"

Han hette Lucho Velosa. Tittade ideligen på henne i backspegeln där det hängde lite krimskrams, en helgonbild och några kedjor med dinglande kors.

Du vill inte ha honom till din fiende. Lucho Velosa är en av dem som har försvarat landet mot gerillan, han har inget till övers för vare sig dem eller den nationella armén, eller presidentens löjliga försök att förhandla fred. Han är sin egen.

Bilen svängde av från huvudstråket och husen blev mindre och fick färg, gult och blått och grönt, taken brant lutande och tegelröda, gatorna smalnade av.

"La Candelaria", sa Lucho Velosa och spanade på henne i backspegeln. "Den gamla staden. Det här är hjärtat i Bogotá, men ge dig inte ut och promenera om kvällarna."

Helene såg fler av de månghundraåriga kvarteren svepa förbi och klättra upp mot bergssidan, spår av det spanska herraväldet. Hon undrade vad mannen egentligen syftade på när han varnade henne för att gå ut, om hoten därute kunde vara värre. Lucho Velosa hade tillhört de paramilitära högerstyrkorna, ett slags privata trupper som hade utrustats av staten en gång i tiden, för att slå ner gerillan och skydda lantegendomar. De hade använt motorsågar i blodiga massakrer på civila, vilket Ramón med all tydlighet hade upplyst henne om.

Bilen svängde in vid ett ståtligt kolonialhus med hotellnamnet och fem stjärnor i guld på fasaden. Den före detta paramilitären vände sig om och log mot henne.

"Nu vill du säkert ta ett bad efter resan?"

Från fönstret i sitt rum såg Helene staden breda ut sig åt alla håll, så långt hon kunde se. Åtta miljoner människor på en högplatå i Anderna, omgivna av berg och floder. På nattduksbordet stod en telefon. Hon lade en hand på luren, men förmådde inte att lyfta den. För att säga vad? "Hej, jag tog vägen över Colombia …?"

Kunde de avlyssna hennes samtal, hade Ramóns hantlangare nere i receptionen mutat hotellportieren? Det var inte otänkbart. Hon visste inte. Kunde bara känna den där närvaron, att hon fortfarande var i Ramóns våld med en bindel för ögonen, maktlösheten som grep in i kroppen och fick viljan att upphöra.

En timme senare hade hon duschat och lyckats finna några rena plagg. I resväskan låg kläderna nedslängda, rent och smutsigt om vartannat. Hon såg ner i röran och kände inte igen sig själv.

En förvirrad tanke om att hon borde klä sig fin, men varför det?

Lucho Velosa satt i lobbyn och väntade. Det fanns säkert bakvägar. Den tanken tänkte hon inte ens till slut.

En vakt höll vänligt upp dörren och önskade dem en trevlig dag.

"Vart ska vi?" Helene hade tagit med sig både jacka och extra tröja trots att det säkert var kring tjugo grader varmt. Hon hade väntat sig att placeras i bilen igen och föras ut på den colombianska landsbygden, in bland skogar och berg och koka-odlingar, hon hade sett minerade marker framför sig och resenärer som kidnappades på ödsliga vägar, broar som sprängdes i luften.

"Nej, det är hitåt du ska", sa Lucho Velosa och började gå uppför gatan.

"Ska vi inte åka bil?"

"Det behövs ingen bil för att ta oss till hörnet av Fjärde och Sjunde gatan."

Vägen steg allt brantare upp mot bergen, över tretusen meter höga hade hon läst i guideboken som hon hade tillåtits köpa på flygplatsen kvällen innan. Helene hade memorerat kartan under natten, försökt förstå stadens struktur. Utsträckt längs bergen, med de fattigaste förorterna i söder och de rika i norr. Att tänka på kartan och förstå vart hon var på väg var det enda som för tillfället gav henne lite lugn. I Bogotá hade alla gator nummer. Siffror var något klart definierat, de hade alltid fastnat i hennes huvud.

Hotellet låg på Tionde gatan. Det var enkel matematik. Hörnet av fjärde och sjunde hade han sagt. Där skulle alltså kvinnan som kallade sig Claudia Viehhauser bo. Helene kände hur det svindlade, hon började bli yr. Tre gator därifrån alltså, och så några kvarter på andra hållet, hon tappade räkningen.

"Jag trodde att Farc-gerillan höll till i bergen och på landsbygden", sa hon.

"Ja visst, så klart", sa han, "men de gömmer sig i staden också, rekryterar i de södra förorterna."

Lucho Velosa gick före med en lite hjulande gång, hon fick anstränga sig för att höra vad han sa.

"Och sen de började tjäna stora pengarna på kokainet måste

ju någon sköta finanserna också. Köpa vapen, investera, tvätta pengar … det är svårt från en buske i Putumayo. Och *coman-dantes* tycks gilla de här gamla husen i La Candelaria, de låter en flickvän stå på kontraktet, åker in till stan, äter gott, roar sig i Zona Rosa …"

Lucho stannade till i ett gathörn. Elledningar löpte kors och tvärs över deras huvuden, Helene kunde nästan höra det spraka och sjunga om dem.

"Jag vet en del om hur de lever därute", sa han. "De gifter sig inte, finns inget kyrkligt vid fronterna, men jag har hört att de unga rekryterna ber till Che om kvällarna, käre gode Che som är i himlen …" Han skrattade och petade bort något mellan tänderna. "Kvinnorna ska stå till tjänst, de har scheman för det, ett smart arrangemang, bestämda tider för att unga *guerrilleros* ska få vad de behöver. Bra för stridsmoralen också, de råkar inte i bråk med varandra. Vill de slå sig ihop på allvar måste de ansöka om tillstånd, men jag skulle tro att *comandanten* tar den kvinna han vill ha."

Han flinade brett. Helene tittade bort och såg en skylt, de närmade sig nu.

"Så Claudia … menar du att …?"

"*Señor comandante* dog i en attack någonstans vid gränsen mot Venezuela för sju år sedan, hennes make alltså, eller vad fan de kallar sig. Ledde en av fronterna i det östra blocket."

Framför dem tvingades en åldrad kvinna i svart kliva ut bland bilarna för att kunna passera. Trottoaren var smal och Lucho Velosa var inte av sorten som flyttade på sig.

"Men som sagt, det var Claudia Viehhauser som stod på kontraktet", sa han, "där borta, vid hörnet av Sjunde gatan."

Ett vitt hus. En blåmålad dörr med järngaller framför. Fönster i mörkt trä, ett brutet tegeltak. Det gick runt i huvudet, syret räckte inte till. Staden låg på minst tvåtusen meters höjd över havet och luften var så tunn att den inte tycktes finnas. Helene måste luta sig fram för att det skulle sluta snurra i skallen. Hon skulle inte orka gå fram till det där huset, det var hon säker på, i alla fall inte idag.

Sedan kände hon en lätt stöt i ryggen och tog ett ofrivilligt steg ut i gatan. Ett bilhorn skrek till och hon hoppade undan för en skåpbil.

"Det är bra om du ser dig om när du går över gatan", sa Lucho Velosa som själv stod kvar på trottoaren.

"Ska inte du följa med?"

"Och knacka på dörren hos Farc-EP?" Lucho Velosa slängde iväg stickan han hade petat tänderna med. "Tror inte det."

Han räckte henne ett visitkort. Helene tittade på det, Luis Velosa, *Investigador privado*.

"Så du vet var du hittar mig", sa han och log så att de bruna tänderna längst in syntes, "om vi skulle råka tappa bort varandra."

Sedan var han borta.

Helene stod där, med ett visitkort i handen och en plötslig frihet framför sig. Hade han verkligen gått? För första gången sedan hon drogs in i bilen utanför hotellet i Buenos Aires var hon ensam, ingen som bevakade henne. Jag skulle kunna springa, tänkte hon.

Nej, inte springa, då gör jag slut på det lilla syre som finns, men jag kan gå, bara fortsätta att gå härifrån.

Sakta närmade hon sig huset. Hon vågade inte stanna utanför. Fönsterluckorna var stängda, det gick inte att kika in. Passerade dörren, sneglade bara. Det fanns ingen namnskylt vad hon kunde se.

Fortsatte gå, rakt över Sjunde gatan och vidare, bort därifrån.

"Stopp, stanna, hallå där!"

Ropen kom ovanifrån, visslingar. Hon såg en grupp män med bara överkroppar, byggnadsarbetare som höll på att reparera taket, ett par av dem satt i en ställning och dinglade med benen. Helt uppenbart var det henne de skrek och visslade efter. Helene utgick ifrån att de drev med henne, det var verkligen inte vad hon behövde just nu, latinska *machos*, hon fortsatte gå.

"Nej, nej, gå inte dit, *señora*! Tjuvar, *muy peligroso*, det är farligt!"

De inte bara skrek, de gjorde tecken mot hennes handväska också, och mot huvudet, knytnävar i luften som boxade. Helene insåg att de varnade henne för att fortsätta längre fram, en mängd faror väntade tydligen om hon korsade Sjätte gatan. Hon drog sig till minnes något som hade stått om stadsdelar att undvika i guideboken. Mumlade ett tack och vände om, men var inte säker på om hon verkligen var så tacksam. Nu drevs hon istället tillbaka mot det där huset, en känsla av att byggjobbarna var med i en komplott som till varje pris skulle tvinga henne dit.

Hon stannade utanför porten.

Höjde handen och sänkte den igen. Tog djupa andetag. Till slut knackade hon på. Dörren rycktes upp som om någon hade väntat, kanske hade han stått där inne och sett henne vela.

En ung kille, kunde inte vara mer än sexton, högst sjutton år, men uttrycket i hans ansikte var mycket äldre än så.

Det fanns något dött längst in i hans ögon.

"Var kommer du ifrån? Vad rör det sig om?"

"Jag söker Claudia Viehhauser", sa Helene.

Spanskan hade tagit sig in i henne den senaste veckan. Hon begrep vad han sa, hon kunde svara. Accenten var dessutom mjukare här, mycket lättare att förstå än i Argentina.

"Det finns ingen här", sa han och såg sig om, stack ut huvudet en aning och spanade nedåt, uppåt gatan, han blinkade mot ljuset. "Vad vill ni med henne, var har ni fått den här adressen ifrån?"

Helene öppnade munnen för att svara och det han sa landade i henne. Hon fann inga spanska ord, inga ord alls. Han hade svarat i presens. Claudia var inte där, men hon hade varit där, eller så var hon där och han ljög, men oavsett vilket så ledde alla alternativen fram till en och samma slutsats.

Hon levde. Det här var hennes adress.

Yrseln var tillbaka, det gungade. Helene grep tag i järngallret vid porten, lite för nära hans ansikte. Killen ryckte till.

"Backa", röt han och hans högerhand flög bakom ryggen, i ett fruset ögonblick förstod hon att det var där man gömde ett vapen, innanför linningen till ett par säckiga gröna byxor som var för stora för den där smala kroppen. Hans röst var en mans, ögonen spärrades upp.

"Gå bort från dörren. Vem är ni? Vad vill ni här?"

Helene backade två steg och snubblade till när trottoaren tog slut, den unge killen gläfste något mer, men hon förstod inte, hon var på väg åt ett annat håll, vilket som helst, bort därifrån. *Du ser väl att jag går nu, jag vill ingenting, ingenting, ingenting alls.*

Några gator norrut slank hon in på en restaurang som kändes trygg. Kanske hade hon sett namnet i guideboken, eller så var stället bekant på något annat sätt. Menyn kanske, mexikanska rätter som fick henne att tänka på fredagsmys. Där satt backpackers i vida byxor och pratade norska och engelska, benen utsträckta i soffor, iPads på borden och indianska målningar på väggarna.

Diskussioner som böljade omkring henne.

"Menar du att du inte har planerat in Medellín?" En ung kvinna, brittiska. "Men du måste bara åka dit, nattlivet i Bogotá är ingenting mot Medellín, det var helt galet."

"Det sägs att det är farligare än Bogotá." En typisk norsk språkmelodi.

"Jag vet, jag vet. En kille jag träffade där, du anar inte vad han gjorde. Kom hem en morgon helt uppe i varv: 'Gissa vad jag har

gjort? Haft sex med min langares flickvän, jag är en död man!'
Du måste dra härifrån, sa vi. Jag menar vi snackar Medellín här,
Pablo Escobars hemstad. Vad tror ni han gjorde nästa kväll?"

"Nej, vad gjorde han?"

"Han gjorde om det igen!"

Helene svalde två Panodil mot huvudvärken och stängde ute
skratten, deras loja och något skrytsamma gemenskap. Hon åt
en tallrik nachos och drack ett glas juice på mango och guayaba.
Hela tiden såg hon det där vita huset framför sig, den blåmålade
dörren. Försökte framkalla personen som fanns där bakom, eller
hade funnits, men det gick inte att få fram ett ansikte. Som att
tänka på sig själv som gammal, sextiofyra år, det var omöjligt.

Hon gick på toaletten och sköljde ansiktet med iskallt vatten.
Ingen såg henne. Det fanns inga ögonbindlar och inga vakter, hon
skulle kunna fly nu. Be restaurangen ringa efter en taxi, åka raka
vägen till flygplatsen, bort härifrån, hem till Jocke och barnen
och aldrig mer lämna dem. Och ändå. Det var inte enbart hotet
från Ramón, den där känslan av att hon aldrig skulle komma
undan, för han hittade människor var de än befann sig och om
de så hade gömt sig i trettiofem år, han skulle finna henne också.

Inte bara det.

Det var ansiktet i spegeln också, kindbenen, munnen, att det
alltid hade funnits stunder när hon tyckte att hon såg en främling.
Hjärtats slag inuti, rösten som var hennes egen. Du är så nära nu.

Därför gick hon ut till en av ryggsäcksluffarna, valde på måfå
norskan som tydligen inte hade varit i Medellín, och frågade
om hon kunde få låna hennes mobil mot en skaplig betalning.

"Jag ska bara ringa lokalt, du kan själv slå numret om du vill."

Hon räckte fram visitkortet till tjejen som viftade att det var
okej.

Lucho Velosa svarade på första signalen.

"Claudia är inte hemma", sa Helene, "så vad gör jag nu?"

Det flammade som guld när solen gick upp bakom bergen och bröt igenom luftföroreningarna över Bogotá. Helene hade vaknat medan det ännu var mörkt, hon stod i fönstret och såg ut över takplåt som glänste i morgonsolen, i mil efter mil. Någonstans där ute, tänkte hon, en enda människa gömd bland åtta miljoner, eller tio om man räknade alla de oräknade, en människa var inte en nål i en höstack här, hon var ett dammkorn.

Hon hade läst kapitlet om säkerhet noggrannare nu. Efter frukosten, med en kock som stod och komponerade omeletter och sju sorters färska fruktjuicer, bad hon receptionen ringa efter en taxi.

Den vänlige vakten i entrén tyckte att hon skulle stanna längre i Colombia så att hon också hann se Cartagena. Han lät henne inte stiga in i taxin förrän chauffören bekräftade koden hon hade fått. Det var viktigt att veta att det var rätt bil som kom, inte någon annan som skulle köra henne ut till ... oklart vad.

Lucho Velosas kontor låg tretton gator bort, där de gamla kvarteren slutade och den brutalare, gråare staden tog vid.

Helene hittade honom på andra våningen. Det förvånade henne att kontoret var så välorganiserat, med skylt på dörren, pärmar och arkivskåp. Där fanns en almanacka med Miss Colombia på väggen, en karta över landet, en helgonbild.

"Var rummet trevligt? Det sägs att de har den bästa frukosten i Bogotá."

Lucho Velosa satt tillbakalutad vid skrivbordet med en penna i handen som han körde in i handflatan, han gjorde en grimas varje gång.

"Bra att du kom till mig", sa han. "Det här är ingen stad för ensamma kvinnor, man kan lätt gå vilse och hamna i fel kvarter."

"Nej, jag vet ju knappast var jag ska leta heller."

Helene satte sig något tveksamt ner. En känsla av att han hade iakttagit henne hela tiden, visste exakt var hon hade gått.

"Ja, det är inte bara att lyfta på luren och ringa precis", sa han, "oregistrerade kontantkort, de byter telefoner ... Jag fick fram en mejladress förut, men den har upphört att existera."

Mannen vägde på stolen så att den tippade framåt, tog upp en bunt med papper ur lådan och strök ut dem med handen över bordet, ungefär som när man sprider ut en kortlek.

"Så var är hon, vår kära Claudia Viehhauser?"

Det var utskrifter från en färgskrivare. Helene böjde sig fram. Fotografier av gator och bilar och dörrar, men alltid med en gestalt i fokus. En kvinna i ljus kappa, hår som såg ut att vara grått under sjalen. Helene försökte få syn på något hon kunde känna igen, men skrivaren var inte den bästa, upplösningen dålig. På den enda bild som var tagen framifrån skymdes halva ansiktet av ett par solglasögon.

Claudia Viehhauser tycktes leva ett inrutat liv. En änkas oförargliga medelklassliv utan några större överraskningar, åtminstone inga som var synliga för den som hade ägnat veckor åt att spana utanför hennes hus och använda alla sina kontakter för att kartlägga det.

"Inte ens en älskare", muttrade Lucho Velosa och antydde något om de där unga livvakterna hon höll sig med, tanten kanske var en sådan som ... Han flinade mot Helene som såg stint ner på fotografierna.

Varje onsdag ett besök på banken. Torsdagar möte med advokaten. Varannan vecka, frisören. Matvaror behövde inte Claudia Viehhauser bekymra sig om, det sköttes av en anställd venezuelanska. Hembiträdena byttes ut med jämna intervaller och skickades tillbaka till Caracas. En av dem hade han lyckats muta, bara för att få veta att Claudia Viehhauser satt på sitt rum och läste om kvällarna, samt tyckte om att få biffen genomstekt. Hon reste aldrig bort, därför var det uppseendeväckande att hon nu tycktes ha lämnat huset över natten, om det som Helene hade fått veta stämde. Bevakningen av huset talade samma språk. Lucho Velosa skulle personligen skjuta den idioten i foten som inte hade upptäckt att Claudia Viehhauser hade lämnat basen.

Men *señora* Bergman skulle inte oroa sig.

Han hade spårat upp gerilla förr, i Colombias mest otillgängliga berg och djungler, trakter dit inte ens de USA-sponsrade besprutningsplanen nådde i sitt krig mot koka-plantagerna, han skulle nog hitta en käring i Bogotá.

"Jag har inte så mycket tid på mig", sa Helene. "Jag reser hem i morgon."

Hon såg ut genom fönstret bakom honom, skymtade bergen som reste sig likt en mur mot öster. Det sista Ramón hade sagt.

Hälsa att jag aldrig har glömt henne.

Hon undrade hur hans order lydde vid ett misslyckande, om det ens fanns en sådan faktor i hans idé. Skulle det duga att be Lucho Velosa ringa och säga att "tyvärr, hon var inte hemma"?

Helene puttade undan de översta bilderna, där fanns fler. Hon kände igen den blå dörren, såg Claudia på andra gator med skyskrapor och blanka fasader, tyckte sig urskilja en näsa som var märkvärdigt lik hennes egen, och så var det nacken …

"Det sägs att hon är född i Argentina", sa Lucho Velosa, "av en tysk släkt. Möjligen är hon också tysk medborgare. Gick in i Farc för över trettio år sedan, hon syns i alla fall till på den sjunde gerillakonferensen 1982, enligt mina kontakter som har kontakt med ganska högt uppsatta avhoppare."

Helene lät inte orden nå fram, de liksom stannade i luften

mellan dem. Trettio år. Barndomen, tonåren, vuxenlivet, allt hade funnits under den tidsrymden, nästan hela hennes liv.

"Någon måste ju veta var hon är", sa hon. "Hon verkar ju inte gömma sig precis. Du kanske kan höra med någon av dina kontakter."

Helene gjorde en gest över bilderna och råkade putta till några av dem så att de föll ner på golvet.

"Kanske, kanske inte", sa Lucho Velosa och högg med pennan i handen igen.

Helene böjde sig ner för att plocka upp pappren, slippa se de där tänderna när han visade dem. Hörde hans röst, såg hans skor med grova sulor.

"Visst finns det kontakter, men den här fronten hon hör till, det är osäkert om de ens lyder under ledningens dekret längre eller håller på att bryta sig ur. Många står och väger, ska det bli fred, ska det inte bli fred? De här grupperna har egen administration, kontroll över sina egna pengar, och det är mycket pengar, tro mig, vi pratar kokainpengar, Farc lyckades inte bygga den mäktigaste gerillaarmén i Sydamerika bara på snack om revolutionen ... Finns det någon grupp eller människa som frivilligt släpper ifrån sig sådana pengar, någonstans i världen, bara för att deras ledare säger att nu ska vi sluta handla med kokain och lämna in alla vapen och bli fredliga medborgare? Skulle inte tro det."

Helene samlade ihop de sista pappren och satte sig på stolen igen, såg Lucho Velosa titta i taket medan han pratade, nästan mer för sig själv.

"Jag litar i alla fall inte på dem. Min far dog för Colombia, han var polis, det var en gerillaattack, Farc eller ELN, jag skiter i vilket, de ska skjutas, det är enda vägen. Presidenten låter marxisterna knulla honom bakifrån."

Helene såg ner på en bild där Claudia steg in i en bil. Dörren hölls upp av en ung man i kostym.

"Vem är det där?" sa hon.

Velosa kastade en ointresserad blick på fotot.

"Det är den där advokaten, han har kontor i Zona Rosa."

Ett smackande ljud när han sög ut någonting mellan tänderna.
"Har du varit i Zona Rosa? Du borde åka dit i natt, där finns de
bästa diskoteken i Sydamerika, salsaklubbar, jazz ... vad du vill."

"Så det är ingen du har mutat?"

"Farcs advokater, nej, det är ingen jag har mutat, jag är ange-
lägen om att upprätthålla den här verksamheten, jag har barnbarn
uppe i Usaquén."

"Men om de träffas varje vecka kanske han vet något", sa
Helene. "Jag skulle kunna göra ett försök att prata med honom."

Lucho Velosa skrattade. Sedan blev han allvarlig. Samlade
ihop sina papper som låg strödda över bordet och slog ihop dem
till en prydlig bunt.

"Visst", sa han, "det är ett fritt land." Han snurrade pennan
några varv mellan fingrarna, sedan lutade han sig fram och klott-
rade ner något på en post-itlapp.

"Men nämn inte mitt namn, jag vill inte ha deras ögon på
mig."

Helene trotsade alla råd och hejdade en taxi på gatan. Alterna-
tivet hade varit att be Lucho Velosa beställa den åt henne, vilket
hon helt enkelt inte hade lust med.

Taxichauffören uppmanade henne att sätta på sig bilbältet,
trafiken i Bogotá var farlig. Hon fick lust att skratta. Det var
alltid något som var väldigt farligt, men vad skiftade hela tiden.
Smågnolande körde han norrut, kryssade fram på råa och trånga
stadsgator, ut på en genomfartsled längs bergen tills de nådde
Zona Rosa, en enklav av nattklubbar som låg staplade på var-
andra i kilometerlånga nöjeskvarter, skyskrapor som gnistrade
av solreflexer och vittnade om en snabbt växande ekonomi.

Han svängde in bakom ett köpcentrum och stannade vid en tegelbyggnad i tjugo våningar.

I receptionen satt en kvinna som kunde ha stigit ut ur kalendern på Lucho Velosas kontor, en leende miss Colombia med putande läppar och svallande hår.

"Har ni bokat tid för ett möte?"

Det krävdes några desperata lögner och en lång förklaring om att hon måste lämna Bogotá nästa dag, men till slut lyckades Helene övertala receptionisten.

En kvart senare gled hissdörrarna upp och Helene kände igen den unge mannen från fotot.

David Quintero var runt trettio, hade slips och skjorta med uppkavlade ärmar. Helene noterade ett ärr tvärs över hans hand när han hälsade.

"Och vad har den svenska regeringen för ärende i Bogotá?"

Något hade hon ju varit tvungen att dra till med för att få miss Colombia att lyfta på luren.

"Kan vi prata någon annanstans?", sa hon.

"Visst, vi kan gå upp på mitt rum."

I hissen pratade han lite om allmänna saker, som att kontoret var profilerat på människorättsmål och även tog sig an klienter utan ekonomisk ersättning, *pro bono*, det fanns en uttalad policy om det.

"Så vad är det som är så angeläget", sa han när de kom in i hans rum på nittonde våningen.

Han hade hämtat en kopp kaffe på vägen och även erbjudit henne en.

"Det här kanske låter konstigt", sa Helene, "men det gäller en av era klienter."

"Jaha." Advokaten såg lite besviken ut, hade nog väntat sig mer av en representant för den svenska regeringen. "Ni vet väl att jag inte kan prata om mina klienter?"

"Ja, nej, självklart", sa Helene, "jag har all respekt för sekreterssen, men vi sökte henne igår och hon var inte hemma. Och nu lämnar vi Bogotá redan i morgon, och vi skulle verkligen behöva prata med henne."

Det kändes riktigt bra att prata i vi-form. Förutom pondusen så fick hon en känsla av att inte vara fullt så ensam.

"Jag kan förstås inte lämna ut telefonnummer till mina klienter", sa han, "men om du säger vem det handlar om så ska jag se vad jag kan göra."

"Claudia Viehhauser", sa Helene.

Advokaten rynkade ögonbrynen, sedan skrattade han till.

"Claudia?" sa han. "Men hon är inte min klient."

Helene kände rollen som representant rinna av henne.

"Förlåt, men jag trodde ... "

David Quintero rättade till några mappar på bordet så att de låg på en rak linje från kanten.

"Claudia Viehhauser är min mamma."

Hon fick inte stirra. Sekunder, kanske var det minuter som gick då hon inte fick fram ett enda ord på något språk. Bara en mumlande, förvirrad ursäkt till slut, för att hon hade misstagit sig.

Och sedan harkla sig, samla sig.

"Jag visste inte att Claudia Viehhauser hade barn. Ni har ju inte samma efternamn."

"Nej", sa han och log svagt, ett leende som mjukade upp hans ansikte, "det här är ju Colombia."

Helene försökte andas lugnt. Var det möjligt att han inte såg något på henne?

"Hur menar du?" fick hon fram.

"Jag växte upp på barnhem. Det var där jag fick namnet Quintero, det kommer av att jag var den femte ungen som lämnades in den veckan."

De där ögonen, herregud, de melerade blågröna ögonen. De

349

var Charlies. Helene försökte titta utan att det verkade för när-
gånget. Samma hisnande djup, det där outgrundliga som kunde
få människor att drunkna och göra vad hon än bad dem om. Och
munnen … nej inte munnen, men den ljusa hyn, håret som inte
direkt var blont men åtminstone mot cendré och näsan, att hon
inte hade sett det med en gång, men varför i hela fridens namn
skulle hon ha tänkt på det vid första anblicken, att en colom-
biansk advokat hade hennes egen näsa?

"Så vad är det ni vill henne som är så angeläget?", frågade han.

Helene hostade för att få en ursäkt att vända sig bort. En bror,
tänkte hon, en halvbror. Hur förklarar jag att jag inte alls är från
regeringen? Känslan av hot kom närmare igen, hon visste inte
hur hon skulle bete sig nu. Hon kunde väl inte bara haspla ur
sig vem hon var, vad skulle det innebära? Det var för stort, för
obegripligt och säkert farligt också.

"Det … handlar om fredsprocessen", sa hon.

"Jaha?"

"Ja, vi följer den naturligtvis."

Han rynkade ögonbrynen.

"Och varför vill ni prata med Claudia om fredsprocessen?"

"Vi pratar med många. Vi skulle gärna höra mer om vad du
har att berätta också, om din egen historia."

Han rynkade ögonbrynen.

"Varför det?"

"För att … förstå hur barnen har drabbats och vilka insatser
som behövs. Om det nu blir fred."

David Quintero flyttade på en liten box med tejp och pen-
nor så att den kom att hamna mitt för skrivbordsunderlägget,
faktiskt exakt mitt för. Helene noterade först nu vilken minutiös
ordning som rådde i rummet, pärmar och böcker i jämna rader
i bokhyllan, en hisnande tanke, *vi är lika, han och jag*.

Hon tog ett djupt andetag.

"Får jag fråga varför hon lämnade bort dig?

David Quintero såg tvekande på henne.

"Frågan är fel ställd", sa han, "som om du själv hade makt över ditt öde. Vi har inte haft fred på nästan femtio år, alla familjer har drabbats, alla är indragna. Det finns fem miljoner internflyktingar i det här landet, jag vet inte vad den svenska regeringen gör för att ..."

"Självklart ger vi vårt stöd", sa Helene och anade en liten vändning i hans attityd. Han lutade sig fram, verkade mindre avvaktande. Kanske fanns där ett hopp om att tjäna något på situationen, fiska lite pengar.

"Jag brukar tänka att det är dem jag företräder", sa han ivrigt, "att varje process är ett litet steg på vägen mot ett land där barnen kan återvända hem till sina byar."

David, tänkte hon, kunde vara svenskt, spanskt, kunde vara vad som helst. Hon såg hans hand som gestikulerade när han fortsatte, såg ärret som sträckte sig tvärs över handen och hade läkt så fult.

"Jag tror inte på att hata och döma", fortsatte han, "det finns alltid hopp. Och om det är något jag kan säga med min historia så är det väl det. Jag fick en utbildning. Det var min mamma som betalade den, hon sökte upp mig många år senare. Så jag är kanske ett levande bevis på att försoning är möjlig."

"Har hon fler barn?"

"Nej."

Ett sådant kort ord, som ett piskrapp.

"Nej. Hon har bara mig."

Helene tittade ner. Betraktade hans skor i blankt skinn, kunde vara storlek 44. De såg stora ut mot de smala benen, han var ganska tunn och vek, sin mammas son? Och pappan, det måste väl vara den där *comandanten* som dog? Hon sökte inom sig efter något sätt att vända på det här, ett vettlöst mod som kunde få henne att yttra de där orden som behövdes nu. *Jo, hon har fler barn, hon hade två barn …*

"Jag kan tyvärr inte svara på var Claudia befinner sig", fortsatte han. "Vi har inte den typen av kontakt."

David råkade nudda vid sin dator så att skärmen tändes, där fanns en bild av en ung kvinna med fladdrande hår. Han har en flickvän, tänkte Helene.

"Men om Claudia inte är din klient", sa hon, "så finns det väl inget som hindrar att du ger mig hennes nummer?"

"Jag kan nog inte göra det. Jag är ledsen."

"Är det för att hon tillhör gerillan?"

Säkert var det livsfarligt att säga sådant rakt ut, men i jämförelse med annat så kändes det plötsligt som ett ganska oförargligt samtalsämne.

"Så ni känner till det?"

"Ja", sa hon och svalde, "det är därför vi vill prata med henne."

David Quintero iakttog henne, han ser igenom mig tänkte hon, men ser han inte att vi har samma näsa?

"Jag visste inte att Claudia hade kontakt med Sverige", sa han.

"Så hon har aldrig nämnt det, inte sagt någonting om Sverige …?"

Han skakade på huvudet. Helene väntade, men det fanns tydligen ingenting att tillägga där, ingenting alls som han hade hört från sin mamma om det landet.

"Du måste förstå det här kriget", sa han sakta. "Det är inte ett krig med enskilda slag, det pågår överallt, hela tiden. Du kan inte ha småbarn vid fronten, på marscher genom djungeln. När kvinnorna blir gravida utför man därför aborter, tvångsaborter, oftast utan läkare tillhands. Jag lever på grund av ett missöde, kanske för att Claudia dolde sin mage. Möjligen hjälpte det till att jag hade en far med inflytande. Han dog, en hjältedöd för ett rättvist Colombia skulle somliga säga. Eller var han en terrorist som förtjänade att dö? Jag har aldrig träffat honom, jag är ingen domare. De tog mig vid födseln, ut ur djungeln, till någon familj i en by och lämnade bort mig."

"När är du född?"

"1982."

Trettiotvå år tänkte hon, om han fyller tidigt på året.

"Hur hittade hon dig sedan?"

"Hon letade länge."

Helene kände något vridas om inuti. Så Ing-Marie hade letat efter sin son, efter honom hade hon letat.

David Quintero fortsatte, kanske trodde han nu verkligen på att hans egen historia skulle övertyga den svenska regeringen om ökat stöd till Colombias utsatta barn. Hon såg de fina musklerna spännas kring hans mun, såg kindbenen framträda tydligare, *var det inte hennes kindben?*

Fosterfamiljen hade lämnat David vidare till ett barnhem efter några år. När han var tretton hade ett stipendium dumpit ner i hans namn, knutet till en katolsk skola. Kort därefter dök en kvinna med utländskt namn upp på barnhemmet och ville träffa honom. Först hade han trott att hon kom från en väl-görenhetsorganisation. Det kryllade ju av sådana, som flög in i slummen med en hög pengar och nästa dag var borta, på väg till något trevligare ställe för att hjälpa.

"Tro mig, jag hade inte hamnat där jag är utan henne. Jag ville inte ens gå i skolan, hade aldrig ägnat en tanke åt universiteten inne i Bogotá. Där jag växte upp var framtiden ett tungt maskin-gevär som gjorde en till mäktigaste killen på gatan, i bänken bredvid kunde det sitta en söt tjej den ena dagen och nästa dag var hon död."

Helene väntade på en ingång, en paus, en möjlighet att ge sig till känna, men det uppstod ingen sådan paus. Snart, tänkte hon, snart öppnar jag munnen och säger som det är, men inuti henne var det för mycket som bråkade, ilskan mot den där inkompetente så kallade *investigador privado* som hade sett en advokat och trott att det bara var … en advokat. David Quinteros röst som rann på, artig och belevad, men under kunde hon ana en oro, eller kanske misstänksamhet. Vad skulle han tro om en syster som dök upp från ingenstans? För Ramón gjorde det väl knappast någon skillnad? Hur hon än vände och vred på allt så förvandlades varje utväg till minerad mark.

"… och de väpnade grupperna rekryterar i kåkstäderna, erbjuder pengar och ett annat liv, försök sätta ett vapen i handen på en femtonårig kille och sedan ta det ifrån honom …"

Helene log och försökte se ut som om hon noterade allt, fast hon hade tappat tråden. Det viktigaste nu var att … ja, vad var det viktigaste nu?

"… och banditgängen som har vuxit ur de paramilitära grupperna lägger fortfarande ut minor längs smuggelkorridorer och kokaplantager. Det har hänt att de gömmer dem i barnens fotbollar, kan du föreställa dig vad som händer i en sådan by när en liten kille ska springa ut och kicka …"

"Så ni umgås nu då?"

"Förlåt?"

"Jag menar, du och … Claudia Viehhauser."

"Det är ju inte som en vanlig relation …"

"Men ni har kontakt med varandra?"

"Vi träffas, ja, men det här du ber mig om kan jag inte göra."

Ljuset flödade in, det var mitt på dagen nu, mitt på ekvatorn, en obarmhärtig sol. *Inte som en vanlig relation* … Och vad är det, ville hon fråga, vad är en vanlig relation mellan mor och barn, kan någon berätta det för mig? Det sprängde i huvudet, barnen, det där ärret, allt gled ihop i samma tanke, hans ögon som också var Charlies, bror och syster, syster och bror, Ariel och Malte och den där lilla killen som sprang ut efter en fotboll, och pang!

"Har du barn själv?" Helene försökte låta svävande, men oron hördes ändå, den oresonliga rädslan som alltid omgav hennes egna barn, att de var så oskyddade, hur lätt de kunde upphöra med att andas.

David sneglade mot skärmbilden av den vackra kvinnan.

"Nej, inte än", sa han. "Det är ett stort ansvar, att skaffa barn."

"Man upphör aldrig att oroa sig för dem."

"Det förstår jag."

Andas, andas, det var bara luften som var för tunn på de här höjderna.

"Vet du när Claudia kommer tillbaka?"

"Nej."

Det var samma korta nej som förut, som inte lämnade några öppningar.

"Och du vet inte var hon är?"

"Jag visste inte ens att hon hade rest bort."

Helene drog åt sig ett tomt papper på hans skrivbord, hittade en penna i väskan. Ramón, tänkte hon, jag måste ha ett besked att sända vidare till Ramón, det är det viktigaste. Hon kände hur David iakttog hennes rörelser.

"Men om du ursäktar", sa han, "så förstår jag fortfarande inte varför den svenska regeringen är så angelägen om att träffa just henne. Finns det inte andra ni kan prata med?"

"Det är nog bäst att jag tar det med Claudia", sa Helene.

Hon skrev ner sitt namn och mobilnummer. Två efternamn: Eriksson Bergman, så att Ing-Marie skulle förstå vem det var, om hon nu mindes att hon hade haft en dotter eller två.

"Jag vore tacksam om du kunde be henne ringa."

"Jag kan inte lova något."

Helene dröjde vid dörren och tittade noga på honom en sista gång, såg honom vrida på lappen och skjuta in den under skrivbordsunderlägget.

"Jag är tacksam för allt du har berättat", sa hon. "Jag kommer absolut att ta med mig det till den svenska regeringen, för framtida relationer med Colombia."

Först när hissen snabbt sjönk mot gatuplanet, och hon fick ont i öronen av trycket, insåg hon att mobilen med det numret låg kvar i ett hus i Buenos Aires.

SOLNA
2014

Björn Fredman brukade ofta dra en historia om Prärien när de
svängde av mot den nya Arenastaden vid bangården i Hagalund.
Marken hade förr varit dumpningsplats för allt som staden ville
gömma undan, giftigt slam och tungmetaller och fan vet vad som
hade grävts ner i den jorden för att med åren rinna ut i Råstasjön
och vidare ända bort till Brunnsviken.

Det fanns historier om människor som begravts där, om liken
som reste sig ur dyngan och vandrade längs spårområdet om
nätterna och sådant var det ju alltid roligt att dra för en nybakad,
men Järvinen som han åkte med i natt var inte längre så ny. Det
hände allt oftare att han svarade: "Jo, jag har hört det."

Nu låg det hur som helst asfalt över Präriens alla hemligheter
och ovanpå reste sig Friends Arena, kontorshus och broar som
löpte kors och tvärs.

"Jag tror att de har stängt av genomfarten därborta nu", sa
Järvinen och pekade.

"Ja, men det var väl själva …" Björn Fredman gjorde en tvär
u-sväng och kom rätt ner vid bangården istället för att trassla in
sig bland byggcontainrarna.

Just där hade det legat ett gytter av verkstäder förr, små plåt-
slagerier och bortskymda skjul som trängde ihop sig i järnvägens
skugga, i evigt dunkande och gnissel från tågen som i hundra
års tid hade växlats ut från Hagalund.

Den här morgonen var det tyst när de klev ur bilen. Så tyst att han kunde höra koltrasten ljuda från en lövad liten träddunge i backen ovanför dem. Längre bort på bangårdsområdet såg han tågen stå.

De drog tigande på sig de gula varselkläderna igen. Den här nattens skift hade egentligen varit över. Det sista var några signallampor som skulle bytas vid Ulriksdal, och sedan var klockan 04.40 och det var dags att kliva av spåren för att tågen skulle kunna börja rulla.

Men icke.

De hade inte hunnit starta bilen förrän det ringde. Kortslutning i Karlberg. En grävmaskin som hade slagit i kontaktledningen. Det var arbetet med citytunneln som ställde till det igen, någon dränering skulle göras den här natten. Han mindes att det hade varit tjafs om det i fikarummet när de gick på sitt skift, grabbarna var förbannade. Det var ett jobb som skulle ta fem timmar, men de måste göra det på fyra, alltid samma visa, och sedan stod man där ute på spåret och klockan tickade och stressen gjorde att man jobbade för fort och då var det just sådant som hände, någon vinglade till med en runtomsvängare som slog i kontaktledningen och kortslöt.

Björn Fredman kände tröttheten i händerna när han låste upp grinden vid Solna ställverk. Om tjugotusen volt hade störtat åt fel håll kunde strömmen ha slagit sönder isoleringen i skarvarna, det var sådant de skulle kontrollera innan trafiken släpptes på igen.

"Man undrar vart de ska flytta skittömningen när det där är klart", sa han och nickade bort mot bangården. Lyftkranar mot skyn, ett nytt hotell som höll på att resas intill platsen där tågens latriner sögs rena.

"Tre veckor till semester då", sa Järvinen.

"Själv går jag i början av juli."

De gick bredvid varandra i varsitt spår och med blicken på

rälsen. Man anpassade sig till varandras tempo, aldrig för långt avstånd, sådant var jobbets natur. Nattarbetet störde sömnen även de dygn han var ledig, men ändå fanns det något i det som han tyckte om, det där lugnet i världen när morgonsolen blänkte i skenorna och det inte fanns något buller, bara enstaka bilar som passerade på Råsundavägen ovanför.

"När jag började gick ju pendeltågen bara en gång i halvtimmen så då kunde man sköta det mesta underhållet på dagtid. Och vad är det nu? Tio minuter emellan?"

"Mm, typ något sånt."

Björn Fredman slängde en blick bakåt fast inga tåg var att vänta, det satt i ryggmärgen. Marginalerna som krympte. En kollega hade strukit med när han ryckte ut för att knacka bort is från rälsen på stambanan häromåret. Skulle hålla utkik efter annalkande tåg medan den andre gubben jobbade, men så fick han syn på en isklump bara två meter ifrån sig. Ingen kunde i efterhand säga hur han hade tänkt, men Björn förstod. Ett hack bara, eller två, man ville ju bli av med isen. Han hann inte höra X2000 när det kom.

De var framme vid Solnatunneln. Femhundra meter rätt in i berget.

"Jag läste att killen som sjunger på Wake me up inte fick någon cred av Avicii", sa Järvinen. "Tycker jag är dålig stil med tanke på vad han har tjänat."

"Vem?"

"Avicii. Eller den svarte killen alltså, han som sjunger."

"Jaha ja."

Björn Fredman lyfte blicken från skenorna och såg den unge kollegans rygg några steg före, den lyste gul i tunnelns mynning. På senare tid hade han blivit varse att han lät som ett eko av gamla järnvägare, eller sin egen farsa för den delen, muttrade om att det var bättre förr. Han kände sig ju inte gammal, herregud ungarna bodde fortfarande hemma och själv hade han gått ner elva kilo sedan hustrun introducerade GI-käket, han tänkte jobba åtminstone tio år till. Ändå hade han börjat tycka att det faktiskt var det. Bättre förr.

"Fast det var väl inte så kostnadseffektivt på den tiden", lade han till. "Och det är ju bra med tätare trafik."

Dagsljuset nådde bara tjugo meter in i tunneln, sedan gick de in i mörkret.

Han fick upp ficklampan och såg Järvinens ljuskägla röra sig över spåret intill. Det var en särskild stämning inne i berget, en djup svalka som hade härskat sedan urminnes tider. Man gick inte och småsnackade där, det var som om berget anmodade dem att vara tysta. Ett slags respekt, inte bara för elektriciteten och tågen som kunde rusa på en bakifrån utan också för själva berget.

Den första skarven låg ett sjuttiotal meter in i tunneln. Han böjde sig ner, lyste mot plasten som satt där som isolering och såg att den hade klarat sig. Drog upp borsten ur fickan och penslade bort lite järnflagor, när han nu ändå var där. Det var sådant man inte ville skicka ut folk i Solnatunneln enkom för att göra.

Mörkret var tätare när han rätade på ryggen, det tog lite tid för ögonen att ställa om. Spänningen i signallamporna var så hårt nerskruvad att de numera räckte i tio år istället för ett, de syntes men spred inte något ljus. Det var inget som störde honom direkt, han hade trampat så många mil av räls i sina dagar att han visste var han skulle sätta fötterna.

Björn Fredman kunde inte förklara vad det var som fick honom att stanna. Kanske märkte han en skugga i mörkret framför sig, en skiftning i dess densitet, eller så sa honom tjugosju år av banarbetarerfarenhet att något var fel längs spåret. Han vinklade upp ficklampan från skenan och lyste rakt fram. Ljuskäglan fastnade en fem-sex meter längre in i tunneln. Där låg ett föremål tvärs över rälsen, något som var inåt helvete för stort.

Det såg ut som en säck eller ett bylte av något slag. Han var van vid att hitta det mesta som föll av eller kastades från tågen, jackor och väskor och nallar och skräp av alla de slag, men det här var ingenting man tappade ut genom ett tågfönster.

"Vad fan är det där?" sa Järvinen och klev över från sitt spår.

Björn Fredman gick sakta närmare. Nu kände han lukten också, urin och gammal fylla och skit.

"Det är någon som ligger där."

"Är han död?" Järvinen var strax bakom honom nu. De båda ljusstrålarna rörde sig över byltet och träffade ansiktet som låg vridet ner mot rälsen.

Björn Fredman böjde sig ner och tog stöd med ena handen mot skenan, ficklampan mot knäet så att käglan låg stilla mot mannen vars huvud nu bara var en meter bort. En äldre man, han såg risig ut, hörde nog till de törstiga. Håret hängde ner och armen låg i en märklig ställning, men kroppen såg ut att vara intakt, mannen hade inte krossats av tåget. Då skulle det sett annorlunda ut, det visste han, han hade själv varit på plats där en ung kille hade hoppat en gång och det var ungefär det värsta i det här jobbet.

"Han kan inte ha legat här så länge."

"Kan han ha tagit sig in själv?"

"Hål i stängslet kanske."

De pratade lågt, viskade nästan. Järvinen klev ur spåret och gick upp vid sidan om, lyste rakt ovanifrån på gubben. Var där en rörelse? Ett ljud fick Björn att rycka till så att han nästan tappade balansen och ljusstrålen vinglade upp i bergväggen. Ett lågt jämrande, en svag hostning. Han grep tag i skenan och såg upp på Järvinen vars ansikte lyste vitt ovanför.

"Han lever. Jag tror att gubben lever."

"Jag ringer."

Kollegan fick upp sin mobil. Björn Fredman sträckte fram

handen och lade den mot mannens hals. Något kladdigt mot fingrarna, men han brydde sig inte om det. Den skrovliga huden var sval, men inte iskall. Och där var pulsen, svaga pickanden av liv.

Han riktade ficklampan mot sin klocka på armen, noterade den exakta tiden. Kylan i berget slöt sig omkring dem.

Hur nära det hade varit.

På det här spåret växlades tågen ut från bangården för att hämta upp passagerare inne på Centralen och sedan vända norrut igen.

Gubben skulle ha körts över för trettiosju minuter sedan, om tåget mot Gävle hade lämnat Hagalund den här morgonen.

Helene kunde inte sluta krama dem. Höll dem för länge och för hårt tills hon kände att de ville trassla sig ur hennes famn. Varma kroppar, sökande ansikten, det var det här som var verkligheten. Det enda. Hon grävde in näsan och tårarna i flickans hår, drog in hennes älskade dofter, kramade sonens hand.

"Jag har längtat så fruktansvärt mycket efter er."

"Vi har längtat efter dig också", mumlade Malte.

"Ska vi öppna presenterna nu?" Ariel sprang ut i hallen och drog in resväskan, medan Malte kröp tätt intill Helene i soffan och inte riktigt tordes släppa henne igen.

"Du tänker bara på presenter", sa han.

Barnen märkte inte att de stickade koftorna var från Colombia istället för Argentina, krimskramset och fotbollsbilderna kunde ha producerats var som helst i världen. Hon hade i alla fall försäkrat sig om att Messi fanns med.

"Så hur hade du det i Buenos Aires", frågade Jocke och granskade flaskan med rödvin från Mendoza. Helene hoppades att det inte syntes på etiketten var den var köpt, i taxfreebutiken på Heathrow när hon mellanlandade. Som om det var viktigt. Eller var det? Var det inte ett bevis på att hon inte tänkte särskilt mycket på honom när hon var bortrest?

"Bra", sa hon och hade svårt att möta hans blick, rufsade lite i Maltes hår istället, trots att han avskydde när hon gjorde det. "Det var bra. Fascinerande stad, men vi kan väl ta det sedan, jag är rätt trött."

Hon hade verkligen tänkt att hon måste berätta för honom,

men inte exakt nu, inte när hon just hade kommit in genom dörren och ungarna var vakna.

Jocke gick in i köket och ställde ifrån sig vinet.

"Hör ni ungar", ropade han där inifrån, "stick och borsta tänderna nu så kommer mamma och säger god natt till er sedan."

Helene hörde det behärskade i hans röst, förnam det i hans sätt att vända sig bort ifrån henne. Det är klart att han var sur. Hon visste hur det var, man sa "visst stick iväg du, gör din grej, det är klart du ska åka", men sedan stod man där ensam med hela ansvaret för barnen och jobbet som inte fick bli lidande, och då var det en annan sak.

"Jag är ledsen för det här", sa hon, "det var ju inte meningen att jag skulle vara borta så länge."

"Du glömde säga vilket hotell du skulle bo på", sa han sakta. "När du inte svarade i mobilen så ringde jag till ditt jobb för att få ett telefonnummer, men de kände inte till någon arkitekturkonferens i Buenos Aires. De sa att du var sjuk."

Han stod där mellan rummen, med en tidning i handen. Helene öppnade munnen för att säga något, sökte någonting som var vettigt, eller sant.

"Och så ringde de från polisen", sa han.

Det gungade till i henne.

"Polisen? Varför det?"

"De utreder ett mordförsök på en man som hittades i tågtunneln vid Solna station. Det har stått i tidningen om det också."

Han slängde den emot henne så att den landade på soffbordet. Det var något slarvigt över rörelsen som var olikt honom, nästan aggressivt.

"Men varför ringer de mig?", sa hon.

"För att de vill informera dig, ställa några frågor. De har ringt från Karolinska sjukhuset också. Det är där han ligger."

Helene tog upp tidningen och for med blicken över notiserna.

Stopp i tågtrafiken, två banarbetare som fann mannen tidigt på morgonen, utsatt för grov misshandel ...

"Jag förstår ingenting. Är det någon jag känner?"

"De säger att han är din pappa."

Den tystnaden. Det hördes ingenting alls när det rasade ihop, allt som hon hade byggt upp och hållit samman, att det var så tyst. Man borde höra när det föll. Helene tog i allt vad hon kunde för att förmå sig att möta hans blick.

"Är han skadad?" sa hon lågt.

Jocke skrattade till, ett skratt som var mer som en utandning, eller en fnysning.

"Din pappa dog för över tjugo år sedan. Det är vad du alltid har sagt. Då undrar man ju hur fan han kom in i den där tågtunneln."

Helene var tvungen att resa sig, bort från hans blick. Jocke brukade aldrig svära, aldrig någonsin. En svindel som var svart för ögonen, hon måste hålla i soffryggen när hon tog sig förbi.

"Jag ... jag är ledsen, men jag lovade att läsa för Ariel."

Sune i Grekland. Hon hade en känsla av att de hade läst den förut, men om någon skulle fråga henne vad boken handlade om skulle hon inte kunna svara. Något om Grekland, och en kille som heter Sune? Ariel skrattade på flera ställen och gosade in sig under hennes arm och tjatade till sig ett kapitel till. Helene läste vidare, ett kapitel var fem minuter, sju minuter, gav henne i alla fall lite mer tid innan hon måste möta Jocke och förklara varför hon hade ljugit för honom i alla år. Hon läste tomma rader om Sune och försökte finna ögonblicket i sig själv, den där exakta stunden när hon hade bestämt sig för att radera sin far ur sitt liv. Befrielsen när det var gjort. Det hade inte alls varit svårt, så förvånande lätt att säga: mina föräldrar är båda döda.

Helene kysste flickan på pannan och drog upp täcket, klappade henne över ryggen en stund som hon tyckte så mycket om. Sedan sköt hon igen dörren.

Jocke hade somnat framför Aktuellt, men själv var hon onaturligt pigg, det var ju bara eftermiddag i Sydamerika. En hastig tanke på meddelandet som Ramón nu måste ha fått, om att Claudia skulle höra av sig. Kanske gav det henne några dagars respit.

Helene satte sig i hörnet av soffan, alldeles intill sin sovande man. Rörde vid hans hår, försiktigt som om hon inte riktigt hade tillåtelse längre. Det var fortfarande tjockt som när de först träffades, de grå håren fler än hon tidigare hade sett.

"Jocke", viskade hon.

Han ryckte till och iPaden dråsade ner på golvet.

"Jaha, oj förlåt, jag somnade visst."

"Förlåt", sa Helene.

Jocke satte sig upp och gned sig i ansiktet, lade bort glasögonen som han bara behövde när han läste.

"Förlåt för vad? För att du väckte mig eller för att du har ljugit för mig. Och för barnen. Vad skulle jag säga till dem när det ringde, oops, ni har visst en morfar?"

Helene blundade och tittade igen, såg in i väggen ovanför hans huvud. De hade valt en fondtapet med fåglar där.

"Vet du att … jag har inte ett enda barndomsminne där han är nykter. Jag minns inte en enda gång när han sa att han skulle komma och verkligen kom. Jag har torkat spyor Jocke, jag har torkat annat också, jag ville inte släpa in det hit, till dig, till oss och barnen, det måste du väl förstå?"

"Vi var ihop i tre år innan vi fick barnen."

"Och när skulle jag säga det? Första gången du bjöd ut mig på middag, över första flaskan vin, när vi hade legat med varandra första gången?"

"Du kunde ha väntat till den andra också."

"Jag tänkte på det hela tiden."

"När vi låg med varandra?"

"Nej."

Han suckade, tog tag i en kudde och drämde den i soffan.

"Och vad tänker du säga till barnen? Vi har sagt att vi inte blir arga när de har gjort något dumt, inte så länge de berättar sanningen. Bara om de ljuger ska de veta att vi blir arga."

Helene måste tänka på att andas för att kunna fortsätta. Naturligtvis hade han rätt. Han hade alltid rätt.

"Och om jag hade sagt det", sa hon. "Den första eller andra gången. Att farsan sitter på bänken i Jakan, att han är en sådan som dricker starköl till frukost, som du går omvägar runt, och så en mamma som inte ville ha mig ovanpå det, som lämnade mig och drog för gott. Hur hade du sett på mig då?"

"Det var ju dig jag tyckte om, din familj har ingenting med det att göra."

"Det där är skitsnack Jocke. Du vet inte. Du hade tyckt synd om mig, kanske hade det till och med varit lite äventyr med en trasig själ i din fina värld, och du hade känt dig lite ädel, men sedan hade det ätit sig in. Säg inte att det inte gör det, för jag vet. Jag har sett alla blickar. Jaha, är det därför flickan är ledsen? För att mamma stack? Är det därför hon tar sig ett glas för mycket, för att pappa söp, kanske har hon det i blodet?"

"Har du verkligen så låga tankar om mig?"

"Nej", sa hon. "Jag har så höga tankar om dig. Jag platsade inte i din värld."

"Helene …"

Han sträckte ut en hand. Hon drog sig undan.

"Du har inte sagt hur han mår", sa hon.

"Han överlever", sa Jocke. "Och det är ju hyfsade odds för någon som nyss var död."

Han försökte sig på ett skratt. Helene kunde inte besvara det, men för en sekund fanns det något i luften som hon inte hade känt på evigheter, en laddning, en stöt.

"Jag behöver nog ett glas vin", sa han.

"Jag vill inte ha."

Han gick till köket och hämtade den där flaskan från Mendoza och ett glas till sig själv.

"Han dog", sa Helene, "han dog för mig när jag lämnade Jakobsberg. Jag tyckte inte jag var skyldig honom något."

"Jag förstår bara inte", sa Jocke och skruvade av korken, hon hade inte märkt att hon hade köpt ett vin med skruvkork, "jag begriper inte hur det är möjligt att ljuga om vem man är i fjorton års tid."

"Femton", sa Helene, "det är femton år sedan vi träffades."

"Och din fostermamma då, Barbro, gick hon bara med på dina lögner?"

"Hon var så illa tvungen. Jag sa att jag inte skulle ta med barnen dit om hon inte lovade att aldrig någonsin prata om honom."

Jocke smakade på vinet, men kommenterade det inte. Mitt i allt kände Helene ett sting över det, att hon hade misslyckats med att välja vin.

"Så då är det därför du aldrig har bjudit hem din syster heller?"

"Nej", sa hon, "det var för att jag visste att Charlie skulle försöka få omkull dig."

Jocke log faktiskt lite åt det, men leendet dog lika fort.

"Den andra gången vi låg med varandra", fortsatte Helene, "då var det redan för sent. Då hade jag redan blivit rädd."

"För vad?"

"För att du inte skulle vilja ha mig."

Han snurrade vinglaset i den andra handen, det växlade färg i det djupröda när bilderna skiftade i tv:n som fortfarande stod på.

"Och vad gjorde du i Argentina? Var du överhuvudtaget där?"

Helene öppnade munnen, men visste inte var hon skulle

början. Vad hon hade ljugit om och vad han visste, allt var en enda röra nu. Vita lögner, grå lögner, sanningar med modifikation, hon kunde inte identifiera dem längre. Det var det farliga, när man glömde vad som var lögn och vad som var sant, som grynnor och skär när de seglade den första sommaren och han skulle ha henne att läsa sjökortet och pratade förälskat om det skimrande havet och vinden i hennes hår, men allt hon tänkte på var det hotfulla under ytan som skulle slå sönder skrovet när som helst, för hon klarade inte av att tyda tecknen.

Hon visste inte ens vad som var en grynna och vad som var ett skär.

"Min syster är död", sa hon till slut.

Jocke blundade.

"Vänta nu, vem är död och vem lever, jag trodde det var din mamma som dog i Argentina, är det inte vad du alltid har sagt?"

"Tyst, snälla, säg ingenting, låt mig bara försöka …"

"Visst."

"Det var på Valborg. Polisen ringde och sa att Charlie var död, jag fick telefon när vi höll på att samla ris till brasan."

"Som jag minns det så gick vi hem till stugan och grillade och allt var som vanligt."

"Jag ville inte förstöra kvällen."

Han såg på henne, skakade på huvudet.

"Du är inte klok."

"Alla sa att hon hade tagit livet av sig", fortsatte Helene, "men hon visste saker om vår mamma, om vad som hade hänt i Argentina."

Hon såg en skiftning i Jockes hållning nu, något av det spända och avvisande sjönk ner i hans axlar. Han lutade sig lite bakåt, drack mer vin, han lyssnade i alla fall på henne nu. Och när hon berättade om fängelselägret i Buenos Aires, så tog han hennes hand en stund.

Långt senare den kvällen, när de hade lagt sig och Jocke änt-
ligen hade somnat småfull, han hade dragit i sig hela flaskan,
smög Helene upp ur sängen igen. Hon kunde ändå inte sova.

Kröp ner hos Ariel istället och andades mot hennes rygg. Det
var lättare att ligga vaken där och sortera tankarna. Allt hon hade
sagt, och allt hon hade utelämnat.

Nu visste Jocke det mesta om Charlies död, och resan till
Argentina, och han hade hållit om henne till slut, strukit henne
över håret. Låtit henne gråta och sagt sådant som: "Jag finns här,
men det går ju inte om du inte släpper in mig", och "man är den
man är, det måste man ju lära sig att acceptera".

Och hon hade tigit med sådant hon tänkte, som att det är lätt
för dig att säga, som inte skäms för vem du är.

Det blev natt, den ljusa juninatten som inte verkade dölja
någonting.

Det kändes bättre, tyckte Jocke, när hon hade berättat allt.
Men han behövde tänka nu och få lite andrum, och därför hade
han dragit sig ut på sin kant när de till slut skulle sova.

Det var ju arbetsdag i morgon.

Och hon låg på andra sidan om hans andrum och teg med
den sista sanningen, att detta var långt ifrån allt.

Tankarna blev renare när hon bytte säng. Det var självklart
att sanningen måste ha sina gränser.

Det fanns sådant han aldrig skulle förlåta.

Till exempel visste han nu att Helene hade hittat sin mammas
älskare i Buenos Aires, men ingenting om att bli indragen i en bil
och få ögonen förbundna. Det verkade så oansvarigt, att försätta
sig i en sådan situation, hon som hade barn. Mötet med Ramón
hade hon förvandlat till ett stilla samtal med en gammal man.
Om Colombia sa hon heller ingenting, vilket innebar att be-
rättelsen slutade med att Ing-Marie försvann i februari 1978. Till
det osagda hörde givetvis också korrespondensen på Karleksliv.se

och möten med anonyma män på olika krogar. Han skulle aldrig acceptera det. Det minsta han skulle kräva var att hon raderade profilen och aldrig mer loggade in.

Det värkte i muskler och leder efter dygnet på olika flygplan, men ännu mer av anspänningen i att balansera mellan det osagda och sanningen.

Försiktigt lade hon sin arm om Ariels rygg, drog täcket över dem båda. Värmen därinne, det sköra livet.

"Ingen ska få göra er illa", viskade hon mot flickans nacke, "ingen, aldrig någonsin."

Riddarn såg så underligt lätt ut där han låg mellan vita lakan och stålrör. Som om han svävade i sängen, som damm, lika ljust grå och nästan genomskinlig.

Helene gick försiktigt fram och hoppades att han inte skulle vakna. Det verkade så fridfullt när han sov, även om ansiktet var ett slagfält. Ett blåmärke sträckte sig över ena ögat och långt ner på kinden, en stor kompress fasttejpad på hjässan, en del av håret hade de rakat bort. Filten hade glidit av så att hon såg den vita sjukhusskjortan, en smal arm som stack fram, nästan blålila, en droppnål i armvecket.

Hon hade köpt med sig frukt och lite godis, han hade alltid älskat Fazers lakrits, och båda kvällstidningarna som hon lade ifrån sig på bordet.

Sjönk ner i besöksstolen och blundade, föll in i tröttheten efter en natt när hon hade flugit fritt mellan kontinenterna, varit tillbaka i Colombia och vaknat svettig mot Ariels rygg, hållit om henne och viskat samma sak igen.

”Det var inga dåliga grejer”, sa Riddarn.

Helene slog upp ögonen.

”Förlåt, jag somnade nästan.” Hon var förvirrad av tids-omställningen, visste för en stund inte om det var morgon eller eftermiddag.

”Tänk att du tittar in och hälsar på”, sa han. ”Det var det värsta.”

Riddarn hade fått tag i Aftonbladet och försökte bläddra med en hand, den andra var lindad i bandage.

”Båda kvällsisarna, minsann. Det var inte illa.”

Helene rätade på sig i stolen, hade sovit halvt dubbelvikt och fått ena armen i kläm, den hade domnat.

"Hur är det med dig?" sa hon.

"Det är väl jämna plågor. En säng har man ju fått."

Helene räckte honom godispåsen.

"Jag köpte med mig lite …"

"Man tackar."

Sedan tittade hon ut genom fönstret och masserade sin arm. Det stockade sig i halsen. Hon förändrades i hans närhet. Blev fåordig för hon hade inget att säga, försiktig så det inte skulle märkas att hon fanns.

"Nej, men nu får de väl ge sig där i Ukraina."

Han prasslade med påsen och bläddrade i tidningen och harklade sig emellanåt.

"Och minsta småglin har visst mobiltelefon i fickan. Kolla här, de hittade två smågrabbar som gick vilse i skogen för att de kunde spåra dem med något som finns inuti telefonen. Bara sex år gamla, det hade kunnat sluta illa."

Han höll fram tidningen så att Helene skulle kunna läsa. Polisen hade försökt få pojkarna att beskriva var de befann sig, vad de såg. "Träd", hade de svarat, "och varandra". Till slut hade de lyckats instruera pojkarna hur de skulle slå på gps:n.

Något vitt fladdrade förbi, en undersköterska som frågade om de ville ha kaffe och sa att det fanns att hämta i korridoren. Hon klappade Riddarn på foten och sa något om att det var väl trevligt att få besök.

"Jo, det är minsann dottern som kommer och hälsar på", sa han.

Helene lyfte sin hand ur knäet när sköterskan hade gått vidare. Det var en ingivelse, inte något hon tänkte ut, det bara hände att hon lade den på hans hand och sedan satt de tysta så en liten stund, tills han harklade sig igen.

"Ja, man undrar ju hur det ska gå med Ukraina."

"Vad var det egentligen som hände?" sa hon.

"Äh, det var väl ingenting." Riddarn drog åt sig handen och skulle väl klia sig i huvudet eller något. "Aj som satan." Ansiktet vreds ihop och armen föll mot lakanet igen.

"Jag har pratat med Solnapolisen", sa Helene. "De säger att dina ben var hopsurrade med tejp, någon försökte ha ihjäl dig, men du säger inte vem det var. Det förstår du väl, att de måste gripa dem som gjorde det här."

"Äh, du ska inte snacka med polisen."

"Det är de som snackar med mig."

Helene reste sig ur stolen. Det spelade ingen roll om det gick tjugo eller trettio år, hon blev galen på honom så fort de måste prata mer än två meningar med varandra, det fanns en anledning till att hon hade flytt.

"Varför kom du inte på begravningen?" sa hon.

"Aj då ... missade jag det?" Riddarn såg lite från den ena sidan till den andra. "Det var väl något möte den dagen tror jag ... med socialsekreteraren. Just det ja. Man får inte banga de där mötena."

Helene drog för draperiet lite till, så att det dolde hela sängplatsen. I salen låg tre patienter till, hon kunde se deras skor under draperierna.

"Sch, de kan ha folk som lyssnar", viskade Riddarn. Han vinkade åt henne att komma närmare.

"Det finns ingen här", sa Helene.

Han pekade upprepade gånger mot draperiet. Skorna därunder.

"Jag menar att det inte finns några sådana människor här", sa hon, "som lyssnar eller överhuvudtaget är intresserade av vem du är."

Riddarn hasade sig upp i halvt sittande.

"Jag skulle bara snacka med dem lite", viskade han, "jag skulle bara säga åt honom att så gör man inte med min Charlie."

"Vad pratar du om?" Helene satte sig ytterst på sängkanten. "Menar du dem som slog ner dig?"

Riddarn nickade och av grimasen förstod hon att även det gjorde ont. Han lyckades få upp handen och högg tag i henne, den var så mager och så blå.

"Jag har namnet på honom och hela konkarongen, men säg det inte till snuten."

"Det är klart vi måste säga det till polisen, det handlar ju om mordförsök."

Riddarn skakade på huvudet och försökte dra henne närmare intill sig. Hennes kropp spjärnade emot. Han väste några namn i hennes öra.

"Jag hade bilden på honom också, men den tog de. Jag vet inte om man kan få tag i den nu."

"Vad då för bild?"

"Kokainfamiljen", sa han.

"Vad menar du?"

Sakta började det gå upp för henne att han pratade i cirklar, och att de cirklarna gick tillbaka till Charlies död. Den natten, när hon hade vinglat ut från Riddar Jakob. Att det fanns ett slags logik i det här. Små stycken av förvirrad information som hon kunde foga samman till en bild av vad Riddarn hade gjort i Solna, och varför.

"Men om snuten får veta det så kommer de efter dig också, lillskruttan, då tar de dig också." Han höll fortfarande i hennes handled, kramade den hårt.

"Det är inget dille", sa han, "tro inte det."

Och hon såg något stadigt i hans blick som hon knappt kunde minnas. Någon gång, för mycket länge sedan kanske hon hade sett honom så nykter som han var just nu.

Helene frös, fast hon hade kofta.

Kokain, tänkte hon, kan det vara en slump, kan det finnas något som binder det här samman, är det möjligt att saker och ting hänger ihop?

"Exakt vad stod det i den där artikeln du pratar om?"

"Exakt och exakt ... så noga kan man ju inte minnas ..."

Helene lösgjorde hans fingrar från sin handled.

"Jag hämtar lite kaffe."

Hon slog in adressen i bilens gps: Fabriksvägen, Solna, och såg kartan framträda. Adressen låg löjligt nära Karolinska sjukhuset där hon befann sig, en bit ner längs vägen bara, förbi Norra begravningsplatsen.

Hon korsade Aftonstjärnans väg som ledde in bland gravarna, och sedan skulle hon ta nästa till höger. Det var ett sådant där område man nästan hade glömt att de fanns. Några gulputsade gamla byggnader som såg K-märkta ut samsades med kontorshus i tegel och plåtklädda längor, hon passerade till och med en ödetomt där nakna stenväggar reste sig som vore det efter kriget. Svängde in på Fabriksvägen. Nummer sjutton hade han sagt, eller om det var elva, eller om han kanske inte hade numret. Han hade skrivit alltihopa på en lapp, men den var ju bortblåst med vinden. Företaget hette i alla fall något med Security, och något annat på S. Helene körde sakta för att hinna uppfatta alla skyltar, reservdelar till motorcyklar, kreditbolag, ett säkerhetsföretag som började på E, en restaurang som erbjöd lunch för under femtiolappen, en däckfirma, hemservice, flyttfirma och sedan såg hon inte mer för det stod en rad med lastbilar i vägen.

Fabriksvägen tog slut. Framför henne låg ett ödeland av järnvägsspår och skräpig jord. Hon tog fram sin jobbtelefon och googlade på Security Solna Hagalund. Fick upp sju olika företag som hette något med säkerhet, bara i det här området. Två av dem hade adress Fabriksvägen, och Swede Security låg på nummer sju. I början av gatan alltså, en av längorna som var skymda av lastbilarna. Företaget hade ingen hemsida.

Hon steg ur bilen och såg ut över raderna av parallella spår som löpte in i tunnlarna i berget lite längre bort. Det var alltså där de hade hittat honom. Hon ville inte riktigt föreställa sig mörkret därinne, eller tyngden av ett tåg. Noterade att staketet var lågt och att en grind hängde på sniskan, där stod rader med containrar, vägstolpar som hade böjts och aldrig rätats upp igen.

Det slog henne att hon hade sett planer för den här marken. När tunnelbanan snart skulle dras till den nya Hagastaden som växte upp kring Karolinska för att binda samman Solna med Stockholms innerstad, ett gigantiskt projekt där hennes kontor var med och konkurrerade, så skulle det även byggas en spökstation under Hagalunds industriområde, just där hon stod.

Tanken var att någon gång i framtiden, om tjugo eller trettio år, när man beslutade sig för att bygga bostäder på den här marken, skulle stationen kunna öppnas.

Hennes portfölj låg i bilen. Det var en dum idé, det var hon väl medveten om, men inte tillräckligt dum för att låta bli. Portföljen hade fått följa med i en tanke om att åka förbi kontoret och säga att hon kände sig friskare nu. I den hade hon ritningarna från Beckombergaprojektet och lite annat. Hon tog med sig den, låste bilen och promenerade sakta tillbaka längs Fabriksvägen.

Nummer sju var en länga i gul plåt med neddragna persienner, hon såg skylten Swede Security, klisterlappar på fönstren om att det var larmat. Kastade bara en blick in på gården när hon gick förbi och stannade vid nästa fastighet.

På en lastkaj satt några unga killar i overaller och drack kaffe. "Letar du efter något?" sa en av dem.

Helene kände hur hennes klädsel stack ut i deras ögon, den snäva mörkblå kjolen som hon av någon anledning hade valt på morgonen.

"Jag är bara ute och tittar", sa hon.

"Här finns inte så mycket att se."

"För att skapa en bild över området, inför en eventuell projektering."

"Vad då, ska de bygga här?"

"Det har vi inte fått veta något om." En av männen, den äldste av dem som kanske var i hennes egen ålder, gled ner från kajen. "Är du från kommun, eller?"

"Nej, nej, jag är arkitekt." Helene fumlade med mappen hon hade tagit upp och sträckte fram handen, det verkade som det mest naturliga att göra. "Helene Bergman, vi har uppdrag att göra en förstudie bara." Hon pekade på mappen med arkitektkontorets logga, en stiliserad silhuett av Stockholms kyrktorn.

"Och vad jobbar ni med?" sa hon.

"Flyttfirma." Han pekade på skylten som sträckte sig över halva fasaden.

"Och de andra företagen häromkring?" Helene pekade mot kontorslängan som var klädd i gul plåt.

"Säkerhet", sa en av killarna.

"Jaha, lås och sådant eller …?"

"Vet inte, jag tror de har dörrvakter också, ser ut så på en del av dem som kommer hit. Du kan ju snacka med dem själv."

Han pekade mot det gula huset och Helene vände sig om just när dörren öppnades och en man i jeans och kavaj kom ut. Hon blev varse att de alla tittade på honom. Mannen märkte det uppenbarligen också för han var på väg åt hennes håll.

"Det är som sagt bara en förstudie", sa Helene, "jag ska gå vidare."

Hon siktade på en lucka mellan två lastbilar för att ta sig över på andra sidan vägen, men mannen i kavajen var redan där.

Lugn, tänkte Helene, jag är bara ute och går, de vet inte vem jag är.

"Ville du oss någonting?" sa han.

"Nej, nej … jag är ute och tittar bara."

"Och du är …?."

Hon viftade lite med mappen.

"Förstudie", sa hon.

"Vad är det nu för skit? Är det Friends Arena som ska ta över här också?"

Han tog tag i mappen. Helene såg en överdrivet stor klocka på hans arm. Hon höll mappen hårt, tänkte inte släppa den ifrån sig, tänkte inte låta honom se att där inte fanns något som handlade om Hagalund.

"Nej, nej det finns inga planer än", sa hon och fortsatte gå. "Vi är som sagt bara ute och tittar."

Hon vände sig inte om förrän hon satt i bilen och backade runt, såg mannen stå nedanför lastkajen och prata med flyttgubbarna. Hon körde snabbt en annan väg därifrån.

Vid kanten av Aftonstjärnans väg, med utsikt över ett oändligt antal gravstenar och kors, stannade hon bilen för att andas, men också för att googla. Händerna skakade och bokstäverna blev fel, men det var i alla fall skaplig mottagning bland de dödas viloplatser. Om företaget fanns, så fanns kanske också den där artikeln. Kokainfamiljen. När hon väl hade fått ordet rätt hittade hon den i Aftonbladets arkiv på mindre än en minut.

Kusinen, hade han sagt, bilden av kusinen. Där var den, blev allt skarpare i mobilen. En liten lättnad, det var i alla fall inte den mannen hon just hade mött.

Helene lutade sig bakåt och blundade. Något av vad Riddarn hade sagt stämde, åtminstone så fanns det sådant som inte var helt uppåt väggarna. Det fanns kanske vindlingar i hans förvirrade hjärna som i någon mån fungerade, det fanns en adress, ett företag, en artikel i Aftonbladet. Och mer?

Hon såg på klockan. Den var bara halv ett.

Det här var dagen när hon borde höra av sig till kontoret och säga att hon mådde mycket bättre nu.

Det var dagen när hon borde handla hem fina råvaror och laga en riktigt god middag till Jocke, så att han skulle förstå att de ändå var lyckliga.

Men först och främst var det dagen när hon skulle bjuda Terese Wallner på lunch.

"Det är han. Det är helt klart snubben hon gick hem med."

"Är du säker? Du sa förut att du knappt mindes hur han såg ut."

"Det är ju en annan sak när man ser en bild så här."

Helene hade köpt med sig hämtmat från en thai-kiosk och sedan kört ut till familjen Wallners villa i Viksjö. Monkan och hennes man jobbade, men Terese var tydligen fortfarande arbetslös. I alla fall var hon hemma mitt på dagen och låg och tittade på Youtube när Helene ringde på, öppnade i mjukisdress och ett klipp ännu rullande i mobilen.

"Vänta jag ska bara se klart det här."

Helene tog sig friheten att öppna köksskåpen och duka fram under tiden. När de hade satt sig var Terese äntligen klar med sin egen mobil och kunde titta på Helenes istället, bilden från kokainrättegångarna.

"Fast han är inte så lik Sean Penn på den här bilden."

"Minns du något mer av honom, om de verkade känna varandra ...?"

"Nej ... men jag tror inte det. Hon var ju där med en annan." Terese gnagde på ett kycklingspett. "Vem är han då?"

Helene sköt undan sin tallrik. Hon hade ingen matlust.

"Han jobbar för något säkerhetsföretag", sa hon. "Det verkar som att han är våldsam, han har gett sig på en annan person."

"Var det han som hade ihjäl henne?"

"Jag vet inte", sa Helene, "men det är möjligt."

Terese såg ut genom fönstret, det grönskade våldsamt därute nu, blommade och prunkade i krukor och rabatter.

"Jag har inga syskon", sa hon, "det måste vara skönt att ha någon."

"Jo, jag antar det."

"Det är inte förrän man ser döden som man förstår att man själv ska dö. Innan visste jag förstås att den fanns, men jag förstod den inte, jag tänkte inte på döden, mer på att det skulle vara skönt att slippa ifrån livet, men inte på hur kallt och tomt det är sedan."

"Skulle du kunna berätta det här för polisen om det behövs?"

"Ja visst. Det är klart. Jag var ju där, på samma ställe, det hade kunnat vara jag." Terese spärrade upp ögonen och drog med fingrarna längs handleden. "Det är andra gången det händer mig, att jag är så där nära döden. Det måste vara en mening med det, att jag ska överleva, eller vad tror du?"

Helene såg på henne, den unga tjejen som verkade ha fastnat där hemma i sin mjukisdress. Hon mindes Monkans ord om att ta det försiktigt, att inte snacka för mycket om döden med henne.

"Jag tror inte det", sa hon. "Att det hade kunnat vara du, alltså. Jag tror att det var henne han var ute efter."

Hon sa det mest för att lugna Terese, men insåg att det låg något i det. Det verkade ologiskt att en säkerhetsman från Solna skulle dyka upp på Riddar Jakob av en slump, vad hon hade förstått så var han inte målgruppen för den nattklubben precis. Hon hade försökt erinra sig alla trådar och skapa ett mönster av dem. Det Uffe Rainer hade sagt om att någon hade följt efter Charlie dagarna innan, bevakat henne, hon måste visa den här bilden för honom också. Det sjöng till i henne vid tanken. Att han dök upp i hennes fantasier hade hon inte heller berättat för Jocke.

"Det är en annan sak jag vill att du ska titta på."

Helene gick in på Karleksliv.se och skrev in lösenordet. Det var länge sedan hon hade varit där, såg i fetstil att Billie Jean hade tjugoåtta nya meddelanden. Klickade in sig in i raden av hennes kontakter och gav mobilen till Terese igen.

"Kan du se om du känner igen någon av de här männen?"

Terese scrollade i listan.

"Var det inte den här du mejlade och bad mig titta på förut?"

Hon höll upp fotot av mannen som kallade sig Kerouac. Helene hade skickat bilden till Terese innan hon skulle träffa honom, mindes att tjejen inte hade haft en aning då, knappt hade orkat svara.

"Förlåt om jag inte kollade så noga", sa hon, "jag visste inte att det var viktigt."

"Det är viktigt", sa Helene.

"Jag fattar det nu."

Terese klickade sig hit och dit i listan och tycktes ha glömt maten som sakta kallnade i folieformarna.

"Shit pommes frites", sa hon och skrattade högt, "kolla här!" Hon höll upp en bild av någon Helene inte hade lagt märke till förut. "Det är morsans jobbarkompis."

"Har han skrivit till Charlie?"

"Nej, nej, jag fick bara syn på honom, han är visst inloggad nu, ska jag skriva något?"

"Nej, det ska du inte."

"Okej, okej." Terese scrollade vidare men leendet ville inte riktigt ge sig i hennes ansikte, hon lutade sig djupt över mobilen så att håret hängde över.

"Vilka typer, va, 'är du slank eller kurvig', vad är det för fråga?"

"Det är inte meningen att du ska läsa", sa Helene, "titta på bilderna bara."

"Tjugosju år, är inte han lite väl ung för henne? Vilket peddo hon var, din syrra."

Helene ryckte åt sig telefonen.

"Ja, ja", sa Terese, "jag ska."

Hon fortsatte granska bilderna på Charlies beundrare, blev allvarligare nu. En skiftning i ansiktet, skärpa i blicken, som om hon hade vaknat till.

"Shit." Terese drog med fingrarna över displayen, förstorade och förminskade igen. "Shit, det här är ju han."

"Vem?"

"Den andre snubben, den som hon var där med. Kolla."

Hon höll fram displayen och Helene såg rakt in i ögonen på en man hon kände igen, hon hade sett den profilen många gånger, hade skrivit brev till honom som hon skämdes för nu. Det var han som kallade sig för Hela Härligheten.

"Är du säker?"

"Absolut."

En ikon i hörnet betydde att Billie Jean hade olästa brev från mannen. Helene gick in på sidan med meddelanden, tre nya från Hela Härligheten, hon skulle läsa dem sedan när inte Terese satt där och försökte tjuvtitta. Hon hejdade sig vid ett annat brev, 27-åringen hade också hört av sig.

"Det här är lite läskigt", sa hon och ångrade sig genast. De skulle ju inte prata om sådant.

"Vad då?"

Helene höll upp sidan med 27-åringen, som ju saknade foto.

"Den här killen", sa hon, "han visste att Charlie var död."

"Vem är han?"

"Ingen aning."

"Han kanske har läst om det på nätet."

Helene tog fram det senaste brevet från honom: "Hej Billie Jean, jag har aldrig skrivit till någon som är död förut. Hur är det där?"

"Sjukt", sa Terese.

"Ja", sa Helene, "det är faktiskt riktigt sjukt."

Jocke hade messat att han skulle jobba över, "jag har ju en del att ta igen", så hon slapp i alla fall fler uppgörelser för stunden. Rullade köttbullar, stampade potatismos, blandade ättika till pressgurkan och tänkte att hon överdrev.

Ingen kunde komma åt henne här.

Det skulle lösa sig.

Hon skulle lämna de nya uppgifterna om Charlies död till polisen, och sedan dra ett streck. Hon hade gjort vad hon hade kunnat. Det var dags att gå vidare. Om Claudia återuppstod och verkligen ringde skulle hon möjligen hamna direkt hos Ramón. De kunde reda ut sina mellanhavanden själva. Han hade skrämt henne när hon satt med förbundna ögon, men det här var Sverige, det var Vasastan, det var ett stenhus med portkod och sjutillhållarlås.

Helene dukade med servetter och ljus och utlovade glass till efterrätt för att fira att hon var hemma igen.

Hon hade klarat sig utan en biologisk mamma hittills. Klarat sig riktigt bra.

Mitt i maten ringde telefonen.

"Låt det ringa", sa hon, "de hör av sig igen om det är viktigt." Hon försökte verkligen hålla på regeln om att inte svara på samtal och sms när de åt. Det var dessutom bara telefonförsäljare som ringde vid den här tiden, men Ariel hoppades förstås på kompisar och hade redan skuttat iväg till köket.

Malte lassade upp en tredje omgång köttbullar. Han tog lite grönsaker också, i alla fall gurka. En sådan enkel sak fyllde henne för en stund med en ren och komplett lycka. De var friska, de hade det bra.

"Det är till dig, mamma!"

"Säg att vi äter."

"Jag sa det, men han lyssnar inte."

Helene suckade och reste sig.

"Jag tar ut glassen så den hinner tina lite", sa hon och tog luren med den vanliga harangen beredd om att hon aldrig köpte något på telefon och hade anmält sig till Nix-registret som skulle sortera bort alla sådana här samtal, och bla, bla, bla. Hon måste ibland påminna sig om att det var någons dotter som ringde, en ungdom som just hade fått sitt första jobb.

"*So have you heard from your mother yet?*"

Hon kunde inte säga att hon frös till is. Det var kallare än så, en kyla som gjorde ont, som började långt inne och spred sig genom kroppen tills den omfattade även luren hon höll i handen, köket där hon stod.

"Nej", sa hon, "nej, jag har inte hört ifrån henne."

Hennes hemtelefon. Han ringde hem till henne, pratade med hennes barn. Han kunde lika gärna ha klivit in i rummet.

"Jag vill bara försäkra mig om att vår överenskommelse gäller", sa Ramón.

Helene tittade bort mot matbordet. Maltes nacke, Ariel som hade satt sig igen. Hon måste prata tyst så att de ingenting hörde, Malte kunde alldeles för mycket engelska nu, hon måste avsluta det här abonnemanget, skaffa dolt nummer …

"Fick du inte mitt meddelande?" sa hon lågt. "Claudia var inte hemma, hon hade rest bort."

"Jag fick ditt meddelande."

Om det åtminstone hade sprakat i telefonledningar fortfarande, så att det inte lät som att han befann sig i huset bredvid. Hon visste att det inte var så, han skulle ju aldrig lämna Buenos Aires. Ändå drog hon sig närmare balkongdörren och tog ett steg ut, sladden räckte dit, såg ner på gården där en grannfamilj hade valt att grilla ute när junikvällen var så skön.

"Jag kunde inte göra mer", sa hon lågt, "jag kunde inte sitta i Bogotá och vänta, jag sa det till hennes advokat. Han lovade att han skulle be henne …"

"Advokater", sa Ramón, "jag litar inte för ett ögonblick på advokater."

Helene höll sig i balkongräcket, försökte se David Quintero framför sig och bli klar över om han alls hade brytt sig om att lämna hennes meddelande. Hur Claudia i så fall hade reagerat, varför skulle hon bry sig? Än hade hon tydligen inte ringt. Helene hade lämnat sitt andra mobilnummer också, till skönheten i advokatkontorets reception, när hon upptäckte sitt misstag.

Och i den stunden slog det henne. Möjligheten.

Advokaten som var någon annan. En son, varför skulle inte en son duga lika bra som en dotter, bättre, han skulle kunna övertala Claudia att göra vad som helst. Deras mamma hade brytt sig om honom, letat efter honom, betalat hans utbildning, det var honom hon träffade varje torsdag, inte Helene. Helene hade hon aldrig brytt sig om, och inte hennes barn heller, de två som satt där inne vid matbordet och hade inlett något bråk nu, hon kunde höra deras röster, ettriga och kivande genom hinnan av overklighet.

Handväskan stod på pallen i köket, hon gick in och rotade fram plånboken medan hon hörde Ramón gå på i andra änden om att de där juristerna skulle få svälja sin egen medicin.

Plånboken, visitkorten.

Hon skulle inte gå omvägen om hans paramilitära vän i Bogotá den här gången, klåparen som inte ens hade begripit vem David Quintero var, hon skulle ge Ramón numret direkt.

Helene fumlade med en hand och visitkorten hon hade samlat på sig trillade ur facket, plånboken var sprängfylld med kvitton, tänk att det hade funnits en stund i början av den där resan när hon faktiskt hade sparat kvitton till deklarationen. Helene dök ner på golvet och trevade under köksbänken efter det som hade ramlat ur.

"Jag har ätit färdigt", skrek Malte. "Får vi glass nu?"

"Vänta lite", ropade Helene, och fick tag i korten, hon satt på golvet med ryggen mot ett skåp och luren fastklämd med axeln, letade efter det hon hade fått av David Quintero, men de klistrade ihop sig.

"Den där advokaten som mannen i Bogotá nämnde", sa hon, "jag har hans nummer här någonstans …"

Och hon fortsatte bläddra men fick det inte ur sig, de där avgörande orden: Han är inte hennes advokat, han är hennes son. Hon såg ur sitt grodperspektiv hur Ariel reste sig i andra änden av det genomgående rummet och smackade till Malte med näven, och Malte som grep tag i hennes hand och flickans ansikte som förvreds, och hon hörde illtjutet och såg ner på visitkortet i sin hand. En tanke, en röst, en kvinna som hade suttit på en bänk i Lezama-parken. *Det finns inga hjältar eller gudar på en sådan plats.* Alla angav varandra, alla räddade sitt eget skinn, en riktig mamma skyddade sina egna barn, vad hade David Quintero någonsin … Och hon såg sin halvbror i en glimt, men det var inte hans ansikte hon såg utan handen, det där ärret.

"Jag är inte intresserad av att tala med hennes advokat", sa Ramón och hans röst var skarpare i andra änden nu. "Jag talar inte med jurister förrän jag behöver en själv, de står där i sin självrättfärdighet och tror att lagen är svaret på det här samhällets problem."

Helene tyckte sig uppfatta ett tomrum kring det han sa, ett eko. Hon undrade om han var kvar i samma hus, men han hade ju sagt att han redan hade flyttat, ingen visste var han fanns och Ramón Maguid var garanterat inget namn han längre använde sig av, numret han ringde ifrån var säkert hemligt.

Hon kastade en blick på telefonens display. Hajade till när hon såg numret. Hon kände igen det, alltför väl. Det var hennes eget. Han ringde från hennes mobil, från telefonen de hade tagit ifrån henne, hon blev blixtrande arg när hon insåg det. Det var så fräckt. Hon hade tänkt att hon skulle spärra telefonen, men inte riktigt kunnat genomföra det. Kanske skulle det göra honom arg, om mobilen upphörde att fungera. Han är snål, tänkte hon, det är därför han använder den för att ringa till Sverige. Insikten gjorde henne lite mindre rädd. Att han kanske behöll mobilen av en sådan futtig anledning, för att han hade kommit över en iPhone. Och han ringde väl inte bara, han surfade säkert också, hon skulle få skyhöga räkningar, hade väl haft alla möjliga funktioner påslagna den där kvällen när de knuffade in henne i en bil.

Helene drog efter andan.

Ramón var på väg att avsluta samtalet nu. Hon hörde det på tonen, pauserna, som om han tog lite sats för att skrämma henne med några sista ord.

Om han behöll den på, om han bara inte slog av den.

"Det kan hända att Claudia ringer på mobilen som ni tog", sa hon. "Jag råkade lämna det numret också, av misstag."

Han kunde inte veta att hon såg det numret just nu.

"Jag hör av mig", sa Ramón.

Displayen med siffrorna slocknade.

Människor kunde försvinna, de kunde byta namn och identitet, men en mobiltelefon fortsatte att sända ut signaler.

Helene såg ner på den lilla bunten med visitkort i handen. Där fanns det. En adress och ett telefonnummer till en annan man som också var jurist, som hon hade pratat länge med vid domstolarna i Buenos Aires.

"Ni kan börja med glassen", ropade hon till barnen.

Sedan slog hon numret till Guillermo.

Juristen lät stressad, men mindes mycket väl vem hon var.

"Jag vet hur ni kan hitta Squatina", sa hon.

BERLIN
2014

Claudia hade glömt att ensamhet också hade en fysisk dimension. Människor strömmade förbi, men såg henne inte.

Det var den tredje dagen hon lämnade hotellet i Prenzlauer Berg utan att redovisa sina ärenden för någon.

En underlig känsla av viktlöshet, som att vara luft.

Vid Karl-Marx-Allee blev hon stående i en korsning. Trafikljusen slog om till grönt, och sedan rött igen medan hon studerade kartan över Berlin. De raka gatorna, en förnimmelse av återkomst.

En spårvagn passerade, det föll ett duggregn.

Hon kunde inte ens minnas när hon hade gått på toaletten utan att vara sedd. I djungeln, självklart inte, där var latrinerna en rad med gropar, *chontos*, där flugorna svärmade runt hålen, men även i huset i Bogotá visste vakterna alltid var hon befann sig.

Ensamhet var något som fanns inuti, men kroppen och orden, till och med tankarna, tillhörde de andra. Bara vid ett tillfälle under alla år hade vakterna kallats bort därifrån. Det var för en knapp vecka sedan, den dagen när hon skulle lämna Colombia.

En mellanlandning i Miami, och sedan mot Europa.

Passkontrollanten hade granskat hennes colombianska pass och visum, men tilltalat henne på tyska.

"Claudia Viehhauser, är ni från Tyskland?"

"Jag har tyskt ursprung", svarade hon på spanska, "men jag har aldrig varit i Berlin."

Hennes tyska baserade sig på tre års studier under högstadiet, varav hon hade skolkat från de flesta lektioner. Det räckte för att läsa skyltar och beställa kaffe på det turkiska kaféet vid hotellet, så länge ingen ställde några frågor.

Regnet duggade tätare nu.

Vid Alexanderplatz stannade hon till och köpte ett hopfällbart paraply av en gatuförsäljare. För klent för ett tropiskt skyfall, men dög som skydd mot det europeiska halvregnet. Hon valde ett grått, som kappan, som himlen, som centrum i det gamla Östberlin med asfalt och betong, en icke-färg som suddade ut henne. Även hennes hår hade grånat. Det senaste året hade hon stegvis färgat det i grått istället för svart tills det hade vuxit ut helt och gjorde henne lika gammal som hon var. Några år över sextio, exakt hur många var oväsentligt. Datumet i hennes pass hade ingenting med tiden för hennes födelse att göra och Claudia Viehhauser hade inte för avsikt att begära ut någon pension.

Hon hade trott att hon kunde utplåna sina minnen.

Det hade fungerat i djungeln, för där fanns ingen dåtid. Bara nästa kilometer, och nästa, i marschen genom lera och tropiska regn, vätan under svarta plastskynken. Där handlade varje dag om att överleva bland insekter och flodernas kajmaner, med jaguaren som strök därute, men som hon aldrig hade sett, och spökplanen som flög lågt i jakt på gerillaläger att bomba, i det eviga oväsendet när solen gick ner och djungeln vaknade. Där var de kidnappade som skulle vaktas och comandantens nycker, intrigerna om makten och unga rekryter som viftade med vapnen och ännu inte hade lärt sig disciplin, kvinnor som tävlade med männen i våldsamhet och hettan som steg i skymningen, malaria och gula febern och de eviga mötena i en ring om kvällarna när revolutionsmoralen skulle prövas och nätterna i comandantens tält som var vägen upp i hierarkin.

När hon fick tillstånd att flytta in till Bogotá blev det tystare omkring henne. Människor trodde att det var städerna som väsnades, men de hade aldrig levt i tält i djungeln, i en värld där det inte fanns någon ensamhet och någon alltid såg.

Men med tystnaden kom också minnena. Det fanns stunder när hatet och smärtan fick henne att önska sig tillbaka till djungelns glömska, och hon måste tänka på stanken från *chontos* för att inse att bättre än så här skulle hon aldrig få det. Instängd i ett hus i La Candelaria, den urgamla stadskärnan i Bogotá, där vakterna ständigt byttes ut och var farligt unga. I början hade hon trott att de fanns där som skydd, men de vaktade henne. Hennes makt hade blivit lite för stor. Hon hanterade belopp som de ursprungliga gerillaledarna aldrig hade kunnat föreställa sig. I begynnelsen hade Farc bekämpat koka-industrin, men det blev omöjligt i ett land där ingen skörd kunde ge så mycket pengar till den fattiga bonden, och de fattiga bönderna var gerillans stöd. När de hade beslutat att tillåta koka-odlingar i sina territorier växte ekonomin så småningom bortom det begripliga, utrustade en folkets armé som erövrade byar och städer och landområden, de bytte kokain mot vapen, kokain för pengar, pengar som måste tvättas och någonstans i den processen hade Claudias svävande tyska identitet omvandlats till ett colombianskt medborgarskap. Hon visste inte hur, mutor säkert, men det underlättade att vara en existerande person när det gick så långt att hon behövde hantera banker och utländska konton.

Skyskraporna reste sig slanka och skimrande i den nya tiden vid Potsdamer Platz.

Adressen hon hade fått gick till en lunchbar med stora fönster mot gatan. Claudia hejdade sig när hon såg skyltarna.

Baren hette FBI Eatery, döpt efter den amerikanska federala polisen. Hennes kontakt i Berlin hade tydligen ett underligt sinne för humor. Som knuten till gerillan var hon terrorist i

USA:s ögon, hade duckat åtskilliga gånger för deras spökplan som flög över terrängen i kriget mot Farc, men hon visste också att hon inte stod på någon lista, hennes roll hade varit alltför undanskymd.

Annars hade de knappast kunnat skicka henne till Europa.

En Berliner Zeitung skulle ligga på bordet, ett enkelt tecken. Claudia låtsades studera menyn medan hon såg sig om. Människor som köade och köpte sin lunchlåda eller en grönsaksmix i mugg och skyndade tillbaka till kontoret. De som slog sig ner förblev ändå halvt på språng, skyfflade in salladsblad och bönor medan mobilen arbetade i den andra handen. Endast den ensamme mannen i hörnet, med sköldpaddsfärgade glasögon och grå kavaj, verkade ta sig tid att läsa tidningen. Det var Berliner Zeitung som låg utbredd framför honom.

En blick och en nickning bekräftade att de hade sett varandra.

"FBI Eatery?" sa Claudia när hon slog sig ner.

Hennes kontakt log.

"Ja, det är väl knappast en plats där de skulle leta efter en sådan som dig."

Hon hade köpt mangokyckling och en dryck som påstods ge kraft åt hjärnan. Mannen hade ett glas juice i en grönaktig nyans framför sig. Claudia kunde se att det var hans sort som dominerade i de här kvarteren. Det var länge sedan hon befann sig i en europeisk stad och allt hade förändrats, men kostymer och portföljer, snäva kjolar med kavaj och ett glidande sätt att röra sig som gjorde att man inte förlorade någon tid utan lätt tog sig fram i trängsel, en särskild typ av exklusiva glasögon var universella drag, de såg man också i de nyaste finanskvarteren i Bogotá, kring bankerna och instituten där hon själv brukade flytta pengar mellan olika konton och kallade sig för investerare.

"Ska vi verkligen prata här?" sa hon.

"Varför inte?" Mannen såg sig hastigt om och sänkte rösten.

"Ingen stannar länge nog för att lyssna, och ingen är heller intresserad av oss, det finns alltid något skönare att fästa blicken på."

En blick åt sidan, han hade rätt. Gästerna vid bordet intill hade redan bytts ut och alla i lokalen var unga, förmodligen kring trettio, hade släta drag och blänkande hår. Hennes ålder blev plötsligt påtaglig, rynkorna på hennes händer. För första gången kände hon ett slags lättnad i insikten om att hon var gammal, det gick mot ett slut, det skulle komma en dag när allt var över.

"Det är bara en del teknikaliteter som återstår", sa han och öppnade portföljen i knäet. "Men jag kan inte garantera avkastningen i alla fonder. Jag har tagit med mig prognoser för samtliga ..."

"Det blir bra", sa Claudia och viftade avvärjande med gaffeln, "jag vill bara att du slutför det som planerat."

Sådana där rådgivare skulle alltid verka allsmäktiga och veta bättre. De förstod inte att det fanns andra motiv än ränta och avkastning.

Mannen var för övrigt mer än en finansiell rådgivare, även om han kallade sig så. Han skulle knappast ha haft våningar i både London och Berlin, samt en villa i Montenegro efter vad hon hade hört, om han inte själv styrde över pengaflödena.

"Som du vill", sa han och log igen. "Jag vågar nog påstå att även den sista affären går igenom. Allt är godkänt, till och med av de svenska myndigheterna. Era pengar är rena som spädbarn."

Claudia såg ner på pappren han lade på bordet.

"Vi kanske kan börja med de schweiziska fonderna", sa hon och rådgivaren drog de stora linjerna, detaljerna intresserade henne inte, det förstod han, han hade gjort sådana här affärer förut. Det viktigaste var att pengarna hade tvättats vita i en lång process där de aldrig skulle kunna härledas till sitt ursprung. Det handlade om fonder som ägde bolag som i sin tur ägde helt legala företag runt om i Europa, långt bort från den latinamerikanska kontinenten.

Det var pengar som aldrig skulle redovisas. Konton som aldrig skulle hittas, rikedomar som skulle försvinna.

Därav hennes ensamhet i Berlin.

Bara ett fåtal personer i organisationen fick veta var hon befann sig. Med varje person ökade risken att det skulle nå fram till den högsta ledningen, som just nu var upptagen med att förhandla fred i Havanna.

Alla hade inte för avsikt att gå tomhänta in i det nya Colombia, om nu freden skulle bli verklighet. Därför hade Claudia sänts till Berlin för att säkra åtminstone en del av tillgångarna.

Hon undertecknade. Gjorde kontona tillgängliga för sina närmast överordnade. De var knappast de enda som förberedde sig. I freden skulle vapnen läggas ner och andra ta över makten, freden var en förlustaffär.

Claudia sköt undan tallriken, men drack upp grönsaksjuicen. Hon kände ingen skillnad i hjärnans kraft. Kanske var det jetlag, eller mängden siffror som gav henne en känsla av utmattning. Minnen som aldrig helt hade utplånats.

"Har du ordnat med de andra kontona, som jag bad dig om?" sa hon.

"Allting är överfört och klart. Jag har pappren med mig. Vill du ha grönt te?"

Mannen reste sig.

"Kaffe tack", sa Claudia.

Människorna omkring dem hade återigen bytts ut, en jagande känsla av att hon också borde röra på sig.

Detta var det största risktagandet.

Det fanns konton som inte ens hennes närmaste överordnade kände till. En hemlighet förenad med livsfara, men så var det inte heller sitt eget liv hon skyddade. Det fanns det som var viktigare, som var värt risken att smuggla undan pengar. Det hade börjat för många år sedan. Först små summor och sedan allt större i takt med att hon blev skickligare.

Där fanns ett bankkonto, där fanns en fond.

Där fanns miljontals dollar som ingen skulle fråga efter, för ingen visste att de existerade.

Det var naturligtvis en risk att låta samme "rådgivare" hantera dem, men Claudia litade på att han aldrig skulle kommunicera med kamraterna i Colombia. De pratade för övrigt vare sig tyska eller engelska, de var bönder utan jord som hade levt hela sina liv vid fronten.

Mannen satte sig ner igen. Claudia visste hans namn, det fanns ju i en del av pappren, men hon tänkte ändå på honom som Rådgivaren. I början av tjugohundratalet hade hon fått honom rekommenderad av affärskontakter i det forna Östeuropa, sådana de bytte till sig vapen av, och även om han tog en hög procentandel för sina tjänster hade hon alltid funnit det vara värt det.

Kaffet landade på bordet, mannens gröna te som snarare var svagt brunt.

Han lyfte upp några papper och såg på henne ovanför kanten av glasögonen. Hans ålder var obestämbar, kanske strax över femtio.

"Som sagt, jag kan inte säga något säkert om avkastningen, det ligger lite utanför mina vanliga rekommendationer."

Claudia såg ner i dokumenten.

QR Medinvest hette det sista bolaget i kedjan. Absolut neutralt, sa ingenting, utom att de investerade i vård- och hälsoindustrin. Det bolaget sysslade med var att köpa upp företag som var på väg mot konkurs, organisera om och låta lokala personer driva dem mot vinst i nya bolag som kunde säljas igen, om några år. Osäker avkastning, enligt rådgivaren, men så var det heller inte vinsten som avgjorde.

Hon läste de svenska namnen.

Det var en overklig känsla. Där fanns en adress som var så underligt välbekant. Hon fick en bild av bruna hus framför ögonen, gångvägar genom tunnlar. En tanke om ordning och reda, att pengarna kunde vara gömda och säkra där. Ett land som var längre bort än något annat, inte bara geografiskt på andra sidan jorden från Colombia sett, utan också i en annan tid, på en plats hon förknippade med oskuld.

Och så var det fonden. Det var det sista.

Det viktigaste.

"Och den där fonden är omstrukturerad som du begärde." Mannen suckade lite överdrivet. "Ett välgörenhetsprojekt, minsann."

Fonden.

Claudia kände för första gången en verklig sinnesrörelse inför hans torra uppställningar, en önskan som stramade i bröstet.

Fonden till stöd för Colombias krigsdrabbade barn. Donationerna uppgick nu till över en miljon dollar som inte skulle gå att spåra, pengarna gick via konton i Schweiz och kanske också Cypern, det var inte hennes sak att veta vilka vägar de tog. Hon försäkrade sig bara om att namnet på dess förvaltare hade blivit rätt i pappren.

David Quintero.

En ung, lovande jurist som själv hade fått sin utbildning och sin bostad betald via fonden. En son som inte skulle finnas. Hon hade varit död inombords, hade inte trott att hon kunde bli gravid ännu en gång.

En man utan bakgrund.

Nu kunde han styra över pengarna själv, göra vad han ville med dem, hjälpa krigsdrabbade barn eller köpa en villa i bergen.

Claudia strök med handen över pappret, undertecknade.

Han var vuxen nu.

JAKOBSBERG
2014

På asfalten vid staketet var det tomt. Där fanns inte längre några blommor.

"Jaha hej", sa Uffe Rainer när han öppnade. "Hur är läget?"

Helene höll upp sin mobil med bilden från kokainrättegången.

"Känner du igen honom?"

Uffe tog telefonen och gick in i lägenheten medan han tittade, hon följde efter och stängde dörren. Kände sig iakttagen, och upptäckte fågeln på hatthyllan.

"Det är han", sa Uffe.

"Som du såg den natten?"

"Nej, det vet jag inte, jag såg ju bara ryggen av honom." Han höll mobilen lite längre bort, var uppenbarligen i behov av läsglasögon. "Men det var han som stod här nere på gården dagarna innan och tittade efter henne. Är det han? Är det den jäveln som dödade henne?"

"Det kan vara han. Det är inte omöjligt."

"Hade Charlie ihop det med honom?"

"Jag vet inte riktigt än."

Helene gick in i köket utan att vara inbjuden, såg ut genom fönstret, ner på gården mot gungorna där Uffe hade sagt att mannen stått. Då var det ingen slump att han var på Riddar Jakob den där kvällen, han hade vetat vem Charlie var, det var inget ragg som spårade ur, det låg något annat bakom.

"Jag ska träffa polisen om en timme", sa hon, "och då kommer jag att berätta vad du har sagt."

"Okej." Uffe Rainer drog handen genom håret, stod och trampade på det där sättet hon hade sett honom göra förut.

Det såg lite annorlunda ut i lägenheten. Saker var utrivna ur lådor, några pappkassar stod till hälften fyllda. Som om han hade satt igång en vårstädning, men inte riktigt orkade.

Han sjönk ner vid bordet och fingrade lite på hennes mobil.

"Jag kan säga det nu", sa han, "det spelar ändå ingen roll."

"Tack."

Helene lade en hand på hans axel, höll den där tillräckligt länge för att beröringen skulle övergå från en tacksam gest till något annat, något som brände och fick henne att släppa. Hon undrade om han hade känt samma sak.

"Jag vet vad Charlie gjorde i Argentina", sa hon.

"Åh fan."

En känsla av att det skapades en bubbla omkring dem när hon berättade, tiden och allt utanför försvann. Det var skönt att få berätta för honom, han kände Charlie, kanske hade han älskat henne, och kanske var det över nu. Hon behövde inte vakta sina ord, han anklagade henne inte för något. Han hade ett sätt att lägga huvudet lite på sned och rynka ögonbrynen när han lyssnade, hon tyckte om att se honom lyssna. Det fanns ett glitter i hans ögon, hon ville hålla kvar det. Det var väl inte bara för att hon pratade om Charlie, det var väl också för att det var hon? De hade något, hon kände det, det vibrerade. Han var verkligen inte hennes typ, hans kläder var hängiga och håret hade väl inte varit i närheten av en frisör, och de där papegojorna ... Den större satt ovanför henne, i taklampan, hon var tvungen att snegla upp då och då, möta dess ilskna blick, som om den var svartsjuk på att hon stal husbondens uppmärksamhet och allt hon ville var att sitta kvar i den uppmärksamheten, att han skulle se på henne en stund till, och ännu en stund, han hade grå ögon med lite stänk av grönt, men det närmade sig slutet på historien och hon skulle inte ha någon anledning att se in i dem längre.

Uffe strök sig över ansiktet med handen och snörvlade till, som om han ville gråta och hon tvingade sig att våga, det skulle aldrig komma ett annat tillfälle. Sträckte ut handen. Lade den försiktigt på hans. Han grep den och höll den mot sin kind, tittade ner i bordet och hon kände hans tårar nu och flyttade närmare, hon höll om honom, och han kramade henne så hårt. Hon kände hur han skakade i hennes famn, åh herregud, vad var det de gjorde? Helene strök honom över nacken, hon kysste hans hals, vi tröstar varandra tänkte hon, det måste vi få göra, och han grät mot hennes bröst. Hon visste att hon gick för långt, att detta skulle hon ångra, hon visste det, men ändå måste hon dra upp hans tröja så att händerna fick känna hans hud, finna hans mun, hon lyfte upp hans ansikte som låg begravt mot hennes mellangärde, måste få tillgång till hans mun nu, för då skulle hon känna att det var rätt, om de bara kysstes, och sedan visste hon inte vem som styrde längre, i nästa stund halvlåg hon på bordet och han var överallt omkring henne och famlade i hennes kläder.

Ett vinddrag vid hennes huvud, hon skrek till. Papegojan landade på hans axel, grå med ilsket röda stjärtfjädrar. Den stirrade på henne.

Helene såg sig själv i dess vassa blick. Blusen som hängde utanför och kjolen som hade hasat högt upp på låren, såg sin egen pinsamma rodnad.

Uffe Rainer rätade på ryggen och sneglade på henne.

"Förlåt", sa han. "Det skulle vara fel."

Helene drog ner kjolen och ville försvinna, gå upp i rök, men hon måste först samla ihop grejerna som hade trillat ur väskan när den föll ner på golvet, hon måste ta sin kofta och hitta sin mobil.

"Då ger jag ditt namn till polisen då", sa hon innan hon gick.

Det sista hon hörde var ett mummel.

"De har redan mitt namn."

Aurek Krawczyk steg ur en vit Audi utanför poliskontoret i Jakobsberg och låste bilen med en fjärrnyckel. Helene väntade vid porten.

"Hej igen", sa han. "Som jag sa i telefon så är det Solna som håller i tunnelfallet, så egentligen borde du prata med dem."

"De vet ingenting om min systers död", sa Helene.

Hon uppfattade en liten grimas i hans ansikte.

"Som är en avslutad utredning", sa han och höll upp dörren. "Men det passade ju bra att vi kunde ses här, jag hade ändå ett ärende ute i Kallhäll på morgonen."

Han var klädd i jeans och en aningen skrynklig skjorta, vilket förstärkte intrycket av att detta var något han gjorde i förbifarten. Själv hade hon gått in på toaletten på en bensinmack bakom Aspnäsvägen för att kontrollera att hon såg anständig ut igen. Hon tvingade undan tanken på det som hade hänt.

"Tre vittnen pekar ut samme man", sa hon när de kom in i rummet, "det måste väl ändå vara skäl nog att öppna utredningen igen."

"Sa du inte två vittnen när du ringde?"

"Jo, men det finns en person till som har sett den här mannen, jag har just pratat med honom." Helene satte sig och var noga med att dra ner kjolen så att den täckte knäna. Hon bävade lite för att nämna Uffe Rainers namn. Det blev knappast lättare av att hon genom fönstret såg rakt upp mot husen där han bodde, poliskontoret låg alldeles nedanför Aspnäsvägen.

Krawczyk tog upp en iPad och nuddade den så att den tändes.

"Det du säger är alltså att den här mannen, Jan Rune Norlander, följde din syster hem den aktuella natten?"

Namnet klingade som ett rent ackord i henne. Jan Rune

Norlander. Något måste ju stämma om de hade fått fram ett fullständigt namn. Riddarn hade verkligen haft rätt, till slut hade hon kommit på honom med att faktiskt ha rätt.

"Jag visste bara att han kallas för JR. Finns han i era register?"

Aurek Krawczyk nickade.

"Bokföringsbrott och anmälningar om olaga hot, även dömd för misshandel långt tillbaka, men det är ju inget ovanligt i den branschen."

Han lade upp det ena benet över det andra och balanserade iPaden mot knäet.

"Det jag säger nu är inga polisiära hemligheter, det är sådant vilken utbildad journalist som helst skulle hitta om de tog sig tid för lite grävande."

Han läste innantill, scrollade på skärmen.

Företaget Swede Security hade gått under flera namn genom åren, men i stort sett hade samma personer drivit verksamheten sedan slutet av 1990-talet. Jan Rune Norlander var en av grundarna. Han hade en bakgrund som mentalskötare på Beckomberga sjukhus, där han hade dragit på sig anmälningar om övervåld mot patienter. Han var även misstänkt i en härva med stulna patientjournaler, där identiteterna återfanns som styrelsemedlemmar i luftbolag långt efter att mentalsjukhuset lades ner 1995. Säkerhetsföretaget grundade han tillsammans med några vänner. De hade börjat med att hyra ut sig själva som ordningsvakter och expanderade sedan verksamheten till larm och bevakning, privatspaning och beskydd av allehanda slag, det var en bransch som hade utvecklats explosionsartat, samtidigt som den organiserade brottsligheten växte och och hade samma behov av att skydda sina intressen som resten av samhället, även om själva intressena skilde sig åt.

"Så då kan det alltså stämma att han jobbade som livvakt åt kokainfamiljen", sa Helene.

Hon hade bilden beredd i mobilen, men det kändes överflödigt att visa den nu.

"Det är inget uttryck vi använder, det är kvällstidningarnas namn på dem." Krawczyk såg sig om. "Jag undrar om det finns något kaffe här, eller om de har skurit ner på det."

"Det är bra för mig", sa hon.

"Jag behöver en kopp."

Han försvann bort genom korridoren som var tämligen öde. Det var ingen regelrätt polisstation, hade hon förstått, utan kontor för de lokala patrullerande och närpolisen. Hon tänkte på det där med Beckomberga, det märkliga i att mannen som kallades JR hade befunnit sig där, i en tid av skrik och galenskap och långt innan hon själv började rita stadsradhus i samma område. I morgon skulle hon ta itu med de skisserna igen. Hon hade mejlat sin chef och sagt att hon var frisk.

"Jag har pratat med en av utredarna i kokainmålet också", sa Krawczyk när han var tillbaka med en kopp i handen. Han lutade sig mot den tomma bokhyllan. "Det verkar inte som att Norlander jobbar för dem."

"Men vad gjorde han där då?"

Helene fick upp mobilen, kanske var hon ändå tvungen att visa fotografiet för att han skulle tro henne.

"Kan vara det motsatta", sa han, "såvida han inte bara använde sin medborgerliga rättighet att följa en offentlig förhandling, förstås."

"Det motsatta?"

"Att visa sig där, helt enkelt. Om de här så kallade familjemedlemmarna vet att de är bevakade, så är det en signal om att de ska tiga om sina övriga kontakter."

Helene lutade sig bakåt, försökte förstå. Det fanns en skugga bakom det han sa, och inte sa, något hon inte kunde se. Hon hade tyckt sig urskilja mönster, hade tänkt på spår av kokain i blodet, kokainsmugglare, våldsamma personer, men det han antydde var något större.

"Men vilka jobbade han åt då?"

"Det finns nog flera kandidater", sa Krawczyk, "de här nätverken går in och ut i varandra, det behöver inte ens handla om narkotika. Den organiserade brottsligheten följer samma mönster som vanlig näringsverksamhet, de breddar sina marknader, siktar mot att bli globala. Det är inte något jag kan svara på så här på rak arm."

Helene såg ut genom fönstret, upp mot linjerna av fönster och balkonger som upprepades i våning på våning.

Vem gick du hem med Charlie, varför kunde du aldrig gå hem från festen själv?

"Om din far bråkade med de här männen är det kanske inte konstigt om det slutade illa, oavsett …"

"Oavsett vad då?"

"Jag kommer självklart att lämna dina uppgifter vidare till utredaren i Solna", sa han.

"Och utredningen om Charlie?"

"Jag tvivlar på att det räcker för att öppna den igen."

Helene tog upp sitt block och rev ur en sida.

"Här är namnen på vittnena", sa hon. "Förutom Håkan Eriksson, min far alltså, så är det Terese Wallner som var på samma nattklubb den kvällen, och en granne, Ulf Rainer, som har sett den här mannen stå och titta på Charlie utanför deras hus."

"Jaså han, ja honom känner vi till."

Aurek Krawczyk tittade ut genom fönstret igen, en känsla av att husen därute deltog i samtalet, var närvarande som en tredje part.

"Det där rånet är uppklarat nu", sa han.

"Mot apoteket?"

"Precis. En av ägarna var själv inblandad, hon har erkänt att hon låste upp och släppte in killarna, och sedan försökte hon få ut värdet av det stulna på försäkringen. Hon väntar åtal för medhjälp, möjligen anstiftan, bedrägeri."

"Du nämnde henne förut, Anette Häger, är det hon?"

Krawczyk klämde ihop pappersmuggen och siktade mot en papperskorg i hörnet. Helene följde bågen som slutade med en perfekt träff.

"Vi vet också vem som förmedlade preparaten till din syster", sa han. "Det var Ulf Rainer."

Helene stirrade på honom, och tittade bort igen, kände hur hon rodnade. Hon visste inte var hon skulle göra av sina händer, klämde ihop dem i knäet och försökte låta bli att se upp mot de där husen där han fanns, där hon nyss hade suttit i ett kök och ...

"Rainer säger att han inte tog betalt för dem." Polisinspektörens ton var stenhård nu, borta var allt det milda och resonerande. "Han ville hjälpa henne, säger han. Med sådana vänner behövde din syster knappast några fiender."

Helene tyckte sig höra ekot av den lilla fågeln: *lita på mig, lita på mig.*

Sakta lyckades hon höja huvudet och se på Krawczyk. En känsla av att hans blick hade förändrats. Allt låg ju i dagen nu, han visste vem hon var dotter till, alkisen, lodisen, mannen som gick runt och snackade om att Olof Palme levde, och dessutom syster till tjejen som gick på flunitrazepam och hade spår av kokain i blodet. Han visste åtminstone inte att hon nyss hade gjort sitt bästa för att hångla med en hälare.

Helene rätade på ryggen.

"Det förändrar väl inte vad han såg", sa hon och harklade sig. "Dessutom gjordes det ju en teknisk undersökning, så om den där Jan Rune Norlanders DNA fanns i hennes ..." Lägenhet, hade hon tänkt säga, vinglas eller soffa eller cigarettfimpar, men det hon såg framför sig var Charlies kropp som sköts in i en krematorieugn, som brändes till aska.

"Men vänta nu", sa hon, "du sa förut att hon hade haft sexuellt umgänge innan hon dog, då måste ni ju ha DNA, och om han finns i registren …"

"Så säger det oss fortfarande inte mer än att hon hade sexuellt umgänge. Möjligen var han inte den bäste för henne, men det är ju tyvärr inte brottsligt."

Aurek Krawczyk satte sig ner igen, han lutade sig fram med armbågarna på knäna så att han kom obehagligt nära.

"Det var en annan sak jag ville visa dig", sa han och höll i sin iPad igen, letade i den samtidigt som han fortsatte. "I samband med det här, så tittade jag igenom utredningen kring din systers död igen. Det var ju intressant vad hon hade haft för kontakter, om hon själv var inblandad, så jag gick in på mejlservern."

"Jag trodde inte ni hittade hennes mejl."

"Jodå, via telefonlistorna, men vi fann inget av intresse då."

En tryckning på skärmen och hans ansikte lystes upp en aning.

"Jag vet inte varför de inte reagerade, det var inte jag som gick igenom det här. Brevet hade kommit i retur, så det såg nog ut som skräppost. Det hade inte förändrat någonting, men jag tänkte att du kanske ville se det."

Han räckte henne iPaden och hon vände sig halvt bort medan hon läste. Flimrande text i ett kort brev.

Jag vill inte mer. Jag kan inte hålla på så här, jag ropar ut i ett svart hål och får inget svar och jag sugs in i det svarta. Om jag bara kunde få ett enda tecken på att det betyder något om jag lever eller dör, men jag förstår att jag aldrig kommer att nå fram med mina rop, för mellan oss är hav och avgrunder och allt som inte kan förlåtas.

Helene läste det om och om igen. Hon kunde känna Charlies

bemödande om orden, hur gärna hon ville att det skulle låta fint, de alltför stora känslorna som kändes barnsliga på något vis.

Det fanns meningar som klingade bekant, från Charlies klotter i lägenheten som hon hade trott var litterära försök, men det var alltså även brev hon hade formulerat.

"Vem skickade hon det till?"

"Adressaten okänd, som sagt", sa Krawczyk.

Helene granskade resten av mejlet, en massa siffror och teck-en som hade tillkommit när det gick i retur, en adress. Bokstäver som inte sa något.

"Det skrevs på morgonen samma dag som hon dog."

"Men …", sa Helene och visste inte i vilken ända hon skulle börja. Charlies ord låg framför allt det andra nu, *vill inte mer … om jag lever eller dör …*

Kunde det verkligen vara så?

Hon såg ner på den där lappen med namnen, som han inte ens hade tagit upp, försökte få fatt i allt det som hade varit så strukturerat och självklart nyss. Terese Wallner? Som bara hade sett Charlie gå hem från krogen, kunde hon ens skilja en medel-ålders man från en annan? Och även om det stämde så visste ingen när mannen hade lämnat lägenheten, eller hur Charlie mådde då. Kanske föll hon ner i sitt svarta hål igen, övergiven ännu en gång, ratad, Helene visste något om hur det kändes, hade själv den skammen utanpå huden just nu … *ett enda tecken på att det betyder något …*

Och Riddarn, ett fyllo som hade sett en bild i en tidning och muckade gräl med den organiserade brottsligheten när han inte löste mordet på Olof Palme. Uffe Rainer, hon ville inte ens tänka på honom. Och om den där JR hade spanat på Charlie, vad var det egentligen för misstänkt med det? Han kanske bara var in-tresserad, eller så var det inte ens samme man, kanske ville Uffe Rainer försöka snacka sig till ett lägre straff. Alltihop var bara en sörja av ingenting. Hon kunde se Charlie sitta och skriva och tänkte på mejladressen.

Ramón hade sagt att Charlie hade fått en adress.

"Jag tror att hon skrev till vår mamma", sa Helene.

Aurek Krawczyk vek ihop fodralet omkring sin iPad igen.

"Oavsett vem adressaten var, så tyder det på att självmordet kan ha varit planerat, att hon skrev ett avskedsbrev."

Helene reste sig.

"Ursäkta mig", sa hon.

Hon var helt enkelt tvungen att gå på toaletten, gick åt fel håll i korridoren och måste passera den öppna dörren igen. Inne på toa sköljde hon ansiktet med kallt vatten, såg sin egen förvirring i ögonen.

Charlie hade tagit livet av sig.

Var inte allt det här jagandet och rotandet bara ett sätt att gå runt i en cirkel och komma fram till samma punkt igen?

Förlika sig.

Helene slog sig själv på kinderna för att få tillbaka något slags skärpa.

Aurek Krawczyk väntade i korridoren. Han hade väskan på axeln, bilnyckeln i handen, hennes stund var tydligen över nu.

"Jag tror jag nämnde att jag var i Kallhäll förut", sa han när de kom ut. "Jag har min mamma på ett boende där. Hon har inte så långt kvar."

"Jaha, tråkigt", sa Helene, för något måste man ju svara på sådant.

Han snurrade bilnyckeln i handen.

"En gång när jag var nio–tio år rusade det in två främmande människor i mitt rum mitt i natten och skrek hennes namn. Jag blev ju rädd för jag hade hört historier om säkerhetspolisen i det kommunistiska Polen och trodde att de hade kommit hit, men det var ambulanssjukvårdare. Hon hade för vana att ta en burk tabletter, sedan ringde hon någon vän hon hade träffat på polska föreningen, eller någon annanstans, det var det märkliga, hon kunde ha väckt min pappa, men istället ringde hon någon annan, som hon sa förstod henne. Det hände gång på gång. Hon är sjuttioåtta år nu."

Han såg upp mot husen på höjden igen, de såg vitare ut än hon hade tyckt förut, men det kanske var solen.

"Det är svårt för ett barn att förlika sig med att mamma vill dö. Det var inte förrän jag blev vuxen som jag förstod att det aldrig var det som var meningen."

"Vad är det du vill säga?"

"Du vittnade om att din syster hade tagit tabletter och sedan hade hon ringt efter hjälp, upprepade gånger förut. Så vad hade förändrats?"

Helene såg på honom, försökte förstå vad det här egentligen handlade om. Förändrats? Allt, ville hon säga, och det hade också med en mamma att göra, en mamma som återuppstod från de döda och ändå inte ville kännas vid henne. Som inte ringde upp trots att det hade gått många dagar sedan Helene lämnade ett meddelande i Bogotá. Övergiven, om det kunde hon också prata, men kanske inte på en parkeringsplats just nu.

Aurek Krawczyk tryckte fjärrnyckeln så att bilen pep till.

"Kanske menade hon att lyckas", sa han. "Eller så råkade hon bara ha fel preparat hemma, något som fick henne över branten. Ingen kan veta, men kanske menade hon faktiskt inte att dö den här gången heller."

Fönstren var täckta med papper på insidan, men skylten hängde kvar. Helene bankade på dörren. Hon ryckte i handtaget och porten gick upp.

"Hallå", ropade hon in i lokalen.

Hyllorna var till största delen tömda, på golvet låg en liten hög med ihopsopat grus och några trasiga förpackningar. Apoteket hade gått omkull för flera månader sedan. Senaste nytt var att ett utländskt bolag skulle ta över, enligt träffarna när hon googlade fram adressen.

"Hallå", ropade hon igen.

En kvinna kom ut från det inre rummet, torkade sig om händerna med en pappershandduk.

"Vi har tyvärr stängt", sa hon, "du får gå till gamla apoteket i centrum."

"Är det du som är Anette Häger?"

"Ja, det är jag." Hon såg lite orolig ut. "Vad gäller det?"

Helene granskade henne och i den fyrtioåriga kvinnan kunde hon urskilja en tonårsflicka, med cendréfärgat hår långt ner på ryggen istället för det här kortklippta. Hon hade känt igen namnet redan när Krawczyk nämnde det första gången, men det tog en stund innan det föll på plats. Anette Häger hade gått i Charlies klass. De hade varit nära vänner dessutom, hade trängt in sig i en fotoautomat tillsammans för länge sedan. Hon var den tredje flickan på det där kortet som Monkan hade lagt ut på sin blogg.

"Vänta, jag känner igen dig", sa Anette. "Gick inte du också på Kvarnskolan?"

Helene såg hur uttrycket i hennes ansikte förändrades när polletterna trillade ner och hon kom till insikt, hur hon kastades från undrande till vettskrämd.

"Men förlåt, du är ju Charlies syrra. Det är klart att jag kommer ihåg dig. Visst är det Hannele du heter, nej förlåt, Helena var det!"

"Helene."

Anette sjönk ner på en pall, en sådan där liten på hjul som man rullar runt för att nå upp till alla hyllor.

"Jag är så jävla ledsen", sa hon.

"Flunitrazepam", sa Helene långsamt. "Det kan ha varit det

som drev Charlie över gränsen. Visste du om att det tar bort rädslan för sådant som att hoppa från elfte våningen?"

Hennes ilska var lugn och renande, det fanns en sådan lättnad i att få lämpa över skulden på någon annan.

"Jag hade ingen aning", sa Anette. "Du måste tro mig när jag säger det."

"Det låter ärligt talat lite underligt, med tanke på att du driver ett apotek."

"Jag visste inte att de skulle hamna hos Charlie. Jag lät dem bara ta vad de ville, jag frågade inte vem de skulle sälja till."

Helene såg sig om i lokalen. Den var en dyster syn, alla de tomma hyllorna som såg helt nya ut. Apoteket hade bara hållit öppet i drygt ett år.

"Jag saknar henne." Anette tittade in i väggen, snörvlade. "Charlie var ju den där som man beundrade. Jag tyckte alltid att hon var så modig, medan en annan liksom bara hängde med."

"Jag hörde att de kommer att åtala dig", sa Helene. "Det lät ju inte som en strålande idé att leja ett gäng ligister för att råna sitt eget företag."

Anette suckade.

"Tror du inte att jag vet det?"

"Varför gjorde du det då?"

Hon suckade igen.

"För att jag inte såg någon utväg, jag har belånat lägenheten på nästan en halv miljon kronor och var på väg att förlora allt. Det är ingen ursäkt, jag vet."

Helene såg förbi henne. I hyllorna låg några spridda förpackningar med sådant som hade ratats vid inbrottet, hon såg vårtmedicin och fotbalsam, lusmedel.

"Det var förresten inte jag som lejde dem", lade Anette till.

"Var det Uffe Rainer?"

"Känner du honom?"

"Jag vet vem det är."

Anette hade rest sig och gick fram och tillbaka i den lilla butikslokalen.

"Jag kan inte skylla på honom, inte på någon annan än mig själv", sa hon. "Vi var naiva när vi startade det här, vi trodde att muntliga avtal gällde. Jag skulle ha hand om ekonomi och marknadsföring, men förstod inte att ingenting fungerar som i ett vanligt företag, du bestämmer inte priser, måste ligga med jättestora lager. Vi gjorde avtal med vårdcentraler och äldreboenden, men plötsligt var de sålda till någon annan och ingen visste vad som var sagt. Och så satt vi med dessa mediciner som kostar tiotusentals kronor att köpa in och det tar evigheter innan man får tillbaka pengarna från landstinget, de stora kedjorna klarar det men inte vi."

"Och var kom Uffe Rainer in i bilden?"

Anette lutade sig tungt över disken, pillade och slet i några klisterlappar som satt fast.

Hon hade stött ihop med honom i Jakobsbergs centrum just när konkursen var ett faktum. Apoteket hade visserligen en intresserad köpare, ett bolag som hette QR Medinvest, men det var registrerat i Schweiz och måste granskas innan affären kunde godkännas, vilket skulle ta tid. Räkningarna strömmade in till kronofogden.

"Vi kunde inte ens sälja lagret till ett annat apotek, för då måste vi ha nya tillstånd och datumstämplarna skulle hinna gå ut. Jag vet att det inte är någon ursäkt, men jag var förbannad på myndigheterna, systemet, allt, på hela den här utförsäljningen som skulle bli så lönsam och fin för små apotek överallt, jag kände mig lurad."

En flik av papperet hade lossnat från fönstret, Helene såg en strimma av stengången därute. Det hade varit en sen kväll när de tre unga killarna i huvtröjor gled upp ur tunneln. Kanske hade

Anette stått här i fönstret och sett dem komma, låst upp dörren, det måste ha varit mörkt i lokalen, var hon inte rädd? Eller fanns det någon mer där, någon hon kände och litade på?

"Uffe gick igång på det där med att vi inte kunde sälja lagret", fortsatte hon, "han tyckte det var orättvist. Det skulle ju slängas annars. Han sa att han hade kontakter, hade köpt lite grejer av de där killarna förut, som telefoner, köksprylar, en surfplatta. Han ville hjälpa till, han är sådan. Och jag skulle åtminstone få ut lite pengar på försäkringen."

Anette tog en flaska hälsovatten ur en korg och erbjöd Helene en också. Hon tog emot den, var för törstig för att låta bli. Den hade smak av tranbär. Ilskan hade runnit av henne, det var ändå inte Anette Häger hon var arg på, det var … ja, vem var hon arg på? Hon överfölls av en trötthet som gick ut i varje por. Kanske var det jetlag, hon kände sig inte riktigt närvarande.

"Jag vet att Charlie tog en del droger", fortsatte Anette, "och det är klart att jag aldrig skulle hjälpa henne med det. Om jag ville kunde jag ju ha sålt det till henne direkt, när hon var här och bönade och bad."

Helene hajade till, hon hade inte lyssnat så noga.

"Vad sa du, var Charlie här? När då?"

Anette såg upp i taket, tänkte efter.

"Jag minns inte exakt, men kanske någon månad innan hon dog. Det begriper väl alla människor att ett apotek inte kan sälja receptbelagd medicin under disk, men inte Charlie."

Hon skrattade lite och skakade på huvudet.

"Jag kunde ju inte stå och vara kompis här inne. Det är en genomreglerad bransch, det går inte sälja ett piller utan att registrera det hit eller dit, men sådant ville hon inte fatta. Det var som att hon inte hade accepterat att vi är vuxna, krävde att samma lagar skulle gälla fortfarande."

Helene såg att kvinnan hade tårar i ögonen. Rösten brast.

"Du vet, som när man är ung, att vänskapen står över allt. Charlie tyckte att jag svek henne, hon sa sådant som att 'jag trodde vi var vänner'. Jag bad henne gå, men hon hängde kvar tills vi stängde."

"Sa hon varför? Varför behövde hon dem?"

Nu var det Helene som sjönk ner på den där pallen.

"Det var stora saker på gång, och därför var hon nervös. Jag trodde inte på henne. Charlie hade alltid stora saker på gång."

Anette log ett sorgset leende.

"Det handlade om dig också."

Helene väntade. I tystnaden hörde hon ett tåg som kom in norrifrån, stationen låg alldeles bredvid.

"Hon sa att hon hade hittat er mamma", fortsatte Anette. "Det var ju en gåta det där med hennes försvinnande, jag minns att vi alltid skulle hjälpa Charlie med det, det var som ett äventyr, nästan som en saga. Vet du att hon till och med skrev brev till kungen en gång och bad om hjälp? Fick svar också, 'tyvärr kan Ers Majestät inte hjälpa dig', eller vad det nu stod. Hur som helst så hade hon hittat henne nu. Det var helt galet. Hon sov inte på nätterna, sa hon, och jag såg ju att hon var helt besatt, du vet så där manisk som Charlie kunde bli ibland, helt uppe i varv. Hon hade skrivit till sin mamma och nu väntade hon på svar. Allt skulle bli fantastiskt, hon ville bara ha något som kunde hjälpa henne att sova."

Anette gjorde en paus och drack av vattnet, tittade ner i flaskan mellan sina händer.

"Det verkade som att hon trodde på det själv. Hon sa att hon hade blivit rasande först, för att hon levde, men förstod nu att man måste förlåta. Det enda hon ville var att er mamma skulle komma hit och hon skulle möta henne på Arlanda och sedan skulle de åka raka vägen hem till dig. Ringa på dörren och bara stå där."

Hon såg på Helene, och tårarna var tillbaka.

"Men det var väl bara en av Charlies fantasier igen."

BERLIN
2014

Inne på stationen Alexanderplatz fanns det fortfarande telefoner
där man kunde betala med mynt. Claudia stoppade in en euro
i hålet och lyfte ner en rosa lur från väggen.

Berlin var återigen en övervakad stad. Det var känt att avlyss-
ningscentralen på taket till USA:s ambassad vid Brandenburger
Tor hade flera mils räckvidd och mobiltelefoner kunde numera
spåras även om man använde kontantkort.

En man svarade på tyska. Hon kände igen hans röst, en grötig
accent.

"Jag söker Mr Johnson", sa Claudia.

Några sekunders tystnad.

"Det finns ingen sådan här. Vilket nummer har ni slagit?"

Han hade växlat över till engelska, men det grötiga fanns kvar.

Hon upprepade numret ur minnet.

"Då har ni slagit fel på de sista", sa mannen sakta, "de sista
siffrorna ska vara tretton. Förstår ni?"

"Jag förstår."

"Ha en trevlig dag."

Och sedan lade de på.

Claudia dröjde sig kvar kring Alexanderplatz de följande
timmarna. Gick genom ett stort varuhus, men köpte ingenting.
Drack kaffe på en hamburgerbar och passerade några tiggare
som ropade efter henne under en järnvägsbro.

Hon var inte osynlig, trots allt. Det fick henne att börja se sig om över axeln igen. Titta i speglingar i skyltfönster för att upptäcka eventuella förföljare. En man som stannade upp och svarade i sin mobil, eller låtsades svara, några turister som vecklade ut en karta, eller låtsades vara turister. Tvivlet fick henne att öka takten.

När klockan var halv tre började hon leta sig fram till restaurangen med namnet Zur Letzten Instanz, Den Sista Instansen. Det var en enkel kod. "De sista siffrorna" betydde att detta var mötesplatsen, siffran tretton vid vilken tid de skulle ses.

Hon gick fel ett par gånger, hamnade ända nere vid floden Spree innan hon hittade den oansenliga gatan där krogen låg. Instruktionerna hade legat dolda i ett debattforum på internet, som påstod sig lämna tips om sevärdheter i Berlin.

Det var ett vitputsat hus med gröna fönsterluckor, en skylt om att Zur Letzten Instanz hade hållit öppet i snart fyrahundra år. Där inne var det mörkbrunt och dovt, träbord och väggfasta soffor. Hon beställde en öl till att börja med och satte sig i det mellersta rummet.

"Känner ni till varför restaurangen har fått sitt namn?"

Samma röst som i telefonen. Han stod vid hennes bord, klädd i jeans och rock, något orakad.

"För att det var nära till domstolen", sa Claudia. "De dömda fick dricka en sista öl här, innan de fördes till fängelset."

Historien hade också berättats på den där sajten.

Mannen slog sig ner.

"Vi väntar fortfarande på betalning för vårt förra uppdrag", sa han.

"Det är därför jag vill träffa er", sa Claudia. "Är problemet löst?"

"Om ni inte hör något från oss, ska ni utgå från att problemet är löst." Han vinkade till sig den åldrade servitrisen och beställde en öl till sig själv. "Vår underleverantör i Stockholm tog hand om det. De väntar också på betalning."

Claudia drack av ölen, små klunkar, aldrig mer än ett glas. Det var många år sedan hon hade upphört med att berusa sig.

"Jag litar på er", sa Claudia, "men jag känner inte era under-leverantörer i Stockholm. Jag måste rapportera till mina över-ordnade."

Det mesta av det hon sa var lögn. Hon litade inte ett dugg på den här mannen. Hon visste inte hans exakta bakgrund, men tro-ligen var han före detta Stasi, eller KGB, eller vilket land han nu ursprungligen kom ifrån i den forna östliga gemenskapen. Efter murens fall hade många sådana som han lagt beslag på statens vapen och använde sina kontakter till att utveckla vinstdrivande nätverk, med underleverantörer i varje land, för vapenhandel och narkotikasmuggling, utpressning eller krig, vilka affärer som än gällde för dagen.

Det var också en lögn att hon rapporterade till sina överord-nade. Ingen kände till det här uppdraget.

Mannen drack halva sin öl i ett svep och torkade bort skum från munnen med en tygservett som låg vikt på bordet.

Hon såg det oberäkneliga i hans ögon.

"Om jag säger att det initiala problemet är utplånat, så kanske ni förstår mig lite bättre", sa han och tog upp en brun mapp ur sportväskan han hade med sig. Lät den ligga på bordet med han-den på medan några andra gäster passerade in till det inre rummet.

"Det var ingen konst att få fram avsändaren till det där mej-let", sa mannen. "Det åtgärdades för flera månader sedan."

Han sköt över mappen till hennes sida av bordet.

Claudia gläntade på den, bläddrade bland några utskrifter utan att lyfta ur dem. Det var foton tagna utanför ett höghus. Hon fick en känsla av att ha sett det huset förut, men det fanns ju hundratals liknande hus. Ljuset var dessutom dåligt i lokalen.

"Var fanns den här personen?" sa hon och såg ner på en bild där det tydligt framgick att det handlade om en kvinna.

Hon var klädd i en skinnjacka, ett rufsigt mörkt hår.

"Fråga mig inte vad stället heter", sa han, "det var någon förort till Stockholm."

Claudia kände händerna stelna.

"Jakobsberg", sa hon för nu såg hon också något annat, en bild tagen i centrum och där var en skylt i bakgrunden, en biograf vid namn Falken, fast några av bokstäverna hade slocknat. "Kan det ha varit Jakobsberg?"

Han ryckte på axlarna.

"Objektet är i alla fall oskadliggjort. De lokaliserade personen, de samlade data om henne och rapporterade tillbaka till mig. Jag sa åt dem att avsluta jobbet och det blev gjort. Ren rutin, som det såg ut."

Claudia tyckte sig höra ett ringande i öronen, kanske var det ut-ifrån, något slags klockringning, eller så fanns det bara inuti henne.

"Jag visste inte att det var en kvinna", sa hon.

"Mhm", muttrade han och teg en stund, medan servitrisen bar iväg ett par tallrikar med avgnagda lammben på.

Hon hade fått det där mejlet i början av april, kunde återkalla det ögonblicket exakt. Det hade plingat till när hon satt med laptopen i knäet. I sängen, i sovrummet, i huset i Bogotá med en kopp te och lite kex och ostar, mörkret hade sänkt sig utanför och gatubullret hade tystnat, hon hade tänkt sig att se en gammal film med Humphrey Bogart. Det var hennes frizon, timmarna då vakterna hade dragit sig tillbaka till sin del av huset och hon kunde försjunka i något meningslöst och imaginärt.

Jag vet vem du är, stod det.

Du är inte alls Claudia Viehhauser, det är en lögn, men jag känner till alltihop, jag ska tala om för dig vem du är.

Det stod något mer som hon inte mindes och inte riktigt förstod. Hon hade börjat skaka som i frossa, hon hade tryckt på radera, men plockat upp mejlet ur datorns papperskorg igen.

Du är en svikare. Du är en falsk människa. Du lever fast du borde vara död.

Det var undertecknat "Charlie".

Vem denne Charlie än var så visste han mer om henne än någon fick veta.

Att det var skrivet på svenska var ett bevis på det. Modersmålet som hon hade begravt så djupt inom sig, som ingen visste att hon talade. Hon var Claudia, från en argentinsk by och med tyskt ursprung, det var så hon hade förklarat sin udda accent till en början, innan hon hade lärt sig den rena spanska som talades i Bogotá.

Hon hade legat i sängen och känt vapnen riktas mot sig den natten. Om det avslöjades att hon hade levt under falsk identitet kunde hon lika gärna vara spion, agent för USA eller regimen, en förrädare. Det fanns också en annan aspekt, som troligen var lika dödlig. De svenska myndigheterna granskade just nu hennes affärsprojekt. Om någon visste så här mycket om henne, visste de kanske även det. Allt skulle komma i dagen, pengarna som smugglades undan, svek och illojalitet, hon var död från flera håll om detta inte avvärjdes.

Hon hade avslutat mejladressen den natten. Så fort solen gick upp i Europa hade hon kontaktat vapenhandlaren i Berlin, vars verksamhet hon visste var bredare än så.

Uppdraget var otvetydigt: Se till att problemet försvinner.

Claudia tog upp sina läsglasögon. Ansiktet på fotografierna framträdde i större skärpa. Kvinnan såg inte ut som en professionell person, var för mån om att märkas, för hårt sminkad. På den sista bilden tycktes hon titta mot kameran, kanske hade hon uppfattat en man som riktade sin mobil åt hennes håll, log hon inte också?

"Har du något namn på den här personen?" sa Claudia.

"Eriksson, som telefonerna du vet, de är ju svenska från början. Och förnamnet … ja, hehe, jag har det här sättet att lägga saker på minnet." Han skrattade självbelåtet. "Man tänker på någon annan, associerar. Hon hade samma namn som älskarinnan till Prins Charles i England, du vet, hon som ville vara hans tampong." Han flinade. "Eller var det tvärtom?"

Det tog en sekund. Sedan föll namnet över henne som en sten. Camilla.

Hon stirrade på bilden, men kunde inte längre se, det blev suddigt framför ögonen, imma på glaset, hon blinkade några gånger och lyfte på glasögonen, såg det mörka håret. Camilla hade varit mörk som sin far. Ögonen, hakan, där var ingenting hon kände igen. Det var en vuxen kvinna.

Du lever fast du borde vara död.

En hetta svepte runt henne, som en brand.

Camilla, Charlie. Charlie, Camilla.

Det var inte möjligt. Hon hade glömt henne, glömt dem båda. Nej, inte glömt, man glömde inte barn man hade fött, men det var som att de hade fötts av någon annan. De var fastfrusna i den där bilden som hon hade tappat någonstans och sedan dog Ing-Marie den där natten på floden, dog i febern i Caracas, hade gradvis utplånats i djungeln där det inte fanns någon plats för svaghet och fåfänga.

"De kunde inte hitta kopplingar till någon organisation", fortsatte mannen, "eller tecken på att hon rapporterade till någon. De tog förstås mobilen och gick igenom samtal, sms, datatrafik, allt sådant."

"Hur gick det till", sa Claudia lågt, "exakt hur avslutade de jobbet?"

Hon hade gripit tag i stolsitsen för att känna något stadigt. Ingen skulle se vad som försiggick inom henne. Sambandet mellan det inre och det yttre var för längre sedan avklippt.

Han beskrev det hela sakligt. En av "underleverantörerna"

hade bevakat lägenheten och följt efter Camilla Eriksson en kväll. Objektet hade tillbringat några timmar på en restaurang, i sällskap med en man, och sedan fortsatt in på en nattklubb.

"Vår man såg till att bli den som eskorterade henne hem, det måste man säga var kreativt. På så sätt blev han av med den hon hade till sällskap, och så fick han ju lite extra bonus så att säga."

Claudia avstod från att fråga vari den bonusen bestod. Hon kunde förstå det av hans sätt att slicka sig om läpparna.

"Och sedan flög hon ut genom fönstret. Det såg ut att vara helt professionellt skött. Polisen har inte gått vidare med fallet."

Han snurrade på bordskniven som låg uppdukad. Trots allt som tumlade runt inom henne så uppfattade hon även det han inte sa. Hade lärt sig lyssna till vad människor dolde, snarare än vad de ville framhålla. Kanske var det den eviga retoriken, talet om en revolution som för länge sedan hade förlorat sin innebörd, orden som lakades ur tills bara skalet av dem återstod.

"Du säger att det såg ut att vara professionellt skött", sa hon, "men det var det alltså inte?"

Mannen sög in luft mellan tänderna så att läpparna åstadkom ett smackande. Claudia spände kroppen. Ett liknande läte hade vakterna använt i djungeln när de gick runt för att väcka folk, det fanns inpräntat som en varning i hennes organism.

"Det har visat sig att den där Eriksson inte var ensam", sa han. "Det var tydligen något de missade."

"Vad, exakt?"

"En person som ställer frågor i efterhand. Vår kontakt i Stockholm har försäkrat att de kommer att ta hand om det."

Mannen tog upp några hopvikta blad ur väskan.

"De här kom på faxen igår."

Claudia tog emot pappren och vek upp dem i knäet, hon satt med ryggen mot väggen så ingen skulle kunna se vad hon såg.

Kanske bleknade hon, för det fanns inget sätt att hindra när allt blodet lämnade ansiktet. Inte heller kunde hon göra något åt händerna som skakade, annat än att försöka dölja dem under bordet.

Det hon såg var sitt eget ansikte, som ung. Som hon mindes det i speglarna för mycket länge sedan. Kanske något äldre. Klädd på ett mer propert sätt. Ändå trodde hon för ett ögonblick att det verkligen var Ing-Marie hon såg.

"Och vad vet ni om den här personen?" sa hon tonlöst.

Hon hörde honom säga namnet.

Bergman, som filmgubben.

Helene, som ... Äh, han kom inte ihåg någon annan som hette Helene.

Hon var den lilla. Claudia mindes att hon ibland inte hade kunnat skilja dem åt, att det var som om deras kroppar var en och samma.

Den grötiga rösten gjorde ingen paus, han fortsatte tala. Hon uppfattade orden tydligt, men fick anstränga sig för att begripa deras innebörd.

Helene Bergman var syster till den andra.

En ren familjeangelägenhet alltså, som det såg ut. Personen hade snokat omkring vid underleverantörens adress, och haft möten med polisen.

Arkitekt. Gift, bostad i Stockholms innerstad, kodlås.

Claudia såg ner på utskrifterna. Där fanns några bilder till. Samma kvinna, vid en port, på en gata. Och där fanns två barn vid hennes sida. En pojke och en flicka.

Snabbt vek hon ihop pappren, höll dem hårt mellan sina händer.

Barn. Det innebar. Hon kunde inte tänka vad det innebar.

"Jag har gjort klart att det är hans problem nu", fortsatte mannen. "Han förväntar sig inte att få mer betalt på grund av det här. Det ingår att städa upp efter sig."

Mycket långsamt höjde Claudia på huvudet. Hon lyckades lyfta glaset och drack tre stora klunkar. Hennes kropp var så tung att den skulle sjunka till botten om hon lade sig i vatten nu, ett hastigt minne av att drunkna, när luften tog slut. De hade pressat ner hennes huvud under vatten i en cell för länge sedan.

Claudia drog in luft i lungorna. Hon visste vad det innebar att inte kunna andas.

"Det behövs inte", sa hon. "Det är inte viktigt längre."

"Nu förstår jag inte."

"Säg åt dem att glömma bort det bara, de ska få sina pengar. Allt är under kontroll."

Hon böjde sig ner och tog upp tygkassen som hade legat fastklämd mellan hennes fötter, höll den så att han kunde se.

"Det här är det vi kom överens om", sa hon. "Jag betalar er dubbelt så mycket om ni beordrar era män i Stockholm att släppa det här."

Mannen såg helt oförstående på henne.

"Det kan jag inte", sa han.

"Varför inte?"

"Det handlar inte om er längre. Det är deras problem nu. Ingen av oss vill för övrigt att en underleverantör ska åka fast och börja prata."

"Naturligtvis inte", sa Claudia.

Hon förstod när det var dags att inte längre insistera.

"Vad heter den här underleverantören?"

"Det bör du inte veta."

Han svepte sin öl, om det var den tredje eller den fjärde, och reste sig. Hon valde att gå samtidigt, betalade kontant för dem båda.

"Det var en sak till", sa hon när de stod utanför, "något som jag hoppas att ni har i lager."

En glimt tändes i hans ögon, ett brett flin.

"Tyvärr så har ju priserna gått upp den här våren", sa han och såg sig om. Ett ungt japanskt par stod och stavade sig igenom skylten om att detta var Berlins äldsta krog, han drog sig bort till ett järnstaket på andra sidan gatan. Växlade vokabulär för säkerhets skull, om japanerna skulle råka höra. "Vi brukar få våra godsaker via Ukraina, men de säljer allt som finns på den inhemska marknaden just nu, till dubbla priset."

"Jag betalar naturligtvis vad det kostar", sa Claudia.

"Och vilka mängder pratar vi om?"

Hon kunde se hur hans puls gick upp, färgen som djupnade, den nerviga överraskningen i hans ansikte. Nu räknade han väl redan på luftvärnsmissiler och några tusental AK 47:or, sådant de hade köpt förr om åren när de skulle utrusta en folkets armé.

"Bara en enda", sa hon, "av den minsta modellen du har."

Ringsignalen hördes knappt bland alla andra ljud. Där var musiken som spelade i hotellobbyn och en liten pojkes dataspel i sofforna, receptionisten som talade tyska i telefon och tv:n som stod på i ett angränsande rum, en mobil som samtidigt ringde i någon annans ficka.

Claudia stod i receptionen och höll på att checka ut, trots att rummet var betalt för ännu en natt.

Och där var signalen igen, den kom från hennes egen packning.

Bara en enda människa hade det numret. Han var tillsagd att endast använda det i nödfall, därför hade hon inte lärt sig signalen, därför låg den telefonen längst ner i resväskan. Claudia böjde sig ner och öppnade bara en glipa, körde ner handen och grävde runt, det var ingen bra idé att visa hotellets alla gäster vad den gråklädda damen hade för avsikt att föra med sig ut ur landet.

Den ringde ännu, vibrerade i hennes hand.

"Det är jag", sa han, "det är David."

Claudia valde att svara honom på engelska, tog några steg bort från receptionen. Hans röst var en oro i henne, och något slags glädje, att han hade förmåga att väcka så luddiga känslor.

"Jag vet att jag inte bör ringa", fortsatte han, "men jag fick ett samtal från Argentina. De vill kalla dig att vittna inför domstol."

Först förstod hon inte. Sedan nådde det henne som ett jordskalv, en kraft som ville slå omkull henne.

"Jag visste inte att du var i Buenos Aires på 1970-talet", fortsatte han. "Det har du aldrig berättat."

"Det finns inte mycket att säga. Det var en mörk tid."

Hon mumlade en ursäkt till receptionisten och tog sig ut på gatan.

"Det var i alla fall en advokat som hörde av sig. Han försvarar en före detta militär som nyss har gripits och sitter häktad i väntan på åtal för brott mot mänskligheten."

Det fanns så mycket av osäkerhet och vilja i Davids röst, han var det enda som hon förknippade med ljus och nu var det han som utdelade slaget. Claudia tog stöd mot en fönsterkarm. Hon måste hålla uppsikt över väskan som hade blivit kvar där inne. Hur var det möjligt att någon hade hittat henne? På något sätt måste de ha funnit Claudia Viehhausers namn på ESMA. Hon kände till en del om rättegångarna, om Argentinas strävan att komma tillrätta med sin historia, hade följt nyheterna och väntat på att en dag få se hans namn, hans bild.

"Vem är det de vill att jag ska vittna mot?"

"Inte mot", sa David, "utan för. Den här militären påstår sig ha räddat dig ur ett fångläger med risk för sitt eget liv, han vill att du ska vittna för att bevisa att han inte var juntan trogen, att han bröt mot order."

Claudia kramade fönsterkarmen hårdare.

"Vad heter han, den där klienten."

David sa ett namn hon inte kände igen.

"Jag vet inte vem det är", sa Claudia. "De måste ha förväxlat mig med någon annan."

"Han brukade kalla sig Ramón."

Ljudet av det namnet. Som hon hatade det. De gånger hon hade varit tvungen att rikta sitt vapen mot en människa, känt avtryckarens kyla och precision mot fingret, så var det på honom hon hade tänkt. Det var ett namn som fick henne att vilja döda.

"Jag minns ingen Ramón", sa hon. "Du kan hälsa dem det."

"Claudia …"

"Nämn inte mitt namn."

"Förlåt."

En spårvagn skramlade till bakom henne. Claudia flyttade sig till andra sidan hotelldörren, det var instinkt, att inte stå på samma plats så länge att någon hann ställa in siktet.

"Han sa också att det är säkrast att de hör av dig snart", fortsatte David. "Jag uppfattade det som ett försök till hot, men det är nog inget att bry sig om."

"Hotade han dig?"

David skrattade lite.

"Vad skulle de hota mig med? I Argentina? De vet förresten inte vem jag är, de tror att jag är din advokat, så vad skulle de vinna på det?"

"Nej, så klart." Hon kände en diffus stolthet över att han inte lät sig skrämmas, samtidigt som hon visste vad det betydde. Han hade upplevt värre än så. Claudia kunde inte säga om det var moderskänslor han väckte i henne, för hon var inte säker på hur sådana var beskaffade. Hon hade ändå förlorat begreppet om vad kärlek var. Något annat än tomhet, kanske.

"Det var en sak till", sa David. "Det var en svensk kvinna här och sökte dig. Jag bedömde inte att det var skäl att ringa, det var ju knappast ett nödfall, men det här samtalet från Argentina fick mig att tänka på det."

"Sa du svensk? Vad ville hon?"

Claudia bytte position på trottoaren igen.

"Hon sa att hon kom från svenska regeringen", sa han. "Hon

ställde många frågor, men sa inte sitt ärende. Jag har hennes namn här, ska jag säga det?"

"Den svenska regeringen går nog att nämna vid namn."

Sedan sa han det, och skalvet var tillbaka, känslan av att en spricka var på väg att öppnas under henne.

Helene Eriksson Bergman.

Helene, den ljusa, som var det förflutna och det glömda. Detta var slutpunkten. Om hon hade hittat henne där inga spår fanns, och Ramón hade stigit upp ur kloakerna dit hans minne var förpassat, så fanns det ingen möjlig väg tillbaka.

Claudia höll mobilen hårt. Den måste hon göra sig av med. Hon visste inte hur hon kunde formulera ett avsked.

"Jag måste gå nu", sa hon. "Låt mig veta om de hör av sig igen." Sedan lade hon på.

Claudia gick in i lobbyn igen, betalade sin räkning och bad dem att förvara väskan i ett låst utrymme några timmar.

Sedan skyndade hon sig. Hon var tillbaka i hans skugga nu. Det var Ramón som fanns någonstans bakom ryggen, där hon inte kunde se honom, vid dunkla hörn och trappor när hon gick längs gatorna, ner i U-Bahn och in på bankkontoren innan de stängde. Hon såg bilden av Claudia suddas ut i vattenpölar och blanka glasväggar hon passerade, hon var en illusion, ett skådespel, och där var Ing-Marie igen, allt det drömmande och sköra som hon hade föraktat under alla dessa år, som lät sig luras och förföras.

Sent på kvällen hämtade hon sin väska och tog en taxi till Berlin Hauptbahnhof.

Hon köpte biljetten i en lucka, betalade kontant. Kände tyngden av väskornas innehåll och värde när hon stod i den väldiga hallen och letade bland skyltarna för att hitta rätt avgång. Järnvägsstationer var för alltid förknippade med hot, det fanns lagrat i hennes vävnader och hjärnbark. En känsla av undergång, att någon skulle gripa tag i hennes arm och föra henne bort, att hon aldrig skulle nå sin destination.

Nitton minuter kvar tills Berlin Nacht-Express skulle lämna stationen.

Hon köpte med sig några smörgåsar och en brittisk tidning att dölja sig bakom, gick mot perrongen. Över henne fanns valv av glas och stålkonstruktioner, hon såg en duva som flög upp och dunsade i det svävande taket.

Nattåget stod redan inne, någon baxade ombord en väska, någon tog farväl. Där var skriet av bromsar och slammer av järn mot skenorna, utropen som ekade på tyska. I en papperskorg släppte hon ner sin mobiltelefon. Sim-kortet hade hon gjort sig av med i en annan del av staden.

Hon steg på och letade sig fram till sin sittplats. Sovvagnarna hade varit fullbokade, men det spelade ingen roll. Sömn var ingenting hon räknade med.

Hon inväntade rycket när tåget sattes i rörelse. Sedan drog hon för gardinen.

STOCKHOLM
2014

Det fanns en trappa som ledde ut från arkitektkontoret, direkt ner på bakgården. Helene sjönk ner i trädgårdssoffan där folk brukade sitta och röka. I mobilen hörde hon Guillermo prata, berätta i detalj om hur gripandet hade gått till.

Polisen hade spårat hennes mobiltelefon till en lägenhet i Palermo. Eftersom gps:n hade varit påslagen hade det gått fort. Adressen visade sig vara en lägenhetsbordell.

”Jag önskar att jag kunde säga att de tog honom med byxorna nere, men det verkade inte som att han hade kommit så långt.”

Squatina, eller Ramón, som egentligen hette något helt annat, hade åtal att vänta på åtskilliga punkter. Han hade mycket riktigt varit underrättelseagent i Operation Cóndor, utsänd för att infiltrera bland latinamerikanska flyktingar i Europa. Det var i sig ingen åtalspunkt. Det han skulle komma att anklagas för var illegala bortföranden, förhör under tortyr och medverkan till mord i fånglägren i Argentina. Troligen skulle åklagaren yrka på livstid, eller möjligen trettio år, vilket väl i hans fall kunde kvitta lika.

”Vad säger han?”

”Det ser ut som att vi har en annorlunda rättegång att vänta”, sa Guillermo. ”Squatina hävdar att han bröt mot order, vilket mig veterligen ingen har anfört tidigare. Att lyda order var heligt för dem, om deras överordnade sa att det var krig så var det krig, om de fick order att slänga människor levande ut från ett flygplan så gjorde de det."

"Har han några vittnen?"

Helene flyttade sig lite bort från lukten av en askkopp där det pyrde. Hörde eko och röster i bakgrunden, såg för sig att Guillermo befann sig i domstolen i Buenos Aires.

"Vi har inte sett några än", sa han.

"Han hotade mig. Sa att han hade kontakter överallt, att det fanns människor i Europa som kunde skada mig och mina barn."

Det tystnade omkring Guillermo, hon föreställde sig att han gick undan i en vrå.

"Män som han", sa han, "som rådde över liv och död en gång inbillar sig gärna att de ännu har makt, men de är gamla nu. Ingen vill förknippas med dem. Deras nätverk är krossade, de ser inte att tiden har sprungit ifrån dem."

Helene blundade. Hon kunde när som helst återkalla natten i det där huset, känslan av att berövas makten över sitt eget liv.

"Och om han har några vänner kvar", fortsatte Guillermo, "så lär de försvinna nu. Militärerna har som sagt alltid försvarat sig med att de var tvungna att lyda order. Jag tror inte de uppskattar om en av deras egna ställer sig i vittnesbåset och påstår att det fanns alternativ."

En kort paus i andra änden. Hon vände ansiktet mot solen. Var det över nu, kunde hon sluta se sig om över axeln?

"Jag är säker på att du inte har någonting att oroa dig för", sa han.

Helene försökte hitta en känsla av lättnad när hon gick upp- för trappan till kontoret igen, men oron fanns kvar i magen, värkande och diffus.

Det var ju inte bara det ena, det var också det andra och det tredje.

Systemritningarna, som hon hade varit tvungen att kasta

sig över, och som nu måste revideras, familjesituationen. Jocke hade messat att han skulle åka till stugan över helgen. Han behövde vara för sig själv och tänka, skrev han, och skulle inte ha mobilen på. Om det var något med ungarna fick hon ringa till grannen.

Det var fredagseftermiddag och folk hade börjat dra sig hemåt, men Ariel skulle på sova-över-kalas hos en kompis och Malte var på fotbollscup. Det enda som väntade på henne var en tom lägenhet och ältandet av sina egna tankar.

Helene begravde sig i ritningarna över kvarteret Oxeln igen. Såg byggnaderna framträda, vandrade in och ut ur framtida hem. Vändplanen var för trång enligt kommunens handläggare, sopbilarna hade inte plats att vända, och därför måste hon ta bort ett radhus, men plus och minus måste ändå bli till noll. Hon ägnade några timmar åt att byta ut paneler i cederträ och metalldetaljer i fasaderna mot billigare material, förenklade och lade in standardlösningar i köken, det var så det ofta blev. De storslagna visionerna skalades ner till verklighet.

"Toppen", sa Peo Ahlsén när hon avrapporterade, höjde bara blicken helt kort från sin egen dator. "Tur att du blev frisk, det hade varit tungt för någon annan att gå in och riva i ditt projekt, sådant vill man ju helst slippa."

"Jag hoppas det inte ställde till några problem att jag var borta", sa Helene och försökte se någon reaktion i hans ansikte, men där fanns ingen. Ett intensivt fokus på budgeten han hade framför sig, siffror i jämna rader.

"Nej då, vi fixade det", sa han och Helene sa trevlig helg och gick tillbaka till sin plats för att göra en back-up och stänga ner. Det hade inte nått fram till hennes chef att hon hade ljugit om sin sjukfrånvaro och påstått hemma att hon var på konferens i Argentina. Efter några minuter av "hej, är du tillbaka?" och "hej, hur mår du?" var allt som vanligt igen. Växeln sköttes av ett externt företag så telefonisterna kunde inte skvallra och sprida rykten, hon var bara ett namn på en skärm, en inkoppling. Skulle förlora lite inkomst, det var allt.

I en paus, medan datorn bearbetade och säkerhetskopierade de nya filerna och Helene inte kunde göra annat än att vänta, vägde hon mobilen i handen.

Fingret på knappsatsen, började skriva in namnet Billie Jean. För sista gången, tänkte hon, sedan skulle hon ta bort både Charlie och sig själv därifrån. Bara en enda gång till skulle hon ljuga för Jocke. Och det var väl egentligen inte att ljuga? Hon kunde ju inte få tag i honom på telefon och därmed kunde hon heller inte berätta något. Om han frågade i efterhand vad hon hade gjort den här kvällen skulle hon svara "ingenting särskilt".

Bara ett enda möte till, bara det. Det var det sista som fanns inom räckhåll att få veta, sedan skulle hon kunna lägga allt det här bakom sig.

"Ser fram emot ikväll", skrev Hela Härligheten och sedan övergick han till att mer i detalj beskriva vad han såg fram emot.

Hon behövde bara bekräfta, en knapptryckning, visst, såklart vi ses! Som Charlie skulle ha gjort, aldrig backat eller tvekat.

Vad är du rädd för, att ha lite kul någon gång?

Helene betraktade fotot. Hela Härligheten hade inte ens skrivit sitt riktiga namn. Han kunde vara vem som helst, en dåre, en våldsman, men hon kunde knappast be Uffe Rainer följa med som livvakt den här gången.

Hon lade undan mobilen när hon såg Ruben närma sig. En macka i handen som vanligt, en stor läsk, han tänkte visst tillbringa fredagskvällen på jobbet. Kanske satt och han spelade när alla andra hade gått, eller konstruerade programmen som skulle göra honom rik. Vid ett tillfälle hade han demonstrerat hur han digitalt återskapade byggena av Colosseum och Eiffeltornet, ner till minsta sten eller stålbjälke, rev och byggde upp dem igen.

Helene betraktade honom i smyg när han slog igång sina mäktiga program.

"Tror du att du skulle kunna hjälpa mig med en sak?" sa hon.

"Mm." Ruben lyfte inte blicken från skärmen.

"Vet du hur man gör när man söker en person utifrån ett foto?"

"Vad då, menar du?"

"Ja, för att få fram en matchning och uppgifter om vem han eller hon är?"

Hon anade ett leende i hans halvt bortvända ansikte.

"Ja, det måste du ju kunna om du ska börja dejta."

"Jag ska inte dejta. Det är en man som har trakasserat min syster, jag vill veta vem han är."

Ruben sneglade på hennes vigselring.

"Visst", sa han.

Helene tog upp mobilen igen och skickade bilden till hans dator.

"Själv är jag singel", sa han och tuggade på mackan medan fotografiet av Hela Härligheten framträdde på hans skärm. "Men man vill ju inte slösa bort sitt liv på tjejer som lägger ut retuscherade bilder. Man kollar upp henne, man sparar tid, det borde alla göra."

Med några snabba kommandon började datorn arbeta.

"Och man vill ju helst inte råka ut för någon dåre heller."

Hon hade verkligen inte tänkt ta på sig Charlies klänning en gång till, men på något sätt hade det blivit en nödvändighet. Den utplånade gränserna, den gav henne mod. Hon rufsade till håret, lade på lite för mycket smink. Parfymen doftade som Charlie.

Under det tre timmar långa uppehållet på Heathrow hade hon luktat sig igenom sortimentet i taxfreebutiken. En känsla av Charlie som stannade, som inte rymde och gjorde sig onåbar. Hon hade inte vågat använda den innan, men bestämde sig nu för att alltid ha den parfymen på sig, hon skulle köpa den på nytt när den tog slut.

Ett nyrenoverat hotell, en lobby med dämpad belysning. Hela Härligheten hade bokat rum för natten, med stor sannolikhet satt han och väntade när hon kom, tio minuter försenad. Det var tid som hade gått åt längs vägen för att tveka och stanna, ångra att hon hade gett sig in i det här.

Det fanns inga gränser för vad den där mannen ville göra med henne. Helene anade att han tänkte på det nu, när hon fick syn på honom i dunklet i ett hörn, i en smäcker fåtölj och med blicken ner i mobilen för att se upptagen ut.

En sista överläggning med sig själv, ett konstaterande att lobbyn var full med människor, det fanns personal, det fanns en vakt.

Ja Charlie, jag vet att jag är en fegis, så ge mig lite av ditt mod.

Helene drog in magen och gick fram till mannen.

"Jag tror det är mig du väntar på."

Hela Härligheten såg upp och gav henne ett litet leende.

"Tyvärr, inte den här gången."

Hon satte sig ner i stolen bredvid. Han fastnade med blicken på hennes ben.

"Om du ursäktar så väntar jag faktiskt på någon annan."

"Jag vet", sa hon, "men Billie Jean kunde inte komma så du får hålla tillgodo med mig."

Han stirrade på henne. Kanske hade håret blivit lite tunnare, men annars var han sig lik från bilden. Spräckliga glasögonbågar som var årets mode, lite för tajt skjorta.

"Vad är det här?" Blicken for genom lokalen, sökte efter den rätta versionen av Billie Jean. "Är hon sjuk eller?"

"Nej, hon är inte sjuk. Hon dog den där natten när ni träffades."

Det roade henne faktiskt att se hans reaktion. Hur han kastades från förvirring till chock och sedan rädsla och något som närmade sig panik, för att landa i en misstrogen min.

"Driver du med mig?" Han tog sin blåvita kavaj som låg över armstödet, plockade lite med den och kände efter att plånboken låg där den skulle, varför det nu var viktigt. "Hon levde i alla fall när jag såg henne sist, så om du har kommit hit för att … Vänta nu, är det här något slags feministgrej?"

Han tittade sig nervöst omkring, som om han väntade att få se en armé av hämnare och reste sig upp.

"Jag behöver inte sitta och lyssna på det här."

"Sätt dig", sa Helene.

"Är du medveten om att jag har betalat för ett rum här i natt? Jag vet inte vad du är ute efter, men att utge sig för att vara någon annan och allt vad du skrev … det är ju helt sjukt."

Han vägde från ena benet till det andra, helt uppenbart ville han gå, men kunde tydligen inte bestämma sig. Kanske trodde han ändå att hon hade menat något av det hon skrev, om fantasier hon ville förverkliga, kanske funderade han på om hon skulle duga som substitut till den verkliga Billie Jean.

Helene lade det ena benet över det andra och log.

"Patrik Lunde", sa hon. "Systemvetare. Gift med Erika Lunde, bosatt i Enskede, i en gul trävilla närmare bestämt, ser ut som att ni har en del äppelträd på tomten."

Hon höll upp mobilen med bilden av hans hus. Det stod en trehjuling på uppfarten.

"Vad i helvete …".

"Jag tänker inte ringa till din fru", sa Helene, "jag tänker inte koka soppa på dina barns kaniner. Jag vill bara veta vad Charlie sa den kvällen."

Hon klappade på stolsdynan där han hade suttit. Patrik Lunde suckade och sjönk ner igen, vände sig demonstrativt bort från henne.

"Vad ska jag säga? Hon levde när hon gick. Hon lämnade mig med notan."

Han fingrade på mobilen och såg ut som om han verkligen tänkte efter. Helene råkade se att han hade Karleksliv.se uppe, kanske hade han en kvinna i reserv om kvällen inte skulle gå som planerat.

"Nu förstår jag", sa han, "det var därför polisen hörde av sig och undrade om någon Charlie eller Camilla hade ringt. Jag nekade bara, jag hade ju aldrig hört namnen. Telefonen står på företaget. Jag säger aldrig vad jag heter och vill inte veta deras namn. Det blir bättre sex då, och noll krav, man kan vara den man önskar att man vore, om du förstår vad jag menar."

Han gav Helene en blick som fick henne att minnas något av vad hon hade skrivit, hon tittade bort.

"Berätta bara hur Charlie var den där kvällen. Var hon ledsen, var hon glad?"

"Ja, säg det, du kan ju titta själv."

Patrik Lunde höll upp sin mobil och visade ett foto av Charlie där hon skrattade mot kameran, ett annat suddigt och misslyckat, och sedan ett till där hon sneglade förföriskt, hon spelade spel inför mannen som hon inte visste vad han hette, men hon levde, det syntes verkligen att hon levde. Helene ville titta närmare, pränta in det där skrattet som ett sista minne, men Patrik Lunde stoppade ner mobilen i sin byxficka.

De hade setts ute i Jakobsberg den kvällen. Restaurangen var verkligen under hans vanliga nivå, men det var i alla fall ingen risk att någon skulle känna igen honom. En middag, några timmar, det var väl inget särskilt att säga om den.

"Sedan kom det fram vad hon egentligen var ute efter, och ärligt talat, det var inte för att ge gratis support som jag hade gjort mig fri en lördagskväll."

"Vad då för support?"

"Ja, inte av den sorten som jag hade i åtanke."

Mitt under varmrätten hade Charlie halat fram sin mobiltelefon och bett honom hjälpa henne med en sak.

Helene hajade till. Då hade hon alltså haft mobilen på kvällen, den måste ha kommit bort senare. Hon försökte skaka bort tanken, det var oviktigt, en telefon hit eller dit. Allt hon ville var att få en glimt av Charlie den där sista kvällen. Vem hon var, några ord som kändes sanna, en kärna, något litet som hon kunde nagla fast i sitt minne och förstå.

"Jag sa att det inte gick och jag var inte där för att jobba", sa Patrik Lunde, "men hon tjatade och gick på om att jag var systemvetare, jag borde väl ändå kunna sådant."

Han andades ut i en fnysning.

"Det var lördag kväll. Jag hade åkt ut till en förort på andra sidan stan. Jag hade verkligen ingen lust att sitta och känna efter, särskilt inte när hon började snacka om sin morsa. Gå i terapi, tänkte jag."

"Pratade hon om sin mamma?"

"Ja, det var ju hon som skulle ha det där mejlet."

"Vänta nu, vilket mejl?"

"Som hon ville att jag skulle spåra adressaten till." Han gjorde en grimas som sa det mesta om vad han tyckte. "Tjejen hade alltså skickat iväg ett brev på fyllan och hävt ur sig en massa elakt som hon ångrade. Sedan ville hon säga förlåt och släta över, men det var för sent, adressen var borttagen och mejlen studsade tillbaka." Han strök med båda händerna över pannan. "Så då kom hon alltså på den lysande idén att utnyttja mig för att försöka hitta den nya adressen."

"Kunde du få fram något?"

Några kvinnor i högklackat och champagneglas i händerna slog sig ner intill och Helene märkte hur han stramade upp sig, rättade till skjortkragen lite.

"Jag sa åt henne att man aldrig ska skicka iväg mejl som man skriver i affekt. Folk begriper inte hur det uppfattas i andra änden. Man känner sig befriad en stund och sedan kommer ångesten och man kan inte ta tillbaka det. Folk borde lära sig att använda hjärnan innan de trycker på 'sänd'."

"Vad sa hon om sin mamma?"

Patrik Lunde tog av sig glasögonen och höll dem mot ljuset, en vägglampa som lyste svagt. Gnuggade bort en liten fläck mot skjortan och tog på dem igen.

"Jo du, det var en snyfthistoria som räckte tills vinet var slut. Hennes mamma hade försvunnit på något outgrundligt sätt, och nu hade hon hittat henne igen, men då var det ju adressen som försvann istället, och det var som om allt upprepades, sa hon, hela det här traumat från hennes barndom och bla, bla, bla."

Han skrattade och suckade på samma gång. Helene önskade att han kunde vara tyst, så att hon bara kunde se det där sista framför sig. Charlie hade kanske fått kontakt ändå. Eller så hade adressen varit fel från första början. Hon orkade inte grubbla längre, ville bara gå därifrån nu. Det fick räcka. Det fanns ingen väg framåt, det tog slut där.

"Ja herregud, vilken kväll. Det var ju upplagt för att fortsätta hem till henne sedan, men då ska hon plötsligt ut på nattklubb, för hon behöver dansa och glömma säger hon. Jag tänker att det kanske ska mjuka upp henne, så jag hänger väl på då. Och så går bruden hem med en annan snubbe och lämnar mig med notan."

Helene blundade, kunde se sin syster i blinkande färger. Charlie som dansade ensam. Hela Härligheten kunde inte ha motsvarat hennes drömmar. Gjorde den andre det, den där JR Norlander, eller var han bara någon som stod till buds?

Hon tyckte sig se henne försvinna bort genom centrum, upplösas i mörkret.

"Kan man få in något att dricka här? Jag är ju för fan gäst på det här hotellet."

Patrik Lunde viftade efter en kypare som inte verkade se honom.

"Jag gick i alla fall efter dem en bit", fortsatte han. "Dum grej kanske, men min gräns gick faktiskt vid att betala för hennes drinkar. Om det finns en regel så är det att man delar på notan den första kvällen."

Han tycktes ha fått lite ögonkontakt med damerna bredvid, pratade lågt så att de inte skulle höra, men vinklade benen i deras riktning, rättade till håret lite för ofta nu.

"Men sedan insåg jag att det var en dålig idé. Det var rätt öde och jag ville inte gärna hamna i bråk. Den enda människa jag såg var en uteliggare som stod och rotade i en papperskorg och jag tänkte att vad fan, tjejen borde straffas för att hon blåste mig, men är det värt att missa tåget för en sådan sak?"

"Hon måste ändå ha gjort intryck på dig", sa Helene, "eftersom du ville träffa henne igen."

Patrik Lunde bytte ytterligare ett ögonkast med en av kvinnorna bredvid, de hade kommit så långt som till ett leende.

"Jag antog att hon hade insett sitt misstag", sa han.

"Fick du fram den där adressen?"

"Nej", sa han, "jag tror på integritet. Om det var sant som hon sa, att mamman hade bytt adress, så är det ett tydligt tecken i mina ögon. Hon ville inte ha någon kontakt."

Det var ännu tidig fredagskväll. På väg till tunnelbanan letade Helene sig fram genom det kaotiska bygget vid Slussen, hörde människor skråla. Folk satt längs kajen vid Gamla Stan och dinglade med benen. Vattnet var mjukt och blått. Hon tog fel när hon skulle till tunnelbanan och hamnade i en av gångarna som snart skulle rivas, det stank av urin. En känsla av obehag som hann ifatt, en krypande närvaro. För ett ögonblick fick hon för sig att Hela Härligheten hade följt efter henne, för att ta reda på vem hon var och sedan … ja, vad då? Förmodligen hade han redan glömt henne. Ändå såg hon sig om över axeln.

En strid ström av människor, men ingen i hans blåvita kavaj. Det fanns ingenting att vara rädd för.

Hon tog tunnelbanan till Centralen och fortsatte till pendel-tågen.

Kvällen var fortfarande ljus när hon steg av på perrongen i Jakobsberg, en ström av människor som återvände från inner-staden till förorten. Hon gick längs välbekanta gångvägar medan hon ringde båda barnen för att säga god natt.

Sedan satt hon i Barbros soffa och lät sig förses med brieost och skagenröra och allting släppte.

Hon hade gråtit sedan Charlie dog, men inte som hon nu grät, så att hela kroppen riste och krampade tills allt var urvridet i henne.

"Inte behövde du gå igenom allt det här själv", sa Barbro och hämtade pappersnäsdukar, "jag finns ju här."

Helene kände sig som en trasa efteråt.

"Jag har kämpat så länge med att förstå henne", sa hon och menade nog både Charlie och sin mamma, "men kanske kan jag aldrig göra det."

"Det viktiga är väl att man försöker", sa Barbro.

Helene kände hennes arm omkring sig, hur hon ansträngde sig för att inte tränga sig på men ändå fanns där. Värmen av hennes omsorg.

"Tänk att Ing-Marie har levt i alla år", sa Barbro som hade tagit fram en flaska vin och te medan Helene berättade vad hon hade fått veta. "Det är så svårt att förstå, att hon inte har tagit kontakt med sina barn på hela den här tiden. Kanske hon inte tordes."

Eller så sket hon bara i det, tänkte Helene. Sket i ett meddelande från sin son i Bogotá, sket i ett ilsket mejl från Charlie. Raderade sin adress, glömde bort oss igen.

Barbro reste sig och gick ett oroligt varv i rummet.

"Hon ringde på", sa hon. "Jag har inte berättat det. Ing-Marie ringde på dörren hemma hos er innan hon gav sig av, hos er pappa. Jag var där då, han var ute någonstans, och hon ville prata med Charlie, ja vi kallade henne ju Camilla då, men klockan var över åtta, jag hade lagt er. Jag visste att ni låg och babblade och fnissade därinne, Charlie brukade alltid berätta sagor för dig. Ing-Marie insisterade, hon sa att hon hade något viktigt att säga, men jag sa att ni sov. Jag vet inte varför jag sa det, jag var så arg på henne, hur hon bara lämpade över ansvaret."

Barbro slog handen för munnen.

"Du behöver inte", sa Helene. "Det spelar ingen roll nu."

Men Barbro stirrade in i väggen och fortsatte.

"Och så ville hon att jag skulle hälsa er pappa något, men jag sa att jag inte tänkte springa hennes ärenden, hon fick prata med honom själv. Han var ju ute och spelade och det fanns ju inga mobiltelefoner då. Men prata med honom i morgon då, sa jag, jag var så rädd också, jag kunde inte konkurrera med henne, Ing-Marie var vacker, hon var hans stora kärlek, och jag var väl bara någon som råkade komma i hans väg."

Helene sträckte ut sin hand, men Barbro drog sig undan.

"Nästa dag hade hon rest. Jag lät er inte säga adjö."

"Du visste ju inte."

"Men jag kände på mig att det var något."

"Det är en efterkonstruktion. Du kunde inte veta att hon aldrig mer skulle komma tillbaka."

Senare satt de bredvid varandra i soffan, det svaga juni-mörkret utanför. Helene kunde se deras ansikten i fönsterglaset. Den ena smal och den andra som med åren hade blivit ganska kraftig, där hade aldrig funnits någon yttre likhet.

"Jag gjorde fel", sa Helene, "jag skulle ha skrivit på de där pappren. Du är den enda mamma jag har haft, jag borde ha gett dig det erkännandet."

"Nej, det var jag som gjorde fel", sa Barbro, "jag skulle aldrig ha frågat. Jag kunde inte begära av dig att du skulle förneka var du kommer ifrån."

Helene strök med fingrarna längs den egna kinden, ansiktet som en gång hade funnits i en nästan identisk version.

"Det handlar inte om vem som har fött en", sa hon. "Ing-Marie har aldrig någonsin gjort någonting för mig. Så enkelt är det."

Timmarna hade gått medan hon satt på en bänk vid en liten lekplats. Inte ens fåglarna reagerade på hennes närvaro. Hon satt helt stilla. Det var något hon hade lärt sig, liksom att stänga ner kroppens funktioner när hon hade ett uppdrag som måste fullföljas. Hon kände varken hunger eller behov av att gå på toaletten.

En katt strök förbi genom buskarna. Det var en kväll som aldrig ville mörkna, människor tycktes aldrig vilja gå in. Där var oset från grillar på gårdarna och musik från tonåringarna som samlades i en park på baksidan, barn som var ute och cyklade fast det närmade sig midnatt.

Porten som öppnades, när hon till sist kom ut.

Helene Bergman.

Det gick en rysning genom henne, fast hon borde ha vant sig nu.

Det där blonda håret, en slank silhuett. Ett sätt att böja på nacken när hon tittade ner i sin mobil som hastigast. Hon bar något i sin famn som hon inte hade haft med sig dit, inlindat i tidningspapper. En bukett blommor. Det var svårt att finna sambandet mellan den långa gestalten i beige kappa och en liten flicka på ett fotografi. En klängande liten kropp mot sin egen, bilder av lekplatser som den här, av gångvägar där hon hade gått med barnvagn i snösörja.

Helene skulle inte upptäcka henne där hon var posterad, det var hon helt säker på. Det var en fråga om ljus och mörker, en gatlykta som lyste Helene i ögonen, och dunklet i den bortre änden av lekplatsen, bakom klätterställningen där Claudia satt.

Hon spände musklerna, gjorde sig beredd på förflyttning. Kroppen var inte lika smidig som förr, men tränad för betydligt svårare terräng.

Vid ett tillfälle under kvällen hade deras blickar mötts. I en tunnel under Slussen, när hon var på väg från det där hotellet, hade Helene hastigt vänt sig om. Claudia hade stelnat och tittat ner på något hon låtsades ha i sina händer. När hon såg upp igen var Helene på väg bort, ner mot tunnelbanan. Ett flyktigt ögonkast bara, vad hade hon sett? En obekant kvinna i pensionsåldern, en främling bland andra?

Och sedan Jakobsberg. En förnimmelse av att ingen tid hade gått. På pendeltåget hade hon suttit sju rader bakom Helene och betraktat den ljusa nacken, sett sig själv eller den hon hade varit en gång, och bakom henne satt den åldrande kvinna som också var hon, eller om det var Claudia som var den gamla och Ing-Marie som slutligen hade lämnat hennes kropp.

Helene hade stannat till, bara några meter från porten. Tycktes tveka om vart hon skulle gå. Hon var alldeles för synlig där hon stod, rakt under gatlyktan som fick hennes ansikte att lysa i en grönaktig ton. Trots avståndet kunde Claudia urskilja dragen i hennes ansikte, där fanns något oroligt. Den tunna huden av någon som inte hade härdats, som hade levt sina nätter inomhus. Någon hade tagit hand om dem. Någon som bättre förstod hur det skulle göras, som visste vad små barn behövde när de skrek. Av Ing-Marie hade de aldrig haft någon nytta. Hon hade varit en fara för dem, glömde spisen på och kunde inte hålla läggningstiderna, det hände att de kom utan overaller till dagis och personalen fick ringa till folkhögskolan.

Att just den detaljen dök upp.

Hon rörde sig sakta närmare, följde gräskanten och hukade

intill buskarna med en mjuk, lite knäande gång som gjorde att hennes fötter inte åstadkom några ljud. Bortanför lekplatsen reste sig ett punkthus och där bakom fanns förföljaren.

Claudia kunde känna hans närvaro, hade iakttagit honom ända sedan Helene lämnade sin arbetsplats tidigare på kvällen. Det hade inte tagit mer än fem minuter att upptäcka honom, trots att han var professionell.

Samme man vid tre korsningar, som valde samma vägar.

Han var inte lång, men kompakt och vältränad. Ett huvud helt utan hår, en mörk jacka. Till det yttre såg han ut som vem som helst i mängden, men Claudia kände igen honom. Inte hans person, men den han var. Fokuserad på målet, sammanbiten, outtröttlig.

Det hårda som kunde anas i hans rörelser, till och med på håll.

Utanför bostadshuset i Vasastan, där Helene hade stannat i fyrtio minuter innan hon kom ut igen, omklädd, hade mannen befunnit sig i en port på andra sidan gatan. Vid hotellet där Helene hade haft ett möte satt han med en öl på uteserveringen. Drack den onaturligt långsamt.

Claudia hade vid ett par tillfällen kommit honom så nära att hon tyckte sig känna hans lukt, men hade inte funnit ett enda tillfälle att ta ner honom.

Vapnet höll hon i handen i fickan.

Det hade funnits människor överallt. Vuxna, unga, barn. Hon kunde inte minnas detta Sverige. Hon mindes tomma gator och stillsamhet, inte myriader av strosande människor i kvällssolen, uteserveringar och cyklister och musik.

Mannen hade inte upptäckt henne, det var hon säker på. Hennes gråhet och ålder gjorde henne mer eller mindre osynlig och han var fokuserad på Helene. Det var henne han dolde sig för, inte för någon som fanns bakom hans rygg.

Liksom Claudia inväntade han ett tillfälle. Det där ögonblicket som måste komma, när ingen såg, när detta sommarmyller skulle upplösas och lämna sikten fri.

Helene hade börjat röra sig längs trottoaren. Det gick en gata genom området, parkerade bilar skymde sikten. En man kom gående med en hund i koppel. I ett fönster på andra våningen såg Claudia en skymt av en äldre kvinna som tittade efter Helene när hon gick. Hon såg flimmer från tv-apparater i andra fönster, hörde dunkande musik spelas någonstans, men färre människor rörde sig ute nu.

Kände vapnet i fickan.

Det naturliga var att Helene skulle svänga av och följa den gångväg som ledde mot pendeltågen. Då skulle hon passera bara några meter ifrån. Claudia dolde sig i porten till punkthuset för att vänta in mannen när han följde efter. Det var tillräckligt folktomt, ett möjligt tillfälle.

Han kalkylerade säkert på liknande sätt. Troligen var han otålig nu. Ville slutföra jobbet, men minimera risken, annars hade han redan agerat.

För några timmar sedan hade hon gått ett varv runt huset, för att lokalisera honom. Hade anslutit sig till en grupp pensionärer på väg till Konsumbutiken och var säker på att han inte hade lagt märke till henne. Däremot hade hon sett honom, med en cigarett och en tidning på en bänk.

Nu när sommarnatten hade fallit hade han säkert lämnat bänken och gömde sig i skuggorna istället.

Claudia stod helt stilla. Det var tveksamt om någon ens såg att det fanns en människa där, Det tveksamma mörkret suddade ut konturerna. För några sekunder försvann Helene ur sikte, doldes bakom huset. Claudia väntade på att få se den ljusa kappan igen, tio meter längre fram där gångvägen blev synlig.

Det gick några sekunder, innan hon insåg att det inte stämde. Två snabba steg, så att hon kunde se runt hörnet. Där var Helenes rygg, hon hade valt en annan väg och följde trottoaren rakt fram, ökade takten nu. Snart skulle hon passera lastkajerna bakom butiken där mannen med stor sannolikhet fanns.

Claudia gjorde en blixtsnabb bedömning, sedan valde hon ljuset längs gångvägen. Det var för sent att ta omvägar mellan buskarna. Hon gick med bestämda steg i riktning mot gatan, likt en äldre dam med lite bråttom hem.

Såg Helenes ljusa kappa fladdra längre fram och blev varse en rörelse i dunklet. En mörk skepnad bakom affären, vid lastkajerna. Hennes grepp hårdnade kring vapnet. Där var några ungdomar som kysstes i en port, röster av människor som ännu satt ute på balkongerna. Hon var inte van vid de här förhållandena. Kanske förvirrade det henne också att hon gick i spåren av sig själv, känslorna som väcktes av den smala nacken långt där framme. Hon tvekade några sekunder för länge.

Mannen var på väg efter Helene. Han sneddade över gatan, men höll samma riktning. Claudia måste invänta ett kort avstånd innan hon fortsatte längs trottoaren.

Helene försvann ur sikte och mannen började småspringa där framme. Vid slutet av gatan fanns en parkeringsplats, det var där Helene hade svängt in. Nu var den ljusa kappan på väg ut genom ett vändkors i andra änden, hon gick fortare nu. Anade kanske en fara i luften, att tryggheten av de många människorna hade tunnats ut. Claudia tvingades att stanna upp. Hon såg inte mannen, men instinkten sa henne att han kanske iakttog henne nu.

En rörelse i mörkret och sedan något som blinkade till. Claudia lyfte vapnet när hon fick se en gestalt, men det var någon annan, en längre person som klev in i en bil. Motorn startades.

När lyktorna svepte över parkeringen fick hon syn på förföljaren igen. Han var på väg ut från parkeringen, mot Viksjöleden där en gles ström av bilar fortfarande svepte förbi. Claudia hämtade informationen djupt ur det glömda, dessa gångvägar och tunnlar som gick under alla genomfartsleder, hon tog risken att springa lätt hukad bakom raderna av parkerade bilar. När hon kom fram till vändkorset såg hon mycket riktigt den ljusa gestalten, på väg in i en tunnel under vägen.

Mannen var uppenbarligen på väg för att genskjuta henne på andra sidan, men hade hejdats av en buss som skulle förbi.

Risken att han skulle se sig om var inte stor, han var alltför inriktad på målet. Claudia sprang längs gångvägen. När hon kom till tunneln växte ljudet av hennes steg, hon var ovan vid att höras, i terrängen var alla rörelser tysta. Stannade upp tjugo meter från mynningen, försiktigt och ljudlöst nu, smög längs betongväggen fram till öppningen.

Hon såg ingen där. Gångvägarna som löpte åt flera håll. Framför henne tog ett villaområde vid, där sluttade marken uppåt, hon hörde surret av mygg i luften och ännu ett fordon. Annars ingenting.

Claudia klättrade uppför slänten för att få överblick, rev ner lite grus och stenar som studsade mot asfalten nedanför. Spanade över garage och villatak. Längre bort blev träden högre. Något stack till på handen, en mygga. Hon lät den vara.

Spanade in i mörkret som tätnade där borta.

Helene stannade först när hon kom fram till staketet kring den gamla dammen. Det var helt öde i parken vid folkhögskolan och säkert en dum idé att gå dit, men omvägen var så kort och när hon nu ändå hade fått de där blommorna.

Det fanns inget blänk i vattnet. Några väldiga lönnar skymde ljuset från vägarna omkring. Det gick inte att urskilja var vild-vuxet gräs och stenar slutade och vattenytan tog vid. Hon mindes hur sörjig den hade varit, kanske växte den igen helt så här års.

Hon vecklade ut pappret kring blommorna, de vackra orki-déerna som Barbro hade drivit upp av frön från Provence. Det var ingen lätt sak, hade hon förstått, gällde att tillsätta en exakt mängd av kålrot eller potatis i mixen där embryot skulle gro.

Helene hade inte sagt vad hon skulle göra med blommorna. Den tanken hade kommit först när hon stod utanför Barbros port. Ett behov av att få dröja sig kvar och avsluta något, innan hon tog pendeltåget hem och började reda upp sitt eget liv. Kvällen var mild och stilla, där fanns alla de där dofterna av sommar som hon inte riktigt hade känt förut.

Det var ingen slump att människor höll begravningar, uppfann ceremonier. Man behövde sådant, en symbolisk slutpunkt.

Därför drog hon ut den ena resliga, vita blomman efter den andra ur buketten och slängde dem ut över dammen. Hade sökt efter passande ord medan hon gick, ett sista farväl till en mamma hon ändå aldrig hade haft, men det behövdes nog inga storslagna ord. Bara en punkt.

Månen kom fram medan hon stod där, förvandlade ytan till ett skimmer av silver. Helene såg den ena orkidén efter den andra landa och göra svaga ringar i vattnet. Hörde en gök som hoade någonstans, alldeles ovanför henne.

Sedan uppfattade hon ljudet av steg. Snabba sulor mot asfalt, det var någon alldeles bakom henne. En stöt genom kroppen, en ilande rädsla. Hon vände sig om och såg mannen komma emot sig, i en enda smidig rörelse var han mindre än en meter ifrån henne. Hon kunde inte se ansiktsdragen riktigt, det var för mörkt, men den kala skallen lyste i månskenet. Det var också något med formen på huvudet, eller om hon bara visste.

Helene backade mot det låga staketet.

"Jag gick i förväg", sa hon, "de andra kommer snart, de är på väg."

Tänderna glimmade till och hon tyckte sig se honom klart nu, det där ansiktet som hon hade stirrat på så många gånger på en dålig liten bild, blicken, det var han.

"Jag tror inte det", sa han, "jag tror att du är helt ensam Helene Bergman, och det var på tiden. Jag har börjat tröttna på att följa efter dig nu, på hela din familj faktiskt. Det var ena förbannat envisa jävlar."

Helene kunde inte backa mer, det var stopp, det låga staketet sköt in i låren. Hon kände värmen av hans andedräkt när han krokade armen runt hennes nacke. Böjde henne ner. Helene skrek, men det hördes inte. Han tryckte för hårt mot strupen. Hon vred sig och försökte sparka mot hans ben, hörde bara spridda ord han väste någonstans ovanför henne.   *att snoka din syster   ge fan i   hålla käften   ko-ko*

Det finns ingen här, tänkte hon, jag får inte dö. Hon fick in en spark som måste ha träffat för han tappade greppet och hon kastade sig framåt för att springa, men fick en knuff i ryggen så hon ramlade i gräset, där var nässlor som brände ansiktet och händerna. Helene trevade i gräset efter en sten eller något. Hans hand i kläderna vid nacken, som drog upp henne igen och hon hade hans ansikte alldeles nära, nu såg hon honom tydligt, såg något i ögonen som hon inte förstod. Vrede, men också något avslaget, som likgiltighet. Hon kunde inte skrika. Det skulle inte hjälpa. Det var detta Charlie hade sett i sina sista sekunder på balkongen, och i det ögonblicket var de en och samma, hon kände Charlies rädsla och visste att efter detta fanns ingenting. Hon skrek inte ens när han vräkte henne över det låga staketet och vassa träpinnar rev längs ryggen. Kappan fastnade och slets sönder och sedan ramlade hon mot stenarna i strandkanten och hörde dunsen av sitt eget huvud. Så var han över henne, hon såg månen bakom hans huvud och kände hur han fick tag i hennes sjal och drog åt, hon fick dit en hand och slet i den allt vad hon kunde, barnen, nu fanns bara barnen, hon måste finnas kvar.

Håll käften sa jag   knulla dig som   aj fan

Luften försvann och hon kände hur hon gled ner i vattnet, fick lera i munnen och så var hans händer över ansiktet och tryckte henne ner, hon bet och sparkade och sjönk i slammet, sjönk ner i det bottenlösa.

Hon kunde andas. Det var det enda hon visste när hon steg mot ytan, att där fanns luft. Sedan hörde hon fåglarna kvittra som besatta.

Helene slog upp ögonen.

Hon såg en rödmålad stolpe och en bit av ett tak. Sedan himlen som var för ljus för att skönja några stjärnor. Något hårt under henne, ett golv. När hon vred lite på huvudet kände hon hur ont det gjorde. Där var några trappsteg som ledde ner till en gårdsplan. Armen hade domnat under huvudet. En liten stund låg hon bara stilla och tittade på något slags gräs som var snärjt runt handleden. Allt var sant. Hon hade legat i dammen, pressats under vattnet tills hon inte kunde andas, hon mindes gyttjan som sög henne ner och ögonblicket när det inte fanns något syre kvar och sedan hur huvudet sprängdes, det lät som när en bomb exploderade och sedan tog allting slut.

Helene vred lite mer på huvudet. Kände igen den ljusa, herrgårdsliknande byggnaden längre bort. Alldeles intill henne fanns en skylt om tvåornas konstutställning som skulle öppna på söndag. Hon befann sig på folkhögskolans mark, på förstubron till en av flyglarna.

Utan att röra för häftigt på huvudet lyckades hon sätta sig upp. Det värkte och sved i ryggen, armen kändes stukad och hon hade sår på båda händerna. Hon försökte definiera smärtan i huvudet. Där var nacken, pannan, hon kände försiktigt med fingrarna, där fanns ett sår men blodet hade torkat. Hon hade något lindat om huvudet. Sin sjal. Försiktigt trevade hon längs bakhuvudet och fick blod på handen. Det var kladdigt, men verkade inte rinna längre. Tyget verkade ha stoppat blodflödet. Hon försökte minnas hur hon gjorde för att ta sig upp ur dammen och binda om sitt huvud och sedan promenera uppför kullen för att lägga sig här och sova, men det var helt tomt, det fanns inte. Det sista var dammen. Sedan ingenting, tills hon vaknade på förstubron.

Kläderna var fortfarande blöta. Hon hade inget begrepp om hur länge hon hade legat där. Det ljusnade fort och fåglarna levde om, men av friden och den låga solen förstod hon att det ännu var natt. Det kunde inte ha gått mer än högst en timme, eller ett par.

Helene kände i fickorna efter mobilen. Den fanns ingenstans, hon måste ha tappat den när hon slogs för sitt liv. Hon såg sig om och där stod i alla fall hennes väska, prydligt lutad mot väggen under en fastbyggd bänk.

Den var helt torr. Mobilen låg inte där heller, men allt annat. Det var ingen småtjuv som hade överfallit henne, både konto-kort och pengar fanns kvar i plånboken och det fick rädslan att återvända med full kraft, insikten om att det var henne han var ute efter, ingenting annat.

Helene tog tag i stolpen och lyckades resa sig upp. Det var inget fel på benen. Hon lyssnade, allt var stilla. Sakta började hon gå ner mot utfarten. Mannen som hade överfallit henne fanns inte längre där, det lugnade hon sitt skenande hjärta med. I så fall skulle han väl ha följt efter henne och avslutat jobbet. Hon ville inte gå nära dammen igen, men om hon hittade mobilen kunde hon ringa en taxi och ta sig därifrån.

Hon borde åka till ett sjukhus nu, hon skulle koppla in po-lisen, det måste bli så.

Mannen som kallades JR visste vem hon var, han kände till hennes familj, hon skulle straffas för att hon snokade. Så mycket hade hon hört av vad han sa. Det följde en logik, som endast bröts av det faktum att hon levde.

Gräsmattan var översållad av vita tusenskönor. När hon vek in mellan träden blev grönskan så intensiv att det gjorde ont i ögonen, en nästan besjälad närvaro. Ett pilträd böjde sig över dammen, morgonsolen föll snett in mellan löven och skapade ljusspel i vattnet. Hon fick se en av sina orkidéer ligga helt stilla, vilande bland frömjöl och vattenväxter, en slända som studsade över ytan.

Just vid kanten, bland stenarna där hon hade ramlat, blänkte det till av något i metall. Helene tittade åt alla håll. Det satt en hare uppe i slänten. Känslan av fara existerade bara i hennes eget huvud. Hon tog klivet över staketet och fick lukten av det unkna vattnet i näsan när hon böjde sig ner, svalde en kväljning. Det var verkligen hennes telefon som låg där, den hade inte ens blivit blöt. När hon tog upp den föll blicken på en mörk fläck på en av stenarna. Det kunde vara hennes eget blod. Helene reste sig lite för snabbt och måste stå böjd några sekunder medan det gick runt i huvudet. Några av orkidéerna hade flutit längre bort i dammen och hon tänkte att det var konstigt när vattnet var så stillastående, en av dem hade till och med rest sig en aning och tycktes stå i vattnet, nästan dold av pilträdets lövverk.

Sedan såg hon att den inte alls hade formen av en orkidé, den lyste bara lika vitt. Hon gick sakta närmare tills konturerna blev tydliga.

Det var en hand. En människas hand som sträckte sig upp ur vattnet. En känsla av att det kröp runt omkring den, att själva dammen hade börjat leva. Solen bröt fram mellan träden och hon insåg att den faktiskt gjorde det, där fanns tusentals små mygglarver som var på väg att kläckas och i ljuset såg hon nu också det som låg under ytan, den mörka kavajen flöt ut som vingar runt kroppen. Mannens ansikte hade fått en gulaktig ton och ögonen var så mycket större än när han levde, han hade gapat när han dog. Han såg förvånad ut. Det tycktes som om en del av huvudet saknades, att han flöt i blod. Det vände sig i magen. Allt det där unkna, vedervärdiga, svämmade över i henne, hon var full av det sörjiga vattnet och larverna och blodet. Hon hade gjort något som dödade honom, men visste inte vad. Det skrämde henne ännu mer, att hon mindes allt fram till den punkten och sedan ingenting.

Hon snubblade tillbaka genom nässlor och kvistar, bort därifrån, måste stödja sig med händerna mot marken för att inte ramla bland grenar och ojämnheter. Tog sig över staketet igen, rättade till kläderna. Sedan gick hon så fort hon kunde, bara gick utan att se sig om eller stanna.

De nya byxorna var en aning för stora i midjan. Riddarn höll i dem med ena handen när de gick ut genom sjukhusentrén som om han var rädd för att tappa dem.

Personalen hade hjälpt honom med rakning och Helene hade betalat för en frisör. Hon mindes inte att hon någonsin hade sett honom så prydlig.

Riddarn böjde sig fram och borstade av sätet med handen innan han satte sig i bilen. Helene undrade om han var rädd för att bli smutsig, eller för att smutsa ner. Hon satte sig tyst på förarplatsen, körde ut mot E4:an. Riddarn strök sig ideligen över hakan som om han inte kunde sluta förundra sig över att den var så slät.

"Då blir det väl sommarlov snart", sa han, "för småknoddarna."

"Ja, fast skolavslutningen har redan varit", sa Helene.

Hon höll ögonen på vägen. Det var ovant att sitta i samma bil, kanske hade det aldrig hänt förut. Trafiken lättade i höjd med Rinkeby. På Riddarns sida bredde Järvafältet ut sig.

"Så nu ligger han med näsan upp, den busen."

"Ja, det kan man säga", sa Helene.

"Om du frågar mig så var rätt åt den jäveln." Riddarn satte fingret mot huvudet och härmade ljudet när ett skott gick av. "Det är nästan så man vill bocka och tacka den som gjorde det."

Helene svängde av från E18 och lät gps:en avgöra vilken som var närmaste vägen till Görvälns Griftegård. Hon hade fortfarande blåmärken på armarna, såg dem när händerna vilade mot ratten.

Riddarn hade försjunkit i en Metro som han fått med sig från sjukhuset. När de närmade sig folkhögskolan saktade hon in lite, såg husen höja sig på kullen när de körde förbi. Kramade ratten och andades lugnt för att inte börja skaka igen, som de första dagarna efteråt.

Hon hade trott att hon hade dödat en människa.

Den natten hade hon tagit sig ner till pendeltågen innan hon vågade stanna för att ringa. Det hade funnits glesa strömmar av människor omkring henne, sena nattfestare och tidiga morgonpendlare, hon hade tryckt sig mot buren där biljettkontrollanten satt medan hon rev igenom plånboken efter visitkortet hon hade fått.

Aurek Krawczyk hade svarat trots att det var mitt i natten. Helene hörde på hans röst att hon hade väckt honom.

Tillsammans med en kvinnlig kollega hade han hämtat henne och kört henne till sjukhuset. Andra patruller tog tydligen hand om det som måste göras vid dammen. Enligt läkaren var det inget fel på henne, annat än det uppenbara. Lite plåsterlappar var allt som behövdes, en gasbinda runt ena handleden.

De tog prover under hennes naglar också, granskade hennes händer.

Dagen efter hade de hållit ett regelrätt förhör.

Den döde i dammen var identifierad som Jan Rune Norlander. Hans kropp bar mycket riktigt spår av slagsmål, klösmärken bland annat, i ansiktet och på armarna. Teknikerna hade tömt dammen på vatten, men inte hittat mordvapnet.

"Vad då för vapen? Det fanns väl inget vapen."

Helene hade tänkt på stenar och flaskor, något hon måste ha slagit honom i huvudet med och förträngt. Hon hade blundat och försökt, verkligen försökt att minnas.

"Enligt en preliminär analys sköts han troligen med en Baikal, en rysktillverkad pistol som brukar borras upp för att kunna avfyra en nio millimeters kula. Vi ser dem ganska ofta, tjeckisk ammunition."

Hon hade inte förstått.

"Vad menar du? Han kan inte ha blivit skjuten. Jag säger ju att det var självförsvar. Han överföll mig, vi slogs, han tryckte ner mig under vattnet. Jag minns inte mer."

Den tekniska bevisningen stödde i övrigt hennes historia, så långt hon kunde berätta. Spår av slagsmålet, rester av hans hud under hennes naglar, men inga tecken på att hon skulle ha avfyrat ett vapen.

"Och du såg verkligen ingen annan i parken eller på vägen dit?"

"Nej", sa Helene. Hon hade verkligen tänkt på det där, återkallat den där vägen om och om igen. "Ingen som verkade misstänkt."

Hon skymtade kors och blommor mellan träden där de steg ur bilen, gravplatser utspridda i skogen. Riddarn stånkade i trapporna. Minneslunden låg högst upp på ett berg. Där var gräsmattor och blomsterställningar, en trasig fontän.

Riddarn såg sig omkring, stod villrådig med blommorna i handen.

"Var har de lagt henne då?"

"Det får vi inte veta", sa Helene, "de sprider askan bland de andras aska, det är så det är."

Hon pekade på ställningen med små plastvaser där man kunde lämna sina blommor. Riddarn misslyckades ett par gånger med att få buketten att hålla sig på plats, den var lite för stor för ändamålet. Helene motstod impulsen att gå fram och hjälpa honom. Hon undrade hur hans sorg såg ut, men kunde inte fråga.

Såg ut över ängarna och skogarna där nere, kapellet där de hade hållit begravningen.

På något sätt var det bra att Charlies kropp inte längre fanns.

Det innebar att ingen kunde dra fram den ur något skåp och börja skära i henne på nytt, det var för sent för det, hon skulle få vila i frid.

Utredningen hade öppnats på nytt. Sambandet med överfallet på Helene gick inte att bortse ifrån. Norlanders DNA hade funnits i Charlies kropp.

Helene ville inte tänka på henne tillsammans med den mannen. Hon mindes hans blick där vid dammen, händerna som tvingade henne ner. Att Charlie hade låtit sig lockas av honom var något av det hon aldrig skulle begripa.

"Vi fann förresten en liten mängd kokain i hans fickor", hade Krawczyk sagt. "Kanske var det han som bjöd din syster."

Om Charlie verkligen hade blivit mördad så var motivet höljt i dunkel, droger kanske, eller något annat som hade med Norlanders verksamhet att göra, kanske föll hon bara offer för en våldsam man.

Och så hade Riddarn och sedan Helene rotat runt och ställt frågor där den organiserade brottsligheten inte ville ha dem.

Så enkelt var det kanske.

Granskningen av Norlanders affärer skulle förmodligen pågå mycket länge. Man hade hittat kontaktvägar och transaktioner som ledde lite varstans över gränserna, långt bortom Skatteverkets kontroll.

Polisen arbetade utifrån teorin att mordet på Norlander inte hade med det övriga att göra. Skottet som dödade honom, avståndet och precisionen, tydde på en professionell skytt.

"Det verkar som att du kom i vägen för en uppgörelse inom den organiserade brottsligheten", sa Krawczyk. "Såvida du inte hade en skyddsängel, förstås."

Blommorna lutade i behållaren. Riddarn satte försiktigt ner fötterna på gräset när han gick, som om han var mån att inte störa.

"Jaha", sa han och stod tyst en stund, drabbad av friden eller sorgen eller för att han inte visste vad han skulle säga. "Det var bussigt av dig att köra mig hit."

"Börja gå ner du", sa Helene, "jag kommer snart."

Hon gick sakta till det bortre hörnet av minneslunden där träden skuggade gräsmattan. Enligt skyltarna var det just där som askan av de döda grävdes ner, en uppmaning om att helga platsen. Det var inte tillåtet att sätta upp egna gravstenar, gravlyktor eller foton, ej heller att plantera levande eller konstgjorda växter.

Helene satte sig på en låg mur som löpte runt platsen, lade en hand på gräset.

Jag saknar dig, tänkte hon, jag vill att du är här.

Hon försökte känna något större, en närvaro, ett svar, men där var mest dofter av barrskog och gräs, den ljumma vinden.

Hon väntade tills två gamla damer blev färdiga med sina funderingar och långsamt gick därifrån, sedan böjde hon sig ner och grävde upp en tuva. Jorden var fuktig, det blev ett skapligt hål. Hon kände på armbandet en sista gång. Det slitna lädret, silvertråden. Sedan lade hon ner det i gropen och täckte över med jord och gräs.

Sade tyst hej då.

"Du kan släppa av mig här. Det blir bra det."

Riddarn pekade var hon skulle stanna, invid parken bakom Jakobsbergs centrum. Det fanns något ivrigt i hans rörelser, som om han hade längtat efter att få komma hem.

"Klarar du dig nu då?" sa Helene.

"Inga problem."

Hon räckte honom en påse med lite extra kläder. Riddarn tittade ner i den.

"Du, det här var inga dåliga grejer." Han fick upp en halsduk i cashmere och slängde den runt axlarna. Helene hade snott den ur Jockes garderob, en julklapp för flera år sedan, hon hade aldrig sett honom använda den.

En tanke om att hon borde skynda sig hem. De skulle packa till landet och åka ut i morgon. Tid för familjen, tid att prata, tid att utröna vilka hemligheter de kunde leva med och vilken kärlek som fanns kvar.

När poliserna hade lämnat lägenheten hade Jocke hållit hennes blåslagna hand och sagt att han hade blivit så rädd för att förlora henne.

Det var som att lära känna henne på nytt, hade han också sagt. Han hade tänkt på det i sin ensamhet ute i stugan, att det faktiskt var lite spännande.

Och vad vill du själv då?

Det var Charlies röst, men ändå inte, kanske mer som en tanke.

"Jaha", sa Riddarn och hivade upp kassen över axeln. "Då syns vi när vi råkas då."

Bakom honom kunde hon se höghusen vid Frihetsvägen på håll, hemmet som hon inte hade några minnen av. En känsla bara, av att vara liten och det här var hennes pappa.

Han såg verkligen annorlunda ut. Det blev tydligare här i hans egen miljö, de rena kläderna, håret som var tunt men välklippt, bortsett från den där kala fläcken runt såret. Han hade gått upp lite i vikt på sjukhuset och såg inte längre så urgröpt ut. Hon hade känt i bilen att han luktade tvål.

"Du skulle kunna komma hem till oss", sa Helene. "Och äta middag."

Riddarn sken upp. Tänderna var verkligen dåliga, hon borde se till att få honom till en tandläkare.

"Ja, det vore fint", sa han. "Då fick man ju träffa småknoddarna också."

Helene tittade bort mot bänkarna där det satt några som hon antog var hans gäng, några rufsiga gestalter som skickade en burk med öl emellan sig.

"Kanske nu ikväll", sa hon. "Du kan åka med mig in till stan."

Riddarn såg sig lite oroligt om. Drog handen över hakan.

"Aj du, det blir nog lite svårt. Just idag. Jag har en del att stå i."

"Okej."

"Men en annan gång vore fint", sa han.

Helene gick runt bilen och öppnade bakluckan, lyfte ut gitarren. Den var nästan ny. Ändå skämdes hon lite när hon räckte den till honom.

"Det är nog ingen särskilt bra gitarr", sa hon.

"Är den till mig? Det var det värsta?"

"Malte fick den när han skulle börja på gitarrkurs. Den är knappt använd. Han var väl inte så intresserad, det var nog mera min idé."

Han såg barnsligt förtjust ut när han knäppte på strängarna.

"Det finns en stämapparat också" sa Helene och lade den i hans hand.

Riddarn rynkade pannan när han granskade den lilla manicken, hade nog inte sett en sådan förut.

"Njae, en sån behöver man väl inte. Än kan man nog stämma en gura."

Han viftade med gitarren mot polarna när han gick mot bänkarna.

Helene satt kvar i bilen en stund, såg honom slå sig ner och ölburken som skickades i hans riktning. Hon öppnade rutan och hörde på avstånd när han började spela.

Have you seen the old man in the closed-down market...

Hon hade kunnat texten innan hon begrep orden, när de bara var ljud. *Så lätt mi tejk jo baj dä händ...*

Han ser det inte tänkte hon, att han har blivit en av dem

som låten handlar om, de utslagna och de sorgliga, med trasiga skor och sitt hem i några kassar, han fattar kanske inte ens att det är han.

So let me take you by the hand and lead you through the streets of London…

En tanke om att hon kanske ändå borde lämna honom lite pengar, eller kanske köpa något att äta innan hon for in till stan igen. Hon tog upp plånboken och fastnade återigen vid det tomma facket.

Kortet som var borta. Fotografiet av henne och Charlie, hand i hand vid en valborgseld.

Helene var helt säker på att hon hade haft det hemma hos Barbro den där kvällen, hon hade visat henne det.

När hon några timmar senare vaknade på trappan till folkhögskolans flygel var det borta. Hon hade kontrollerat plånboken, sina kort och pengar, och hade förstås inte tänkt på det då, inte förrän senare, att det saknades.

Vid ett av förhören hade hon frågat Krawczyk om de möjligen hade hittat det vid dammen, sagt att det betydde mycket för henne. Han hörde sig för. Teknikerna hade nagelfarit varenda millimeter av växtlighet och gyttja när de sökte efter vapnet, men något foto av två små flickor hade de inte funnit.

Och hon tänkte på människor hon hade sett när hon gick mot folkhögskolan den natten, något hon inte hade berättat för polisen. På väg genom tunneln under Viksjöleden hade hon vänt sig om, tyckt sig se någon borta vid parkeringen. När strålkastarna från en bil svepte förbi hade hon känt sig lite lugnare igen. Det var bara en liten dam i grå kappa.

Helene tryckte upp rutan och hörde inte sången mer. Sedan startade hon bilen och körde därifrån.

Lena Morberg tvekade vid tröskeln till sonens rum.

Hon var osäker på om hennes närvaro skulle lämna några spår. Han skulle aldrig förlåta henne om han visste.

Jag är hans mamma, tänkte hon, jag har en viss rätt.

Ändå kände hon sig som en brottsling när hon satte sig vid hans skrivbord, nästan som om hon borde ha handskar för fingeravtryckens skull.

Sonen hade varit nära att komma för sent den första dagen på sommarjobbet, hade rusat iväg hals över huvud och för en gångs skull glömt att slå av sin dator.

Hon var inte säker på om han hade sovit alls.

Skärmen tändes när hon rörde vid tangentbordet, mängder av filer och ikoner, Lena försökte orientera sig medan argumenten malde i huvudet. Sådant här hade mödrar gjort i alla tider. Det var inte olagligt så länge ens barn inte var myndiga, bara lite mer komplicerat än de där små låsen på en dagbok som hon misstänkte att hennes egen mamma hade pillat upp en gång i tiden.

Alla hade rätt till ett privatliv. Hon ville bara få en liten aning om vad det var som höll honom vaken.

Satt villrådig en lång stund, vågade inte klicka någonstans. Det var för oöverskådligt. Förr hade man åtminstone märkt om ungarna luktade öl eller rök när de kom hem, det fanns en doft av deras hemligheter.

Lena försökte tänka logiskt, se det som en dator vilken som helst. Hon gick in på symbolen högst upp, menyraden och sökte på Senaste objekt. Tydligen hade han varit ute på nätet. En liten lättnad över att det var något enkelt, som hon kände igen. Hon öppnade hans webbläsare och gick in på historiken där alla hans besök stod prydligt uppradade.

Kände hur hon rodnade.

Karleksliv.se

Det här var ingenting en mamma borde veta om sin tonårsson. Ändå gick hon in på sidan, just där han senast hade varit.

Hon förstod först inte vad hon såg.

Välkommen 27-åringen, stod det.

Hon klickade på "Din profil".

27-åringen där också. Sakta gick det uppenbara upp för henne. Det var så han kallade sig. Han hade ingen bild på sig själv, bara detta anonyma namn. En presentation som såg ut som sådana brukade göra. Hon hade själv gjort några dejtingförsök efter skilsmässan, men orkade inte med det längre. Tyckte inte det var värt att vara därute och bli granskad och bedömd, som att vara tillbaka på skolgården fast det pågick dygnet runt.

Sonens text såg ut som ett plagiat av alla de andra hon hade läst.

Han skrev att han tränade en del, gillade att vara i naturen, sökte en mogen kvinna.

Lena rodnade igen.

Hon som hade börjat tro att han inte ens var intresserad av sådant, han gick ju knappt ut, tog inte hem vare sig tjej eller kille. I listan med meddelanden framgick det att han hade haft kontakt med flera kvinnor. Hon gick in och tittade på en av dem, en alldeles strålande söt kvinna på tjugofem. Skummade skamset breven. 27-åringen hittade på undanflykter när kvinnan ville ses, han skulle resa bort och det ena med det andra.

Det fanns något oskyldigt i hans sätt att skriva. Som om han prövade sig fram. Plockade upp kvinnans ord och använde dem själv i nästa brev.

Lena hörde hunden komma tassande och lyfte upp henne i famnen. Strök Happy över ryggen, medan hon betraktade profilen som var hennes son.

Han leker vuxen, tänkte hon. Det är det han gör.

Hon skulle just stänga ner när hon fastnade vid bilden på en av kvinnorna. Billie Jean.

Det var inte möjligt.

Lena bävade för vad hon skulle få se när hon klickade sig in i konversationen. Upptäckte datumen. Det var absurt. Hon visste att kvinnan var död, om det inte var någon som var på pricken lik henne. Ändå hade det fortsatt.

Utdrag ur de sista breven:

"Hej Billie Jean, jag har aldrig skrivit till någon som är död förut. Hur är det där?"

"Är du materia eller anti-materia?"

"Jag tror inte du är här längre eftersom du inte svarar. Du har gått in i en ny dimension och där finns det väl ingen uppkoppling. Synd, för jag har verkligen jättemånga frågor."

"Okej, var död, hej då."

Lena stängde ner programmet. Försökte vrida stolen som den hade stått innan och lämnade hans rum.

Hon kände sig omskakad. Någon drev med honom. Det gjorde henne arg, men ändå lite lugnare än förut.

Han trodde fortfarande på spöken.

Ziggy Stardust vickade förvånat med huvudet när han lyftes ut på balkongen.

Det skar i hjärtat att se. Uffe hade sällan vågat ha dörren öppen dit ut, även om det var inglasat. Ziggy hade kraftig näbb och var en listig fågel. Det var inte omöjligt att han skulle lyckas skjuta upp en springa mellan glasrutorna, lagom stor för att en papegoja skulle kunna tränga sig ut.

Därför hade han sällan fått känna vinden, som nu, när alla fönstren var fråndragna.

Han flaxade till och landade på räcket. Uffe gick tillbaka in i lägenheten för att hämta Ebba Grön.

Det var städat nu. Allt som var personligt, alla fotografier och anteckningar och gamla blandband, till och med böcker som betydde något, hade han slängt. De kunde få hämta honom när som helst. Hans brott skulle komma att rubriceras som grovt häleri och anstiftan till grov stöld, hade de sagt. Det där med grovt kom sig av att han hade orsakat skada för annan, plus att mediciner var dyrare än någon kunde begripa. Uffe Rainer visste vad han hade gjort och varför. Hade erkänt allt och skulle ta sitt straff, men ingen som inte hade älskat skulle få gå här och rota i hans liv och döma.

Sum quod sum, tänkte han.

Jag är vad jag är.

Ebba Grön hade gömt sig i badrummet. Nymfparakiten hade alltid varit en sådan känslig själ, flaxade upp för ingenting. Uffe sträckte ut handen och fågeln landade troget på hans finger.

466

Om den satte igång med sin punkrepertoar och ropade "fryser ihjäl" en enda gång till, så skulle han inte klara av att genomföra det här.

Ziggy Stardust satt kvar på räcket när Uffe kom ut igen, undrade väl var det här var för ett påfund.

"*Ground control to Major Tom. Ground control, ground control.*"

De kände nog båda två att allt skulle förändras.

Uffe hade tänkt på olika möjligheter. Skänka dem till en djuraffär, annonsera ut dem på Blocket.

Som handelsvaror.

Kanske skulle de bli offer för rovfåglar. Kanske flyga i fel väderstreck och frysa ihjäl när vintern kom. Kanske visste de inte ens hur en fågel finner sin föda om den inte serveras i skålar.

Det var inte säkert att de skulle överleva natten, men han gjorde det ändå.

Sträckte ut handen, skakade den. Ebba Grön flaxade till och lyfte, flög lite hackigt hit och dit och fick sedan fart.

Uffe tog tag om Ziggy Stardusts kropp med båda händerna, snabbt för att inte hinna ångra sig. Höll ut papegojan i fria luften och släppte greppet.

Det såg ut som att den gled på vinden. Ebba Grön störtdök mot ett träd och flög sedan upp igen.

Han stod kvar så länge han kunde se dem.

En gång i livet skulle de i alla fall ha fått uppleva att himlen inte är ett tak.

Torpet låg i en glänta i skogen. Det syntes inte från landsvägen, bara en traktorstig ledde ända fram. Gräset hade vuxit upp till fönsterblecken när hon först kom dit, men det hade hon slagit nu, gått fram med lie och handgräsklippare.

I köket var en vedspis den enda värmekällan, i kammaren en eldstad. Nästan allt hon behövde hade funnits i huset när hon flyttade in. Glas av märket Duralex, vaxduk på det lilla bordet. Möbler som såg ut att ha stått där sedan den siste torparen gav sig av.

Hon hade hittat stugan via en oansenlig annons på nätet. Bonden som ägde marken var nöjd med att slippa kontrakt och kvitton. Så länge hon betalade kontant i förskott och höll sig undan vid älgjakten fick hon bo där på obestämd tid.

Det hade tagit tid att få eld i spisen den första kvällen, veden var lite fuktig, men hon mindes hur man gjorde, spåntade ved och fann några gamla tidningar att riva isär och skrynkla ihop. När det brann som bäst hade hon tryckt in Claudia Viehhausers pass i elden och sett det skrumpna till en förvriden liten klump.

Claudia existerade inte längre.

Faktum var att hon hade avlidit i München redan 1977.

Namnet hade funnits på en webbsida för släktforskning i Tyskland. Verklighetens Claudia hade varit född 1922 och inte 1952, som det stod i det numera förkolnade passet, däremot stämde dag och månad. Någon hade tydligen ägnat sig åt att stjäla döda människors identiteter för att förvandla dem till helt andra, levande personer, förmodligen en ganska enkel förfalskning som hade fungerat på sjuttiotalet.

Hon hade fått iväg ett sista meddelande till sin son. David skulle svara rättsväsendet i Buenos Aires att den Claudia Viehhauser de sökte hade varit död i trettiosju år och alltså inte skulle kunna vittna i någon rättegång.

Ramón skulle få ruttna i fängelset.

Det var tidig morgon och redan så förunderligt ljust. En tunn dimslöja svävade över ängen som sluttade ner mot sjön. En dag hade det stått två rådjur i skogsbrynet.

Hon åt chorizo och äggröra till frukost.

Sakta vande hon sig vid att tänka på sig själv som Ing-Marie igen. Det gjorde något med hennes person, ett slags lätthet som trädde in. Ing-Marie hade på det hela taget upphört att existera vid tjugosju års ålder, hade aldrig blivit riktigt vuxen.

En långsträckt sjö och många skogar låg emellan den nedre Fryksdalen där hon hade vuxit upp och övre Fryken, vid vars strand hon nu hade slagit sig ner. Hon träffade inte många människor. Bönderna hon köpte ägg och grönsaker av, damen i kassan på Coop i Lysvik. Någon gång tog hon bussen in till Sunne för att köpa färger och block, lite nya böcker att läsa. Hon hade glidit tillbaka in i den värmländska språkmelodin, men sa inte mer än vad som behövdes. Sahlin var ett vanligt efternamn i Värmland. Om någon frågade om hon var släkt med den eller den, skulle hon neka och säga att hon var av en ingift släkt som härstammade från Dalarna, eller något. Hon hade inget pass och inget ID-kort och behövde aldrig mer i sitt liv besöka banken. Blev hon sjuk skulle hon klara det själv, som många gånger förut. Sjön fanns alltid där som ett alternativ, skymtade mellan björkarna.

Pengar hade hon så det räckte. Under golvet, i väggarna.

Hon hade brutit upp lösa plankor och spikat fast dem igen, skurit hål genom lager av tapet och bänt loss panel innan hon lappade ihop den igen och hängde en tavla över skarvarna. Där fanns mer än hon i återstoden av sitt liv skulle kunna göra av med, pengar som hon hade tagit ut från konton i Berlin och fraktat med sig i resväskor, buntar av både euro och svenska sedlar som hon hade växlat till sig innan hon gjorde sig av med Claudias identitet.

Det enkla lilla torpet hade förmodligen tiodubblat sitt värde.

Ing-Marie drack upp kaffet och ställde ner porslinet i diskbaljan.

I en av de gamla ramarna hade hon satt in fotografiet av flickorna. Slängt fotot av några främmande döda, och hängt upp det över köksbänken.

Förväntan i deras ansikten, de vita sandalerna, hur de hade fastnat i ett ögonblick när ingen av dem visste någonting.

Det var inte som att stjäla. Fotografiet hade varit hennes. Hon kände så väl igen det, vikmärkena som gick tvärs över. Det var en gåta hur det hade kommit dit, till ett fack i Helenes plånbok.

Hon hade hämtat väskan som låg slängd vid dammen, efter att hon hade burit upp Helene till folkhögskolan.

Det var nästan omöjligt att bära en medvetslös människa i sina armar, men hon tänkte på det som att hon bar ett barn. Hade knutit en sjal om flickans sår i bakhuvudet och satt där tills hon var säker på att blödningen hade hejdats och andningen var lugn.

Claudia var tränad för att skjuta mot rörliga mål i svår terräng. Det hade bara behövts ett enda skott. Mannen hade inte hunnit märka vad som hände. Hon var snabbt framme och vräkte undan honom, fick upp flickan till ytan. Sjönk i gyttja till knäna när hon släpade henne upp. Ville ha henne bort därifrån.

Den gamla skolan låg där i ett dis av overklighet.

Hon hade strukit flickan försiktigt över kinden och tyckt sig se något fridfullt i hennes ansikte, trots bulor och rivsår.

Det hade funnits en tanke om att stanna. Eller, något som

inte var en tanke utan en starkare kraft. Ändå skyndade hon sig därifrån. Tog sig bakvägen ner från kullen och ut ur parken. Det skulle komma frågor och det fanns inga enkla svar. Dagen efter hade hon stigit på ett tåg västerut.

Ing-Marie tog sitt staffli under armen och gick längs stigen som ledde ner till sjön. Det gnistrade av dagg i gräset, yrde runt av maskrosfjun.

Hon stod alltid på samma plats nere vid stranden. Det hände att någon åkte förbi i båt och tittade. Hon var medveten om att bilden kunde te sig idyllisk, en konstnär vid stranden med sitt staffli, mitt i den bedårande sommaren.

Ing-Marie drog sakta de första linjerna på papperet. Konturen av en människa som låg hopkrupen. Hade hon legat så? Ett snedtak ovanför, en mörk gestalt som lutade sig över en annan, bjälkar av stål där kedjorna var fästa.

Allt som hon inte hade kunnat se.

Timmarna gick och solen steg. Hon såg inte åt den spegelblanka sjön eller skogarna på andra sidan. Det var inte landskapet hon var ute efter, bara känslan av stillhet.

Luften som tycktes oändlig just där.

FÖRFATTARENS TACK

Jag ägnar en del av mina dagar åt brutala brott i fantasin, men jag hade aldrig kunnat uppfinna det som skedde i Argentina under åren 1976–1982.

Det är fortfarande oklart hur många människor som militärjuntan under president Jorge Videla systematiskt såg till att försvinna under de här åren. Omkring 15 000 fall är belagda, men människorättsorganisationer uppskattar att det handlar om uppemot 30 000 människor.

Mina huvudpersoner existerar inte och för berättelsens skull har jag ibland ändrat tid och plats. Annars ligger skildringen av det som hände i Argentina nära verkligheten, utom på en punkt. Ingen av de försvunna har påträffats levande.

Fredsförhandlingarna mellan regeringen i Colombia och gerillaorganisationen Farc-EP pågår fortfarande när den här boken går till tryck, men den utbrytargrupp som jag beskriver är fiktiv.

Några personer måste jag tacka först av allt, utan vars hjälp jag knappast hade kunnat förflytta mig till 1970-talets Buenos Aires.

Norah Schmeichel och Julio Fernández Baraibar för nära nog dygnslånga samtal, promenader och färder genom Buenos Aires, tack för alla era minnen. Leonor Camauer, Claudio Tamburrini och Nicolas Iñigo Carrera för samtal kring bland annat flykt och exil, fotboll och fångenskap, Marcello Mancilla för vandringar i San Telmo och La Boca.

Några av alla böcker om den här tiden har varit viktigare än andra, som *Nunca más* – sanningskommissionens rapport som leddes av författaren Ernesto Sábato, Richard Gillespies *Soldiers of Perón* om Montonerosgerillan, John Dinges *The Condor years* samt *Confessions of an Argentine dirty warrior* av Horacio Verbitsky, om den förste militären som bröt tystnadspakten. Filmerna *Jag kallas Ernesto*, *Crónica de una fuga* och *Nueces para amor* hade jag inte velat vara utan, se dem om ni inte har fått nog!

Stort tack också till Lorena Balardini på Centro de Estudios Legales y Sociales i Buenos Aires och Wolfgang Kalek på European Center for Constitutional and Human Rights i Berlin för att ni tog er tid.

Jag växte upp i Jakobsberg, men man glömmer så mycket mer än man minns. Eva Linder, Lotta Ringnér och Susan Nettelbjer, tack för att ni alltid håller mitt minne levande. Tack också till familjen Moback på Aspnäsvägen, Ingemar Sallnäs, rektor på Jakobsbergs Folkhögskola när det begav sig, Bettan Eriksson och Ingmarie Höidén som jobbade på kondomfabriken och Per Erixon och Lasse Lindquist som skrev reportageboken *Jakan*, om gänget som jag då var för ung för att hänga med.

Ulrika Berggren och Ann Bexelius för arkitektens arbete och blick, Stina Almqvist och Inger Zachrisson för konsten att starta ett apotek, Roland Bredbäck på Strukton Rail för inblick i järnvägsarbete, samt Ulrika och Lennart Frykskog, Karin Hatzenbühler och Tova Granqvist för allt möjligt, tack!

Tack även till Hans Ewerlöf, Sveriges ambassadör i Venezuela 1976–1980, Christian Jofur, förundersökningsledare vid polisen i Norrort och Hans Cederberg, tidigare rådman vid Stockholms Tingsrätt.

Allt i den här boken som inte överensstämmer med verkligheten är fiktion.

Slutligen, mitt varma tack till Ebba Helmerson, Gith Haring, Magnus Linton och Frida Hessel för att ni har velat läsa på olika sätt och hjälpt mig att göra det så mycket bättre.

Bästa förlaget Lind & Co, Kristoffer Lind, Kajsa Willén och alla ni andra, jag är så lycklig över att just ni ger ut mina böcker, Niklas Lindblad som gör mina omslag, Lena Stjernström och alla på Grand Agency som tar böckerna ut i världen, tack!

Och förstås, Liza Marklund, som läser först och diskuterar allt, tack för att du alltid finns och orkar.

Tove Alsterdal

n

www. mojt. se